THE ART OF CHOOSING

选择

为什么我选的
不是我要的？

[美] **希娜·艾扬格**（Sheena Iyengar）_著
林雅婷_译

中信出版集团 | 北京

图书在版编目（CIP）数据

选择：为什么我选的不是我要的？/（美）希娜·艾扬格著；林雅婷译．-- 北京：中信出版社，2019.1（2019.5重印）

书名原文：The Art of Choosing

ISBN 978-7-5086-9863-2

Ⅰ．①选… Ⅱ．①希… ②林… Ⅲ．①行为经济学－通俗读物 Ⅳ．① F069.9-49

中国版本图书馆 CIP 数据核字（2018）第 275383 号

选择——为什么我选的不是我要的？

著　　者：[美] 希娜·艾扬格
译　　者：林雅婷
出版发行：中信出版集团股份有限公司
（北京市朝阳区惠新东街甲 4 号富盛大厦 2 座　邮编　100029）
承 印 者：北京楠萍印刷有限公司

开　　本：880mm×1230mm　1/32　　印　　张：10　　字　　数：235 千字
版　　次：2019 年 1 月第 1 版　　印　　次：2019 年 5 月第 5 次印刷
京权图字：01-2010-4844　　广告经营许可证：京朝工商广字第 8087 号
书　　号：ISBN 978-7-5086-9863-2
定　　价：59.00 元

献给我的父亲，他告诉我一切皆有可能

献给我的母亲，她伴随着我成长中的每一步

目 录

IX / 前言 选择的艺术

第 1 章 选择，一种原始欲望

003 / 生存还是死亡

006 / 老鼠的“信念”

009 / 选择是人类的生存武器

012 / 温柔却危险的囚禁

016 / 选择为何能够促进健康？

021 / 诉说希望的故事

第 2 章 我的、你的和我们的

027 / 信仰下的婚姻和幸福

030 / 规则会束缚人类选择吗？

033 / 个人还是集体：绿茶、咖啡和糖

039 / 两种婚姻的传说

047 / 我的、你的和我们的

054 / 从一幅画看出你的世界观

061 / 逃离式自由和实现式自由

071 / 文化碰撞下的兼容并蓄

第 3 章 选择是寻找自我的过程

077 / 选择与成长性思维

079 / 消费习惯暴露你的个性

088 / 我想与别人不同，但又担心另类

096 / 更高层面的身心一致性

104 / 你希望别人怎么看待你？

112 / 选择是生命的动态体现

第 4 章 选择中的理智与情感

117 / 你的选择是最优吗？

118 / 棉花糖的故事

125 / 选项的描述会影响选择结果

133 / 直觉选择，决断 2 秒间

136 / 富兰克林的公式

第 5 章 潜意识、主观联想与选择

149 / 淡粉和芭蕾舞鞋粉

151 / 鸡生蛋还是蛋生鸡

159 / 伪选择与自我欺骗
165 / 蓝色药丸和红色药丸
168 / 圣诞节只选可口可乐的秘密
172 / 房间里 500 磅重的大猩猩
181 / 被操纵的选择

第 6 章 更多选项，不代表拥有更多选择

187 / 24 种果酱的陷阱
189 / 大量选项带来了迟疑不决
192 / 从 5 到 9 的选择舒适区
203 / 当选项成为障碍
208 / 减少选项，得出最优解
215 / 放弃冗余，才能拥抱创造性

第 7 章 有时，请把选择权交给他人

225 / 审讯室里的蛋糕
226 / 朱莉的早产儿困境
234 / 苏珊的放弃治疗选择
238 / 比较的代价
243 / 两难之间
247 / 红色按钮综合征

252 / **限制，让选择更珍贵**

257 / **与其放弃，不如让别人替你选择**

263 / 结束语

275 / 后记

283 / 致谢

291 / 资料来源

前　言

选择的艺术

世间的一切都始于一个故事。

——约瑟夫·坎贝尔（Joseph Cambpell）

我生于多伦多，是个早产儿，比预产期提前了一个月出生。我出生那天，暴风雪将多伦多变成了一座寂静、银装素裹的雪城。始料未及的早产、出生当日罕见的低能见度，现在回想起来都是不祥的预兆。我的母亲那时刚从印度移民加拿大，对她而言，这是完全不同的两个世界，于是她也把这种双面性遗传给了我。我的父亲那时正在从印度赶往加拿大的途中，因而未能迎接我的意外出世，而这似乎也预示了他会早早地离开我的人生。现在回想起来，我的命运在出生那一刻就已经注定了。我的命运，无论是刻写在美丽而遥不可及的星空中，还是刻写在地上随处可见的乱石上，自我出生那一刻起就已注定，生活的种种情形也仅仅是为了进一步证明这一点。

这只是一个故事。听听我的另外一个故事吧。

你永远都不会知道生活中下一刻会发生什么，不是吗？就如同装有小玩偶的玩具盒，尽管你每次都是小心翼翼地只打开一个盒子，期待玩具盒里装的是小玩偶，但盒子里弹跳出来的总是五花八门、让你始料未及的东西。我就是这样来到这个世界上的——突然地——比预产期早了整整一个月，我的父亲甚至无法迎接我的到来。那时他还在印度——我母亲魂牵梦绕的故土。尽管对故土无比眷念，但母亲最终还是来到了加拿大，并在加拿大生下了我。我出生那天，母亲抱着我，一个人凝望着窗外的飞雪。如同薄薄的冰片随融化的雪水四处漂流一样，我们也四处漂泊：法拉盛、皇后区、埃尔姆伍德帕克、新泽西。但无论到哪儿，我都是与锡克族移民共同生活的。这些人同我的父母一样，尽管已经离开了印度，却始终带着印度的烙印。我的父母试图在另外一个国家重现他们印度式的生活，因此也可以说我是在“国中国”长大的。

每周有三天，父母会将我带到锡克寺里做礼拜。女人（我也在其中）坐在右侧，而男人则集中坐在左侧。根据锡克教[①]教义，我一直留着长发，因为长发象征着神造物的完美。右手戴的钢手镯代表我无所不能、顽强不息的意志，以及对神的热爱和奉献，它也时刻提醒我，自己的一举一动都将被收入神明那双明察秋毫的法眼。每时每刻，即便是冲澡，我都穿着短裤，那代表我的贞节。这些仅仅是我遵从锡克教教义的一部分表现。同其他虔诚的锡克教教徒一样，宗教中没有规定的事情都由我的父母决定。表面上，一切都是为我好。但生活总是喜欢破坏你既定的或是他人替你制订的计划。

从蹒跚学步起，我总是撞到东西。起初父母只是以为我比较笨拙。按理说，停车计时器已经大到足以让我看见并及时避开，可为什么我却总需要别人提醒我当心？当父母注意到我不是一般的笨拙时，他们带我去了哥伦比亚长老会医院咨询一位眼科专家。这位专家很快就解开了谜团：我患有罕见的色素性

① 锡克教是15世纪在印度教的虔信派毗湿奴城派和伊斯兰教苏菲派的共同基础上产生的。1469年由第一任祖师拿那克（Nanak）创始。——译者注

视网膜炎，这是一种家族遗传的视网膜病变，视觉敏锐度只有 20/400。当我读到高中时，我已近乎失明，唯一能辨别的也就剩下光了。

我想，一个意外的确能让我们做好准备应对更多接踵而来的意外。与失明做斗争让我变得更加坚强。（抑或是因我天性坚强才能顽强地与疾病做斗争？）即使我们认为已经全力以赴做好了应对一切的准备，我们仍然有可能被生活中的种种意外击倒。我 13 岁那年，父亲去世了。那天，父亲送母亲去哈勒姆区上班，并答应母亲，他随后会去医院找医生看看他的腿疾以及一直以来呼吸困难的问题。但医院对于父亲预约的时间安排有些混乱，总之，那时没有一个医生能给父亲做检查。父亲非常沮丧，再加上因为其他的事情备感压抑，他气愤地离开了医院，冲到人行道上，随即被一辆车撞倒。肇事者将父亲拖到车上，并叫了辆救护车。父亲最终被送到了医院，但到达医院时，他的心脏已经停止了跳动。

我谈起这件事并不是想说明生活仅仅是由一系列不可预见、不尽如人意的事情组成的，而是我们生活的相当一部分，也确实充满了许许多多不可预见的事情。如果你只能预见极短的所谓的“未来”，事情变化之快甚至让你来不及感叹一声，那么你生活的轨迹又能在多大程度上按照自己预期的方向发展呢？

等等，我还有另外一个故事。虽然这还是我的故事，但我相信你能从这个故事中看到自己的影子。

1971 年，我的父母从印度经加拿大移民到美国。与众多移民者一样，从他们踏上美国海岸、开始新生活的那一刻起，他们便开始追寻他们的美国梦了。他们很快发现随之而来的是许许多多的困难，但他们仍然坚持着。我是在他们的追梦之旅中诞生的，我想我比他们更理解何谓美国梦，因为比起他们，我更能融入美国文化。尤其是，我已经充分意识到美国梦的核心价值——它如此闪亮，即使你同我一样几乎完全失明，你也能看见它，那就是选择。

我的父母选择来到美国，但他们也选择尽可能地保留他们印度的根。他们与锡克教教徒共同生活，信仰并忠于教义，教导我应顺从的价值观。从童年时期的吃穿到读书时期的专业选择，再到工作地点和结婚对象的选择，我只能顺从锡克教教义以及父母的意愿。上了公立学校后，我发现独立做出自己的决定不仅是非常自然的，也是非常必要的。这与文化背景、个性及能力无关，起作用的只是简单的对与错。对于我这样一个几乎完全失明、事事被要求顺从教义的锡克族女孩来说，独立自主是一种强有力的信念。我可以同父母一样，认为自己的命运早已注定；但我也可以换个角度，认为我的失明和父亲的去世，仅仅是生活中我们无法控制的意外而已；如果再换个角度，想想人人生来拥有选择的权利，可以选择去做一些有可能通过自己的努力实现的事情，人才会从生活中看到希望。

很多人都只是以选择性的语言编织、讲述生活中的故事。英语肯定是美国的通用语言，并且它在世界其他地区的应用也越来越广泛。当人们用相同的语言讲述故事时，相互间更容易得到认可。正如我期望本书能够使读者意识到的，“表达选择”可以产生很多益处，其中之一便是培养人们的自由意识。但同时我也希望能够为读者揭示，生活中还有其他各种更为复杂的选择情境，与我在前文中以自己的经历讲述的关于命运与选择的故事大为不同。

———

对于“选择”这一课题的研究形式可以是各式各样的，但因为“选择”

的含义很广泛，没有人能够通过一本书将“选择”彻底研究透。在本书中，我试图探索与生活最密切相关、最引人思考的有关“选择”的不同方面，主要以心理学为基础，同时辅以商业、经济学、生物学、哲学、文化研究、公共政策，以及医药学等各领域的知识，力求为读者展现“选择”的多面性，并借以引发读者思考人们日常生活中对于“选择”的理解及实践操作。

在接下来的七章里，我们会从不同的角度看待选择，并试着解决各种困扰我们在生活中做出有利选择的问题。选择何以具有如此强大的力量，这种力量又从何而来？是否所有人都会以同样的方式做出选择？如何做出选择与每个人的身份又有着怎样的关系？我们为何总是对自己最终的选择感到失望？我们又该如何最有效地利用选择这一工具？每个人对每天由自己做主的选择有多少控制力？如果选择的空间无限，我们又该如何做出选择？我们是否该让他人替我们做选择？如果是，那么他应该是谁？为什么要让这些人帮我们做出选择？不管你是否同意我的看法、建议和结论，我相信，人与人的看法不可能完全相同，但我相信，我们共同探讨这些问题的过程无疑将帮助你做出更全面的选择和决策。无论是对生活琐事的选择，还是对关系生死存亡的选择，无论选择的机会是否存在，选择都是我们生活中不可或缺的组成部分。有时我们喜欢它，有时我们憎恨它。但是不管我们与它的关系如何，我们都不能忽略它。我希望当你看完本书的时候，你能明白选择如何塑造了你的过去，为什么它现在如此重要，以及未来它将带你去向何方。

何谓自由？自由是选择的权利：为自己创造选择机会的权利。没有选择的可能，人就不能被称为人，而仅仅是社会的一个成员、一件工具、一件物品。

——阿齐博尔德·麦克利什（Archibald MacLeish），
美国诗人，1933 年美国普利策奖获得者

第 1 章

选择，一种原始欲望

生存还是死亡

设想一下，如果你乘坐充气筏时在海上迷失了方向；或是因摔断腿意外被困在荒山上；抑或是乘着小船漂在一条普通的小溪里，但是船没有桨，你会怎么做？在完全放弃希望前，你会坚持多久？我们常在饭桌上、与朋友的聚会中，或是周末喝下午茶时讨论这种问题，这并非为了探讨绝境下生存的技能，而是好奇在没有任何准备，或是无例可循的情况下，人类在逆境中的极限能力。我们当中，有多少人曾经九死一生，并能有幸与我们分享他们的故事？

以史蒂文·卡拉汉（Steven Callahan）为例。1982 年 2 月 5 日，史蒂文·卡拉汉独自驾乘他的“拿破仑”号小船出海，但因暴风雨被困在距离加纳利岛以西 800 英里[①]的地方。当时只有 30 岁的卡拉汉发现自己独自一人在漏水的充气筏上，并且只有少得可怜的物资维持生存。在此后的时间里，他收集雨水当饮用水，并自制了一支长矛用来叉鱼。他以藤壶[②]为食，偶尔也捕捉前来食用藤壶残骸的海鸟。为了让自己保持清醒，他坚持每天写日记。即使他已经极度虚弱，只要身体状况允许，他就会坚持做瑜伽。他耐心等待着，并努力使小船向西边漂移。4 月 21 日，也就是卡拉汉独自被困在海上 76 天之后，一艘轮船经过瓜德罗普岛海岸时，发现并解救了他。迄今为止，史蒂文·卡拉汉是唯一一个独自被困在海上超过一个月并得以生还的人。

史蒂文·卡拉汉是一名经验丰富的水手，他的航海经验无疑是使

---

① 1 英里约为 1.6 千米。——编者注

② 藤壶是一种附着在岩石、船底上的甲壳动物。——译者注

其得以生还的关键，但这并不是唯一因素。在他根据自己亲身经历撰写的《漂流：我一个人海上的 76 天》（*Seventy-six Days Lost at Sea*）一书中，他对自己在灾难发生不久后的思想状态如此描述：

> 在我身边漂浮着“拿破仑”号的残骸。船上的设备得以保全，并能正常运转，也有些许日常生活所需的物品。我克服了心中的焦虑、恐惧与不安。在这变幻莫测的海上，我是这艘小船的船长。我最终得到了水和食物。九死一生之际，我面临两个选择：依靠自己的力量，努力活下去；或是选择放弃，看着自己慢慢死去。我选择了前者。

史蒂文·卡拉汉仔细研究了当时的情况。情况很糟，他能看见的只是一望无际的大海，而海面下隐藏着无数未知的危险。巨浪层层、海风呼啸，但他并未听到一丝死亡的声音。相反，他听到的是：“史蒂文·卡拉汉，你想活下去吗？”对活着的渴望以及所付出的努力，使得史蒂文·卡拉汉奇迹般地生还。或许当下次有人问你在绝境中会怎么做时，也许你可以翻出史蒂文·卡拉汉的这本书，并回答道：“我会做出选择。”

乔·辛普森（Joe Simpson）是另外一个在绝境中奇迹生还的人。乔·辛普森和他的登山伙伴西蒙·耶茨（Simon Yates）在秘鲁安第斯山脉成功登顶后，前者在下山的过程中意外地摔断了一条腿，几乎无法行走。耶茨试图用登山绳帮助辛普森转移到安全的地方。但耶茨因无法看见辛普森，也听不到他的声音，不小心将他放到了悬崖边上，导致辛普森既无法贴到山体的立面上，又无法重新爬上去。登山绳将两人的命运紧紧相连。耶茨只能撑住辛普森的所有重量。但毫无疑问，他很快就会支撑不住，那时两人都将坠入万丈深渊。最终，在没有其他选择的情况下，耶茨割断了登山绳，那一刻他认为自己宣判了朋友的死刑。但接下来发生的事情出乎所有人的意料。辛普森掉到了冰隙的边上，在接下来的 5 天里，他在冰川上爬行了 5 英里，找到了伙伴耶茨宿营的地方。若再晚到一刻，耶茨就会离开。在辛普森的《触及巅峰》(*Touching the Void*) 一书中，他这样描述自己当时的经历：

> 停止让自己沿绳索下滑几乎让我无法忍受。虽然我并不知道身体下面的情况，但我确信两件事：耶茨已经走了，并且不会沿原路返回。这也就意味着如果我任凭自己躺在冰桥上静候别人的救援是无望的。我已无法往上攀登，如果继续往下掉，无异于让自己更快地死亡。我想过自杀，但即使是在我最绝望的时候，我仍然没有勇气自杀。如果只是躺在冰桥上，体能也许还够支撑相当长的一段时间，但想到独自一人在荒无人烟的山上等待毫无希望的救援，我就近乎崩溃。我想我只能选择：沿着绳索下滑，或是发现希望之路，或是与“死亡之神”相遇。若已经努力，即使面临死亡也无愧于心。我已经无法回头。

对于意志坚强的史蒂文·卡拉汉和乔·辛普森来说，能够幸存下来是他们做出选择的结果。正如辛普森所说，绝境之下的选择是必需的，而非机会。你可以拒绝一次机会，但是在特定的情况下，你无法拒绝做出必需的选择。

尽管我们中的大多数人不会经历上述极端的逆境（但愿如此），但我们每天也面临着许许多多必须做出的选择。当必须做出选择的时候，我们是积极做出响应，还是畏缩不前，静观其变？是以泰然处之的心态，冷静地接受我们面临的一切，还是坚持不懈地追求我们的目标？我们用不同的标尺来衡量我们的生活：年份、大事记、主要成绩。我们也可以用人生路上不断做出的选择来衡量我们的生活，这些选择最终成就了今天的你我。当我们以这样的视角看待生活时，我们会发现，选择是一股强大的力量，是决定我们如何生活的重要因素。读到这里，你可能不禁要问，那么选择的力量究竟源自何方？我们又该如何充分利用它呢？

老鼠的“信念”

科特·里克特（Curt Richter）是约翰·霍普金斯大学医学院一位著述颇丰的心理学研究者。1957 年，里克特进行了一项实验研究，结果令人震惊。为了研究水温对于忍耐力的影响，里克特及同事将多只小白鼠分别放进玻璃瓶中并灌上水。因为玻璃瓶的内壁太高且很光滑，这些小白鼠面临的只有两个选择：溺水而死或是坚持游泳以求生存。里克特甚至通过射入水流迫使小白鼠游泳，而不是浮在水面上。通过这种方式，里克特记录了这些小白鼠在没有食物、不能休息，而且不能逃出玻璃瓶的情况下坚持游泳的时间。

研究人员惊奇地发现，在水温与健康状况均相同的情况下，小白鼠坚持游泳的时间却相差甚远。部分小白鼠几乎是当即溺水而死；部分小白鼠仅仅坚持了 15 分钟就放弃了；还有一部分小白鼠似乎下定决心坚持到底，在体力耗尽前，它们坚持游泳的时间平均长达 60 小时。这一发现令研究人员大为困惑，是什么原因造成了如此大的差别？是否因为部分小白鼠相信，如果它们坚持游泳，最终就能有生还的机会？难道小白鼠也会有不同的“信念”？不然的话，如何解释小白鼠之间差别极大的表现，尤其是在它们的求生本能已经被激发出来的情况下，抑或是表现顽强的小白鼠已经收到能够逃离绝境的信息？

在进行第二阶段的实验研究时，研究人员将小白鼠不时地从水中捞起，每次都允许它们挣脱一会儿。在小白鼠已经习惯这种模式后，研究人员反复将小白鼠放进玻璃瓶，在水面注入气流几分钟，然后又将小白鼠从瓶中捞出，并放回鼠笼。最后，研究人员将小白鼠放进玻璃瓶中进行测验。这一次，没有一只小白鼠迅速放弃求生，在精疲力竭并溺水之前，小白鼠的平均游泳求生时间长达 60 小时。

可能我们还不习惯说小白鼠作为一种动物也会有“信念”，但看看实验结果，因为得以从鼠笼中逃脱，并在激流中生存，这些小白鼠似乎相信它们不仅能够承受痛苦，更能够摆脱恶劣的环境。它们的经历已经让它们学会掌握自己的命运，或许，希望就在拐角处。不同于卡拉汉和辛普森作为有思想意识的人类，小白鼠的坚持不懈令人惊叹。鉴于此，我们是否也可以说这些小白鼠做出了选择，它们选择在体能耗尽前寻求生存的希望？

若坚持不懈的努力没有得到回报，则会令人备感痛苦，随之会因本应施展的救援未获得认可而感到心碎。马丁·塞利格曼（Martin Seligman）是美国纽约州康奈尔大学的一位心理学家。1965 年，他开展了一系列研究，而其研究结果也彻底改变了人们对于“控制”的理解。研究人员将穿着橡胶外套的杂种狗——体形近似比格犬或威尔士矮脚狗——放进白色的柜子中。每只狗单独占据一个柜子，其脑袋的两侧放有控制板，控制板中间有一副枷锁，研究人员通过把枷锁套在狗的脖子上将狗固定住。每只狗都有相对应的伙伴，它们被放在不同的柜子中。

实验期间，每对狗都会间歇性地经历无害但痛苦的电击，但每对组合中的两只狗对电击的反应情况却不尽相同。其中一只狗可以轻易地通过脑袋按停控制板，从而关掉令其痛苦的电流；而另一只狗，无论其如何扭动，都始终无法关掉电流。每对狗接受电击的时间是相同的，同时开始，并在其中一只狗能够关掉电源时同时结束。因此，每对组合接受的电流量是一致的。不同的是，一只狗有控制能力，而另一只没有。无力做出任何改变的狗很快就产生了害怕的情绪，并发出呜咽声，这是一种焦急、沮丧的表现，直到实验结束时，它仍持续这种状态。而获得掌控力的狗，尽管也表现出恼怒的情绪，但它很快就学会了通过按控制板来结束痛苦。

在实验的第二阶段，每对组合中的狗都被放置到了新的环境中，研究人员希望看看它们是如何学以致用的——将之前关于“控制”的经历运用于新环境。研究人员将两只狗都放进一个带有隔墙的黑箱子中，隔墙将黑箱子分成两个空间，隔墙的高度与狗的肩膀持平。在狗所在的这个空间，时而会有电流通过，而另外一个空间则没有。隔墙不高，狗足以跃过。在实验的第一阶段可以按停控制板的狗很快就学会了在新环境中如何结束痛苦，而之前无法按停控制板的狗中有2/3的狗只是消极地躺在地板上，并坚持忍受被电击的痛苦。电击持续不断，很痛苦，但这些狗一点儿也没有表现出试图脱离困境的“意愿”。即使它们看见其他的狗跃过隔墙，研究人员甚至将它们强行拖至黑箱子的另一半空间，向其展示其实它们可以逃离这一困境，这些狗仍然选择放弃逃离而继续忍受被电击的痛苦。脱离痛苦的自由近在眼前，但它们视而不见。

谈及选择，我们指的是人们控制自身以及所处环境的能力。为了做出选择，我们首先应当意识到，控制是可行的。即使精疲力竭，并且看不到逃生的途径，小白鼠仍坚持游泳，因为它们感受到了自由的可贵，并且它们曾经通过不懈的努力获得了短暂的自由。实验中那些没有被赋予控制力的狗感觉自己是无助的，而被给予控制力时，它们却因无法意识到控制力，行为上并没有相应地做出改变，因此它们仍然是无助的。换句话说，对于动物而言，它们实际拥有多少选择，远不如它们是否感知到自己拥有选择来得重要。尽管小白鼠因为实验的需要最终也会溺水而死，但它们这种坚持不懈的精神在现实社会中一定会让人受益匪浅，卡拉汉和辛普森的经历已经印证了这一点。

选择是人类的生存武器

看看镜子中的自己，我们就会发现一些能帮助我们做出选择的“工具”。我们的眼睛、鼻子、耳朵和嘴帮助我们从周围的环境中获取信息，而我们的胳膊和腿则负责在获取信息后做出相应的反应。我们依赖于身体的这些机能，它们帮助我们有效地在饥饿与饱腹、安全与危险，甚至生与死之间做出选择。但我们做出选择的能力不仅仅是对这些感官信息做出反应。如果医生拿橡胶槌叩击你的膝盖下部的韧带，你的小腿会自然地抬起，这是一种自然的神经条件反射，没有人会将这种自然反应视为选择。要想真正地做出选择，我们必须评估所有的选项并挑选出最好的一个，让我们的思想同身体一样能够对周围的环境做出选择。

科技的不断进步——如磁共振成像扫描技术——使我们得以确定与人类做出选择密切相关的大脑区域——额叶皮质纹状体网状系统。该系统的首要组成部分——纹状体——深藏于大脑中部。所有动物大脑中的纹状体，无论是爬行动物、鸟类，还是哺乳动物，其大小与功能是一致对应的。纹状体是基底核的一部分。基底核的功能相当于电路中的交换机，将大脑皮层较高级和较低级的活动进行切换。基底核中的纹状体从大脑的其他部位接收信息，并对这些信息进行整理规划，这一功能对于大脑做出选择是至关重要的。但纹状体具有选择的功能主要是基于评估与过往经验相关的奖赏，它会提醒我们“糖果 = 好吃”“蛀牙 = 不好”。

仅仅知道糖果美味且有吸引力，而蛀牙有害，还不足以引导我们做出选择。我们必须将其与一定的客观环境相联系，如过甜的食物必将导致蛀牙。正因为如此，皮质纹状体的另一部分——前额叶皮层——才能充分发挥它的作用。前额叶皮层位于前额的正后方，是大脑的命令中心，它从大脑的基底核及身体的其他部位获得信息，并对所有信息进行充分分析后，决定并执行最优的行动方案。它对当前及未来的后果做出复杂的成本收益分析，并从长远的角度出发，帮助我们克制冲动行为，抵制诱惑，并避开会伤害我们的事物。

前额叶皮层的进化是自然选择的最好例证。虽然人类和动物都有前额叶皮层，但前额叶皮层在人脑中所占的比例远大于任何其他物种，从而使人类具有独一无二的能够做出合理选择的能力，而且超越了人类的其他本能。前额叶皮层的功能随着年龄的增长进一步发展，运动能力取决于孩童时代，而事实推理能力在青春期得到发展。青春期至

20 岁左右，前额叶皮层不断生长并进一步成熟。这也解释了为什么与成人相比，儿童更难理解抽象事物，儿童和青春期少年更容易冲动。

做出合理选择的能力可以说是我们控制环境最有力的武器。虽然没有利爪，没有厚厚的皮毛作为掩护，没有翅膀或是其他显著的防御工具，但是由于具有对周围环境的控制能力，人类才得以统治这个星球。我们生来就有做出选择的能力，但同样重要的是，我们生来就有做出选择的欲望。相对于被动地接收信息，皮质纹状体中的神经元对主动做出选择的反应更为活跃。正如歌中唱的，“鱼儿游，鸟儿飞”，而我们人类则是要做出选择。

做出选择的欲望是与生俱来的，我们几乎在会表达之前就已经具有了选择行为。在对仅 4 个月大的婴儿所做的研究中，研究人员将琴弦放在婴儿的手指上，并让婴儿知道只要用力拉动琴弦，就会产生美妙的音乐。随后，研究人员将琴弦与音乐的连接断开，只是随机间歇性地播放音乐，婴儿们开始变得悲伤、愤怒，尽管他们听到的音乐和之前他们通过自己拉动琴弦听到的音乐是一样的。这些婴儿不仅想听音乐，他们更想要的是选择自己所听的音乐的权利。

有趣的是，尽管做出选择的目的是发掘所有备选方案中最好的一个，但我们希望做出选择的欲望过于强烈，有时会影响我们做出实际最有利的选择。比如，在某些情况下，我们并没有获得做出选择的有利条件。也就是说，在这些情况下，做出选择需要花费更多的时间和努力，但我们还是本能地倾向于做出选择。有这样一个实验，老鼠被放在迷宫中，在它们面前有两条道路，一条是只有唯一路径的通道，另一条是有着许多岔路的通道，但两条通道的终点的食物是一样多的，所以无论选择哪条路，结果都是一样的。但实验结果表明，几乎所有的老鼠都选择了有岔路的那条通道。同样，学会通过按钮呼叫食物的鸽子和猴子也喜欢有很多按钮可供选择，即使食物并不会因为按钮数量的增加而有所增加。虽然人类可以有意识地控制这种欲望，但这并不表示人类愿意控制自己的这种欲望。在另一个实验中，人们更喜欢有两个转盘而非一个转盘的赌桌，即使转盘上的设置是一模一样的，并且他们只能将唯一的筹码押在一个转盘上。

尽管选择是因人类生存的需要而发展的，但选择的欲望是人类的天性。选择的力量如此强大，已经不仅仅是我们实现目标的一种手段，更是人类身上宝贵且必要的品质。但如果在享受选择带来的利益的同时，自身的选择欲望却没有得到满足，我们又该怎么办呢？

温柔却危险的囚禁

设想你在一家极尽奢华的酒店：早、中、晚都有各种稀世佳肴。白天，你可以随心所欲地做你喜欢的任何事情：在泳池边惬意地休息，做温泉理疗，在娱乐室玩个痛快。晚上，你躺在一张豪华大床上，上面铺着高级床单；服务员永远随叫随到，态度谦恭，满足你任何时候的任何要求；酒店甚至提供最先进的医疗服务。你可以带全家人到酒店享受这所有的一切，开展社交活动，认识很多新朋友。如果你正单身，还有可能在这里找到你的另一半。最重要的是，所有的一切都是免费的！但有一点：一旦住进酒店，你永远都不能离开。

这可不是著名的加利福尼亚酒店，而是目前世界各地动物园的动物们正在享受着的“豪华监狱”。自 20 世纪七八十年代开始，人们试图将动物园打造成动物的自然栖息地，他们换掉水泥地、钢铁围栏，取而代之的是草地、砾石地、树木、水池。人工的环境布置可能与自然环境相似，但在这里，动物不用寻找食物和安身之地，不用躲避捕食者的追捕，人类已经为它们提供了生存所需要的一切。乍一看，这并不是一件坏事，但园里的动物可是“怨声载道”。斑马如同生活在达摩克利斯之剑[①]下，它们闻到了在附近做表演秀的狮子的气味，却无法逃离此地。动物园没有迁徙一说，也没有囤积食物的做法，这对于在冬季需要南迁的鸟类、习惯囤积食物的熊来说，都是生死攸关的事。事实上，园里的动物甚至无法知道明天食物是不是还能同今天一样从天而降，而它们也无力为自己找寻食物。简而言之，动物园的生活完全违背了动物的生存本能。

尽管有管理人员的悉心照料，但园里的动物感觉如同生活在死亡的陷阱当中，因为它们无法为自己的生活做选择。每年都有动物试图逃跑，它们并不害怕周边密密麻麻的深沟、围墙和捕捉网，而有些动物居然还成功逃离了。2008 年，洛杉矶动物园的一只名叫布鲁诺的 29 岁的黑猩猩，在其围栏四周的网布上划破了一个洞，但最终它发现自己只是跑进了另一个围栏。在管理人员成功安抚布鲁诺前，3 000 名游客被紧急撤离，所幸无人受伤。2007 年，在圣迭戈动物园，一只名为塔蒂亚娜的 4 岁西伯利亚虎越过了 25 英尺[②]的深沟，导致游客一死两伤。塔蒂亚娜最终被击毙。2004 年，在柏林动物园，一只名为胡安的熊翻出围栏，它用一块原木当滑板，成功地滑出围栏

① 达摩克利斯是意大利叙拉古王朝的一位大臣，他非常羡慕帝王的荣华富贵。一天，国王让他坐在王位上，并在达摩克利斯的头上用一根头发悬着一把利剑，告诉他王权的危险就像那把剑一样，随时可能降临。因此“达摩克利斯之剑”就成了“富贵中隐藏的危险”的同义语。——译者注

② 1 英尺约为 0.3 米。——编者注

四周的深沟，获得自由，并在动物园的旋转木马上玩了一圈，但最终被动物园的工作人员注射镇静剂并带回。

还有无数事例，都揭示了对控制权的渴求是这些事例出现的有力的主导因素，即使控制可能带来伤害。这并不仅仅是因为实施控制权让人感觉良好，更主要的是不能实施控制权会让人不自觉地感到难过和压抑。在压抑之下的内分泌系统会分泌应激激素，如肾上腺素，这可以提高人体应对危机的能力。当我们处于危险情形下或感觉压抑、受挫、恐慌时，我们本能的反应不是战斗就是逃离。呼吸急促，心跳加快，血管收缩，迅速供应富氧的血液，这些保证了人体应对危险所需的能量。而供应身体其他功能的能量，如消化、保持免疫系统的免疫能力，则暂时性地下降了。瞳孔扩张，条件反射加快，注意力集中。只有度过危机之后，身体才会恢复正常。

上述反应也是动物在自然界中面临短暂危险时的一种自然反应，这能帮助动物有效地终结压力来源，恢复掌控力。但如果压力的来源一直存在，动物既不能战斗又不能逃离，它们的身体便会处于持续紧张的状态，直至精疲力竭。虽然动物园里的设施和条件很好，但园里的动物们仍然会因担心基本的生存需求、害怕捕食者的追赶而感到焦虑，因为它们不知道自己是安全的。就身体机能而言，持续保持警惕状态会导致免疫力下降、溃疡，甚至诱发心脏问题。就精神状态而言，持续紧张会导致我们做出常见的一些反复性、自虐性的行为，如反复咬嘴唇等，这些通常都被心理学家视作压抑、焦虑的表现。

格斯是美国中央动物园的一只重达 700 磅[①] 的北极熊。1994 年，

① 1 磅约为 0.45 千克。——编者注

它开始出现这种压抑、焦虑的症状。在大部分时间里，格斯只是游泳或是不时地小睡，让游客和饲养员大失所望。针对它的这些症状，动物行为学家蒂姆·德斯蒙德（Tim Desmond）为格斯制订了一个治疗计划。德斯蒙德因为为影片《人鱼童话》[①] 训练鲸而为大众所熟知。德斯蒙德根据格斯的行为表现，认为需要给格斯制造各种挑战和机会，以恢复它的动物本能，从而让格斯感觉自己还是有能力决定自己要去哪儿、如何打发时间的，它可以重新掌握控制自己命运的能力。同样，宠物仓鼠、实验室老鼠经常修饰它们的皮毛，并不是因为它们天性如此，而是一种紧张的表现，直到它们蹭下或咬下身上的一块皮毛为止。如果服用抗抑郁药百忧解，动物就会减少或停止此类行为。

由于囚禁对身心的伤害，虽然物质条件有了极大的改善，但动物的寿命通常都比较短。野生非洲象的平均寿命为 56 岁，而动物园饲养的非洲象的平均寿命仅为 17 岁。其他一些危害还包括低出生率（这已经是人工饲养熊猫长期存在的问题）和高夭折率（65% 的北极熊存在这一问题）。这不仅对人工饲养的动物不利，对于濒临灭绝的动物尤其有害。

尽管动物园给动物提供了舒适的物质条件，并且尽可能地模拟动物的自然栖息环境，但即使是世界上最先进的动物园也无法完全复制自然环境，无法让动物发挥它们的本能。最能表现动物被囚禁后的绝望的当属莱纳·玛利亚·里尔克的诗《笼中豹》（*The Panther*）："强韧的利爪迈着柔软的步伐，在这狭窄的圈中旋转，仿佛力之舞围绕着一个中心，一个伟大的意志在中心昏眩。"与前述接受电击实验的狗有所

① 《人鱼童话》（*Free Willy*），电影史上极受欢迎的动物电影之一，讲述一个男孩与虎鲸威利之间的动人友谊。——译者注

不同，这头已经麻痹的豹不是静静地躺着，而是不停地走动。但与那些无助的狗相同的是，它看见的世界只有铁栏杆："好像只有千条的铁栏杆，千条的铁栏后便没有宇宙。"无论诗中描述的铁栏杆是现实存在的，还是只是比喻，当一个人丧失控制权的时候，他在这个世界唯一能感受到的只有失去控制权的痛苦。

选择为何能够促进健康？

人类不会像动物一样被囚禁，但人类自愿地创造并遵从了各种为集体利益而牺牲个人选择权的体制。我们为立法投票、订立合同、同意有偿地被雇用，因为我们意识到如果不这么做，一切可能都会陷入混乱。但如果理性地承认这些限制的益处与选择欲望的本能冲突，我们该怎么办？生活中的我们在多大程度上拥有控制权，对我们的健康有着极大的影响。

英国伦敦大学的迈克尔·马蒙特教授（Michael Marmont）进行的一项长达 10 年的实验——"白厅研究"有力地证明了我们的选择观对健康的影响。从 1967 年开始，研究人员对 10 000 名 20～64 岁的英国人进行跟踪调查，并将其收入与健康状况进行比较。与人们通常认为的"要求苛刻的老板 45 岁死于心脏病"的故事不同，研究人员发现，尽管高收入意味着更大的压力，然而低收入人群如看门人，死于心脏病的概率为高收入人群的三倍。

部分原因是较之高收入人群，低收入人群更可能吸烟、熬夜，并且缺乏有规律的锻炼。但即使排除吸烟、肥胖、缺乏运动等因素，研究人员发现低收入人群死于心脏病的概率仍然是高收入人群的两倍。

更高收入意味着控制个人生活的权力更大，但这并不能完全解释为何低收入人群的健康状况更差。处于收入金字塔第二阶层的人，如医生、律师及其他一些按照社会标准属于生活富裕的人群，比起他们的老板，健康状况也更差。

研究结果发现，主要原因是收入等级直接与他们在工作中自由行使控制权相关。老板们薪酬更高，与此同时，很重要的一点是，他们可以直接决定自己及下属的任务。尽管一名首席执行官肩负着提升公司盈利额的责任，压力很大，但研究结果发现，首席执行官的助手压力更大。工作中控制权越少，工作期间的血压越高。此外，在家中血压高低与工作中的控制权无关，这也表明工作期间的高血压是由缺少决策权直接导致的。工作中缺少决策权的人同时也更容易患背部疼痛，因病休假也更多，患精神疾病的概率也更大——生活质量在下降，这与被囚禁的动物是相似的。

不幸的是，现实情况更糟糕。多项研究结果表明，除了工作压力，我们还要受一些无法控制的日常琐事困扰，如不时被打断、交通拥堵、错过公交车、大雾天气、噪声、闪光灯等。动物界中短暂的焦躁和肌肉紧绷会提高动物的身体机能，帮助它们迅速逃离困境；而对现代社会中的人而言，这只会引发挫败感、背部疼痛等问题。对于清晨 6 点 30 分的闹铃、上班途中长时间拥挤的公交车、令人窒息的工作，我们无法像动物一样要么战斗，要么逃离。这种持续的紧张状态，较之被炒鱿鱼、离婚等短暂的痛苦，对健康的伤害更大。无法控制的日常琐事往往是对我们的身体健康造成伤害的主要因素。

那么那些处于社会底层或是不愿继续往上爬的人，还有希望保持健康吗？研究结果表明，影响个人身体健康的最主要因素并不是他们工作中实际拥有多少控制权，而是他们认为自己拥有多少控制权。收入较低的人群普遍认为他们拥有的控制权比较少，因为他们对自己的工作实际上并没有多少决策权。但即使是相同的职位，不同的人对控制权的认识也会不同，健康状况也有所差异。也就是说，即使是高收入的高层管理人员，如果他总是感觉自己很无助，那么与低收入的收发室职员一样，他也会出现同样的消极生理反应。

与被囚禁的动物不同，人类对于控制权的认识或是无助感并不是完全由外界因素决定的。通过尝试对周围环境产生不同的理解，我们也可以为自己创造选择的机会。卡拉汉是一个比较极端的例子，但是对看似超出控制的局面做出自己的选择，会提高人的快乐感并有益健康。那些认为生活中的不幸是由于外界的不可控力导致的人群，患抑郁症的概率高于那些在困境下仍然相信自己拥有控制力的人群。前一种人比较容易对环境妥协，比如，陷入毒瘾无法自拔、滥交；更容易患心脏病、哮喘、关节炎、溃疡、头疼、颈椎疼痛等疾病，免疫力下降。鉴于此，我们该如何培养自己的乐观精神，并积极调整自己面对不可控力的心态呢？

1976年，科学家埃伦·兰格（Ellen Langer）和朱迪·罗丁（Judy Rodin）对美国肯塔基州阿尔丁养老院65～90岁的老人就控制力的理解进行了研究。养老院的社会活动协调员对居住在两个楼层的老人分别召开了会议。对于住在一楼的老人，工作人员给了每个老人一盆植物，并告诉他们医护人员会替他们照看这些植物；同时告诉他们养老院会在周四和周五放映电影，他们可以选择其中一天去观看电影；他们可以拜访住在其他楼层的老人，参与各种活动，如读书、听广播、看电视等。协调员传递的主要信息是：一楼的老人可以做一些范围内允许的事情，但照顾他们的健康是养老院的责任，这是当时养老院一贯的做法（现在也是）。正如这位协调员所说："我们认为经营好养老院，让你们安度晚年是我们的责任，我们将尽最大可能做好一切。"

这位工作人员随后召集二楼的老人们开会。这次会议有所不同，他允许每位老人选择自己喜欢的植物，并告诉他们需要由他们自己照看植物。他还告诉二楼的老人，他们可以选择是否去看周四或周五的电影，并提示他们有很多种方法可以打发时间，如读书、听广播、看电视等。这次传递的主要信息是：使养老院成为一个快乐的大家庭是老人们自己的责任。"这是你们的生活，"他说，"你们可以做想做的任何事情。"

尽管会议上传递的信息有所不同，但养老院的工作人员采取同样的方式和态度对待两个楼层的老人。此外，给予二楼老人的选择也看似微不足道，因为事实上两个楼层的老人都拥有植物，都可以选择一天时间去看电影。但三个星期之后，研究人员发现，获得更多选择权的老人更开心、更活跃，与其他楼层的老人互动更频繁。虽然仅仅过了三个星期，但 70% 的缺乏选择权的一楼老人的健康状况恶化了，而 90% 的二楼老人的健康状况有所改善。6 个月之后，研究人员甚至发现拥有更大选择权的老人寿命会更长。确实，对选择权的不同理解造成了这样的差别。

因为被赋予了选择权，养老院的老人们的健康状况有所改善，虽然这些选择权只是象征性的。能够控制周围的环境，满足他们控制的本能，使得这些老人不会像动物园里被囚禁的动物或是那些低收入人群一样容易感到压抑和焦虑。研究结果表明，微小但频繁的选择使我们对于选择权的理解有着成倍的积极影响，就如一些小压力积少成多，对人体造成的危害远比少量的大压力造成的伤害更大。更为主要的是，这一研究结果表明，我们可以给自己、给他人的不仅仅是选择权。行为上一个小小的改变，如强调个性的说话或思维方式的改变，对我们的身心健康有着极大的影响。

对病人控制事物的意志力的各种研究表明，即使是一些绝症患者，如癌症、艾滋病病毒携带者，如果他们保持积极与疾病做斗争的乐观态度，旧病复发的可能性会降低，生命得以延长。英国皇家马斯登医院（The Royal Marsden Hospital）是世界上第一家癌症治疗研究中心，医院进行的一项研究表明，感觉无助、绝望的乳腺癌患者更容易旧病复发，并且在5年内死亡的概率更高。众多针对艾滋病病毒携带者的研究也表明，无助、绝望、消极的态度使得病毒携带者更容易发展为典型的艾滋病患者，并且加速死亡。说到这里，也许有人会问，对待疾病的态度真的会直接影响病情的发展吗？

医学界对此争论不休，但有一点是清楚的，只要有可能，人们倾向于选择——保持积极的态度，相信健康状况会有所改善。即使事实上病情并未好转，我们也有理由相信积极的态度会让人感觉更好。在加利福尼亚大学洛杉矶分校开展的一项研究中，三分之二的乳腺癌患者相信他们可以控制自己的病情，并且其中三分之一的人相信他们有很多控制权。这种信念导致了他们行为上的一些改变，如积极食用有益健康的蔬菜和水果等。但实际上，控制权更多地表现为一种思想上的行动，比如幻想物理化疗好似一门大炮将癌细胞打得七零八落。患者也告诉自己："我坚决拒绝癌细胞扩散。"这可能令人难以置信。但事实是，相信自己对疾病拥有更多控制权的患者心情更好。患者相信自己能够控制病情，也正反映了所有人对控制权的渴求，无论健康或是患病，年轻或是年长。即使在人生最灰暗的时期，我们仍然希望看到生活赋予自己更多的选择权。

诉说希望的故事

必须阐明的一点是：选择活下去并不能保证我们在任何绝境中都能幸运生还。诸如“人类精神的胜利”这类故事通常首先强调英雄或生还者所说的话，即“我知道我还有选择”或“我面临着一个很艰难的抉择”，随之是描述主人公的心路历程，即如何在黑暗中看见光明，还有一堆陈词滥调描述他所获得的宝贵经验。但实验中的小白鼠，同人类一样“坚信”它们能够生还，并坚持游泳求生长达 60 小时，最终仍溺水而死。我们也看到很多陷入困境的水手、登山运动员、病危者，即使他们选择与逆境做斗争，最终也只能接受死亡的现实。因此我们对于逆境生还的故事似乎很熟悉，仿佛它们来自同样的脚本。如果过分强调“精神的力量”，就容易让人产生误解。

但无论怎样，这样的故事确实能帮助人们在逆境中克服恐惧，积极与疾病和逆境做斗争。一项医学调查表明，即使是过于乐观的信念，相比现实的态度，也会对患者产生积极的影响。可能有人会认为，如果一个病危患者狂热地相信自己已经康复，而事实恰恰相反，则很有可能会产生强烈的负面效应。但研究表明，事实并非如此。如果你身体健康，你可能会认为这种过于乐观是自欺欺人；但如果有一天你的健康出现了问题，你就会抓住任何与疾病做斗争的机会。

琼·狄迪恩在其散文集《白色专辑》（*The White Album*）的开篇语

中写道："我们用形形色色的故事鼓励自己勇敢地活下去。"简单却一语中的。"我们为自杀者布道。在恶性谋杀事件中，寻找社会或伦理道德教育。我们用自己的语言解释所见到的事物，在众多选项中选择一个最可行、最能被接受的方案。我们（尤其是作家）生活在形形色色的故事中，利用我们已经学习的'想法'定格变化莫测的现实生活。"故事叙述，无论平凡或是感性，对我们理解生活的意义起着重要的作用。如果讲述的是关于选择的故事，是关于我们拥有选择权的故事，我们可以告诉自己"一切都是为了生活"。

可能有人会说：我们需要编造、传颂关于选择的故事。一个人可能会失去财产、失去家庭、失去爱人，但如果他知道了这些关于选择的故事，他的选择能力是不会遗失的，并且这些故事会口口相传，为后代所知。斯多葛学派哲学家塞涅卡曾写道："认为奴隶被完全占有的想法是错误的，因为人的内心是不能被奴役的。尽管身体被奴役，但一个人的思想是任何人都无法控制的，它是自由的、奔放的，身体的奴役并不能阻碍思想的自由。"对于动物而言，囚禁了它的身体也就相当于囚禁了它的一切；但一个人即使身体被奴役，他仍可以选择思想上的自由。对此，他应该首先知道何谓选择，并且相信自己应该拥有选择的权利。通过分享故事，选择在我们的想象中、在口口相传中被赋予了生命；通过分享故事，我们相互给予力量，即使肢体不能选择，我们的思想仍可以做出选择。

因此选择的故事得以延续、流传并获得认可也就不足为奇了。美国梦是基于美国《独立宣言》宣扬的"天赋人权"，人人生而享有"生命权、自由权和追求幸福的权利"发展起来的，而选择助就了美国梦的发展。选择的根源可以追溯得更远。在任何关于自由和自主的讨论中，都有选择的影子。事实上，即使没有“选择”这个词，我们也能感受到它的存在。当我们做出选择时，无论环境怎样，我们都认为自己掌握了控制权。可能选择的环境和实践操作会有所不同，但我们对于选择的渴求和需求是一样的。虽然人与人之间存在差异——脾性、文化、语言——但是因为选择的存在，我们相互联系，相互诉说着自由和希望的故事。

第 2 章

我的、你的和我们的

信仰下的婚姻和幸福

40多年前的8月，住在印度德里的坎瓦尔·日·辛格·塞西（Kanwar Jit Singh Sethi）在拂晓之际便早早醒来了。坎瓦尔穿着传统的白色短裤，走进狭小的浴室进行仪式性沐浴。浴室只有一扇小窗子能透光，坎瓦尔光脚坐在木凳上，脚底的石头地板透着丝丝凉意。他的祖母和母亲走进浴室，用玫瑰花泡过的水为他冲澡，并在他身上涂上香气袭人的姜黄香料、白檀木香料和酥油。最后她们装了一桶水，从头往下再为他泼洗一遍。

根据锡克教教义，男子不能剪发、剃须，因此坎瓦尔的头发已经长达腰际，胡子则长至胸部。他的母亲帮他洗了头发和胡子，麻利地给他的头发涂上酥油，编成辫子，盘在头上，并将长长的胡子打成结。沐浴后的坎瓦尔穿上他最好的衣服，显得精神、帅气：他28岁，身高6英尺，体重160磅。你不禁会被他帅气的外表、风度翩翩的举止、柔和的眼神和随和的个性吸引。坎瓦尔来到后院，此时，后院里已经聚集了上百位亲朋好友，等待婚礼的开始。

几条街之外，23岁的库尔迪普·考尔·阿南德（Kuldeep Kaur Anand）几乎以同样的方式开始了她的一天。但在某些方面，库尔迪普与坎瓦尔截然不同。她身材娇小，身高5英尺，体重只有85磅；与坎瓦尔外向的性格相反，库尔迪普生性害羞。她并不是那么引人注目，而是时刻默默地关注着他人。在仪式性沐浴结束后，库尔迪普穿上橙色纱丽。这件纱丽是她最喜欢的女影星玛穆塔兹（Mumtaz）在经典电影中穿过的。库尔迪普迎接来到家中的亲朋好友，大家为她献上最美好的祝福。

这一天，两个家庭都举办着婚礼，主人为客人提供大盘的干酪和油炸的蔬菜圈。临近黄昏时，两个家庭开始准备会面仪式。在坎瓦尔家，乐队已经到来，并用印度唢呐演奏传统乐曲。印度唢呐用芦笛制成，人们认为它会带来好运。坎瓦尔迎亲时所骑的白马也被牵至家中，白马身披一张棕色的毯子。出发前，坎瓦尔的姐姐们为他戴上头巾，并在头巾上挂上黄金流苏。装扮仪式结束后，在亲朋好友的簇拥下，由乐队开路，坎瓦尔骑上白马，前往库尔迪普家中迎亲。

此时的库尔迪普戴着准婆婆给她的华丽面纱，在家中与家人一起吟唱诗歌。迎亲队伍到了，乐队吹起唢呐，敲起塔布拉鼓，坎瓦尔和库尔迪普互换玫瑰和茉莉花环。与此同时，两个家庭的成员，包

括双方的母亲、姐妹，也相互致礼，并交换花环。随后大家一起唱歌、跳舞，直至坎瓦尔必须离开。

婚礼结束后的第二天清晨，两个家庭的成员来到附近的一座锡克教寺开始举行阿南德·卡拉支婚礼[①]，亦称为“被神祝福的结合”。坎瓦尔头戴红色头巾，身穿黑色西装，跪在摆放着锡克教圣经《古鲁·格兰特·沙希卜》(Guru Granth Sahib）的圣坛前。库尔迪普身穿纱丽克米兹[②]，跪在坎瓦尔身旁，带有黄金流苏的面纱垂至腰际。祷告之后，坎瓦尔的祖父将一条丝带的两端分别交与坎瓦尔和库尔迪普。在坎瓦尔的牵引下，两人围绕着《古鲁·格兰特·沙希卜》缓缓地走上四圈。每走完一圈，两人就停下来，双双坐在《古鲁·格兰特·沙希卜》前聆听教士祈祷：因缘、因果报应、信任、神的赐福。乐队奏起圣歌《拉婉》[③]。最后两家人向新郎、新娘脚下投掷钱币和花束。坎瓦尔揭开库尔迪普的面纱，这是他第一次看见自己妻子的容貌。

这就是我父母的婚礼。每一个环节都是由他们的长辈安排好的：结婚对象、婚礼的服装、婚礼的食品。这是锡克族延续了几百年的传

---

① 阿南德·卡拉支婚礼仪式是锡克教第四位祖师拉姆达斯制定的结婚仪式，也是 1909 年 10 月 22 日印度帝国议会通过的锡克人法定结婚仪式。——译者注

② 纱丽克米兹（salwar kameez）是印度男女皆可穿的传统民俗服装。纱丽是一种宽松如同睡衣的裤子，裤腿上宽下窄。克米兹是一种宽松长袍，自腰部以下开叉以方便行动。——译者注

③《拉婉》共分四节，每一节都有不同的含义。第一节的意思是，婚姻是永远不可拆散的，是永恒的。新郎和新娘在一生中都应始终不变，甘苦与共，共同履行家庭的责任。第二节的意思是，新郎和新娘应互相爱慕、互相敬重，通过无私的劳动和牺牲来提升对彼此的爱。第三节的意思是，人类的爱要由神的爱所代替。神的爱注入新郎和新娘的思想中，并吸引着他们，神的爱在他们心中升起。第四节的意思是，新郎和新娘达到了完美的统一、完美的结合。这种完美结合是神的恩赐。——译者注

统。无论何时我与旁人提及父母在结婚当天才正式第一次见到对方，大多数人的第一反应都是甚为惊奇：“家族决定他们的婚姻？他们怎么能够允许这种事情发生？”仅仅简单地解释家族里的每个成员——也是绝大多数印度人——的婚姻都是由家庭决定的，似乎不能满足他们的好奇心或消除他们的疑虑。从表面上看，人们能够理解这是因为文化差异造成的，但从本质上而言，他们无法理解我的父母怎么可以任凭别人决定关系他们一生幸福的人生大事。

规则会束缚人类选择吗?

还记得进行狗实验的心理学家马丁·塞利格曼吗？他所做的一系列实验都向我们证明了，人类是多么需要掌控发生在我们身边的一切。当我们不能实施控制时，便会感觉无助、失去理智、无法正常思考。在就读宾夕法尼亚大学研究生课程期间，我第一次接触了这些实验。实验的研究结果让我开始思考：我身上的锡克族传统是否也让其信仰者感到无助？作为一名锡克教教徒，我需要时刻遵守各种教规：穿衣、饮食、言行举止、对家庭的责任等，几乎没有什么事情是我自己能决定的，生活中相当一部分决定已经由别人替我做好了。不仅是锡克教，很多宗教信仰都存在这一问题。我向塞利格曼表达了我的疑惑，希望他能帮我解答，告诉我宗教信徒是否在生活中更容易感到无助。但是他也无法肯定，因为当时没有相关的科学研究能证明这一点。鉴于此，我们当即决定开展一项研究，看看宗教信仰对于人们的健康和幸福感会产生怎样的影响。

在接下来的两年里，任何看到我日程安排的人都会认为我是在为一生的罪恶赎罪。每周五傍晚，我便开始研究，先拜访清真寺，随后前往犹太教堂。周六，我会前往更多的清真寺和犹太教堂，去采访更多人。周日一整天我都待在教堂里。在那两年里，我总共采访了 9 种不同宗教派别的 600 多名信徒，其中包括对信徒日常生活约束较多的正统派（基督教加尔文派、伊斯兰教、犹太教正统派）、保守派（天主教、基督教路德派、基督教卫斯理派、犹太教保守派），以及约束相对较少的自由派（唯一神派、犹太教改革派）。事实上，一些自由派教会甚至提倡无神论，并不要求他们的教徒必须相信神。唯一神派大部分教徒称自己为地球或自然中心主义者。

接受调查的信徒填写了三份调查问卷。第一份问卷的问题包括宗教信仰对被调查者日常生活的影响，包括在多大程度上影响他们的日常衣着、饮食、社交、婚姻。调查结果显示，宗教对正统派信徒的日常生活影响最大，而对自由派信徒的影响则较小。问卷也调查了信徒的宗教活动（“多久做一次礼拜或祷告？”）和宗教信念（“你相信这个世界有天堂吗？”）等问题。第二份问卷通过人们对于一系列假设的意外事件的反应来研究人们的乐观态度。当被问到“如果你被解雇了，你会怎么办？”时，乐观主义者一般会回答：“被解雇只是生活中的一件小事，并不能说明太大的问题。”而悲观主义者则通常答道：“如果我被解雇，说明我自身肯定有问题，而且是一些我永远都没有办法改正的问题。”从本质上看，这其实反映了人们对于生活中控制权的一种意识。最后，调查问卷要求他们回答一些健康类问题，看看他们是否存在精神压抑的情况，如体重减轻、失眠等。令我感到惊奇的是，正统基督教的信徒对生活充满了希望，面对生活的多样化也更为乐观，而且更不易患上精神压抑等疾病。事实上，反而是自由派基督教的信徒，尤其是那些无神论者，生活态度更为悲观，也更容易抑郁。虽然烦琐的宗教教义剥夺了信徒的很多自主权利，但它同时赋予了信徒力量，使他们对生活控制权的感知更为强烈。

这项研究令人大感意外：约束并不会降低人们对“控制权”的感知，而思考和行动的自由也并不会提高人们对它的感知。研究结果看似矛盾，但其本质在于人们世世代代延续下来的对世界的不同认知——人类所扮演的角色。我们都希望并且也有必要掌控自己的生活，但我们对控制的理解取决于我们所听到的故事和所坚持的信念。有些人相信控制完全是个人意志的行为。我们必须自己寻找通往幸福生活的道路，因为没有人能为我们实现。有些人相信生活是由上帝主宰的，只有理解并相信上帝，我们才能发现生活的幸福所在。我们听到过各种关于生活和选择的故事，诸如出生地点、祖先等。纵观不同文化、不同国家，我们发现人们对于应当做出选择的主题、选择的预期结果，以及如何判断选择的后果的理解差异甚大。

自从大学时代正式研究选择开始，我采访、调查过社会各个阶层的从事各种职业的人：年长的和年轻的，有宗教信仰的和无宗教信仰的，成长于亚洲文化背景下的革命老兵和地地道道的美国人等，并做了大量相关实验。在接下来的章节中，我将与读者分享我本人以及众多研究者的研究结果，看看地域环境、宗教信仰、政治体制、人口统计等因素是如何影响人们对自己，以及对自己在社会中所扮演的角色的认识的。各种文化，甚至各个家庭，对于生活中同样的故事都会有不同的解释，这也深刻地影响着我们对于选择何种事物、为何要做出选择的理解。只有学习如何理解这些故事，我们才能开始了解为何人与人之间会有如此大的区别。

个人还是集体：绿茶、咖啡和糖

1995 年，我在日本东京待了几个月，与文化社会心理学的创始人之一北山忍（Shinobu Kitayama）一起做研究，准备博士论文。我一开始便预料到日本的生活会与我原本的生活有文化差异，甚至会产生误解，但这种文化差异往往是在我毫无心理准备时突然出现的。最令我惊奇的应当是我在饭店喝绿茶的经历。我要的是加糖的绿茶，侍应生先是停顿了一下，然后礼貌地告诉我绿茶是不应该放糖的。我回应道，是的，我知道，但是我喜欢喝甜的茶。侍应生以更礼貌的方式再次提醒我说：绿茶不应该放糖。我告诉他，我了解日本人喝绿茶不放糖的习惯，但我还是希望我点的绿茶里面放糖。侍应生觉得无法处理此事，便将此事汇报给了经理，两人为此进行了一段长时间的谈话。最后，经理来到我面前说："女士，我很抱歉，我们这里没有加糖绿茶。"既然无法以自己喜欢的方式喝绿茶，我就只好换了一杯咖啡。侍应生很快将咖啡端了上来，茶托上放着两包糖。

绿茶经历不仅仅是一段有趣的小插曲，它也反映了在不同文化背景下，人们对选择的不同理解。从一个美国人的角度思考，如果一个付费的顾客根据个人喜好提出合理的要求，他就有权要求自己的需要得到满足。但是从一个日本人的角度而言，我的饮茶喜好与日本传统习俗格格不入，因此侍应生试图阻止我犯这种错误。跳出这段小插曲，如果将美国文化与日本文化进行比较，我们就能看到类似的情景存在于日常生活和工作的各个方面。不仅是日本和美国，任何两个国家的文化都有着很大的差异。而个人主义和集体主义将有效地帮助我们理解为何世界各国人民在思想和自主选择上会存在如此大的差异。

试着问问你自己，当你要做出选择时，你是首先考虑你想要什么，是否能让自己快乐，还是首先考虑你的选择对你和你身边的人是否是最有益的？这一看似简单的问题，却是文化差异与个体差异的核心。当然，我们中的大多数人不是完全的利己主义者，并不能完全忽视他人的需求；也不是完全的大公无私者，可以完全为他人着想，而放弃自己的利益。但即使排除这两种极端情况，个体主义和集体主义在各国文化背景下的表现还是有很大差异的。当我们做出决定的时候，我们被告知是要多考虑"我"还是"我们"？无论是哪种模式，这些文化习俗不仅试图帮助我们掌控自己的生活，同时也在贯彻一种被社会接受的价值观。

对于生长于个人主义较为盛行的国家的人们，比如美国，当我们做出一个决定时，我们通常被告知主要考虑“我自己”就可以。文化心理学家哈里·特里安迪斯（Harry Triandis）在其《个人主义与集体主义》（*Individualism and Collectivism*）一书中提到，个人主义“是以自己的兴趣爱好、需求、权利及与他人订立的条约为动力”，“并且注重个体目标多于集体目标”。人的一生面临无数选择，而且选择对于人的一生极其重要，人们不仅仅是根据个人喜好做出选择，同时也根据自己的个人利益、性格特点和行为特点设定自己的角色，如“我是个疯狂的影迷”或“我是一个环保主义者”。在这种世界观中，很重要的一点是明确自己的人生道路，让自己成为一个完整的个体。

我们可以在 17—18 世纪的欧洲启蒙运动中找到现代个人主义的根源。启蒙运动本身吸取了很多影响：古希腊哲学家（尤其是苏格拉底、柏拉图、亚里士多德）的作品；勒内·笛卡儿（René Descartes）试图从其格言“我思故我在”中提取知识的精华；宗教改革运动挑战天主教权力核心，倡导每个个体是与上帝直接相连的；科学上的进步，如伽利略和牛顿的科学发现，也进一步向人们证实了对于世界的认识与宗教无关。这些都引发了新的世界观，它们与以理性的力量统治社会的传统观念背道而驰。每个人都拥有通过自己的努力发现世间的对与错的能力，而不用完全依赖国王和教士等外部力量。

美国的开国元勋们深受启蒙运动哲学的影响，尤其是约翰·洛克（John Locke）宣扬的人权思想。他们将这种思想融入《美国宪法》及《权利法案》之中。1776 年，在签署《独立宣言》的同时，发生了个人主义发展进程中的另一个里程碑式的事件——亚当·斯密（Adam Smith）的《国富论》的正式出版。《国富论》宣扬，如果每个人都争取个体的经济利益最大化，社会就会如同“被一只看不见的手牵引”，最终实现社会整体经济利益的最大化。个人主义的核心思想是以机会理解选择，宣扬个人实现个人意愿的能力。这些事件的累积效应影响着人们对于选择在日常生活中扮演的角色的期待值，影响着社会组织结构的变化。正如 19 世纪的著名哲学家、经济学家约翰·穆勒（John Stuart Mill）所说："唯一能被称为自由的是人类在不损害他人利益的前提下，以自己的方式获取利益……人类只会为了自己的利益而忍受苦难，就这点而言，人类是最大的赢家。"

这种想法根深蒂固，我们甚至从未质疑过这种想法可能并未得到全世界的认可——我们也许并不是一直都希望由自己来做出选择，可能有些人希望由他人来帮助他们做出抉择。但事实是，个人主义的发展相对较晚，因此也只是引导了世界上一小部分人的想法。鉴于此，我们现在看看同样有着深厚历史渊源的集体主义思想及其对全世界人们关于选择的观念的影响。

在集体主义思想突出的国家，如日本，人们自小被教育在做选择的时候要以"我们"为先，人们首先以自己所属的社会群体看待自己的身份，如家庭、同事、村庄或国家。用哈里·特里安迪斯的话来说，人们"首先以集体社会制定的规范、社会赋予他们的职责义务为先"，"人们愿意将集体利益凌驾于个人利益之上"，着重强调"他们与集体社会成员的关系"。相较个人主义中的人人争出头，集体主义的人们相信只有当社会集体的需求得以满足的时候，集体中的个人才能得到真正的快乐。举例说明，日语中"makeru ga kachi"（"输即是赢"）表示相对于损害他人实现自己的利益，维持与他人和谐的关系更可取。集体主义世界观的影响远不止于对人们关于选择主体观念的影响。集体主义者通过自己与特定社会群体的关系明确自己的身份。集体主义国家的人们努力适应各类社会群体，并尽量与各类社会群体保持良好的关系。

纵观历史，集体主义更具说服力。原始狩猎采集社会的集体主义发展是因为生存的需要，因为相互照顾可以增加个体存活的概率。随着人类社会逐渐过渡到农业社会，集体主义的价值观也随之得到发展。随着人口的增加，先前的家族和部落的影响力逐渐衰弱，而宗教的发展则弥补了由此造成的空白，为人们提供了归属感和共同目标。

文艺复兴时期个人主义价值观得以加强，而集体主义价值观则随着历史的发展逐渐发展。集体主义价值观可以追溯到几千年前的亚洲社会文化，它强调责任和命运，基本独立于欧洲社会文化的发展轨迹，这一文化还影响着当代社会。印度教，以及其他随之发展起来的宗教，包括佛教、锡克教和耆那教，以法律的形式强调个体对于种姓或宗教的责任及因果报应。集体主义的一个重要发展源于中国的孔子提倡的儒家思想，这一思想随后也影响了东南亚和日本。在《论语》一书中，孔子有云："天下有大戒二：其一，命也；其一，义也。子之爱亲，命也，不可解于心；臣之事君，义也，无适而非君也，无所逃于天地之间。"[①] 最终的目标则是要使这些关系尽可能和谐。在东方社会，这种集体主义观念直到今天仍然占据首要位置。在集体主义的文化中，个人更多的是通过其对社会的责任和义务而非个人喜好来了解自己的生活。

另一个主要的集体主义发展时期是 19 世纪为应对个人主义，欧洲社会集体主义思想的发展。政治理论家卡尔·马克思批判那个时代少数资本家通过剥削广大的工人阶级，满足个人私利。马克思等人呼吁

① 此一句实记载于《庄子·人间世》。——译者注

人们建立“阶级观念”，工人阶级奋起反抗以求建立新的、人人平等的社会体制，这一呼吁也得到了广大工人的支持。与个人主义思想相反，这种思想提倡保证每个人能够获取一定的资源。1917 年俄国爆发“十月革命”，布尔什维克主义者掌握政权，成立苏维埃共和国，这一思想旋即在世界范围内产生了重大影响，尤其是为新兴国家提供了一种可借鉴的新的政权模式。

那么在现代社会，个人主义和集体主义的区别体现在哪里呢？吉尔特·霍夫斯塔德（Geert Hofstede）是这一领域权威的专家之一。通过对 IBM（国际商业机器公司）在世界各地员工的调查，霍夫斯塔德制定出了可以说是目前世界上最全面的、表明一个国家个人主义盛行程度的排行表。调查结果在人们的意料之中，美国是个人主义最为盛行的国家，以 91 分（满分 100 分）位居榜首，随后是澳大利亚（90 分）、英国（89 分），而西欧国家的得分在 60～80 分。东欧国家逐渐向集体主义倾斜，俄罗斯的个人主义分值为 39 分。整体而言，集体主义在亚洲更为盛行，一些国家（包括中国）的调查分值在 20 分左右，而日本和印度的分值相对较高，分别为 46 分和 48 分。中美洲和南美洲的国家主要集中在 10～40 分，集体主义观念较强，而厄瓜多尔则以 6 分的得分充分体现了其为集体主义国家。非洲国家的调查于本书写成之时正在进行之中，预计分值将在 20～30 分。随后的研究也发现了类似的规律，个人主义者通常赞同“我一般做我自己的事情”或是“每个人都应该学会独立生活”，而集体主义者则认为“与所在的群体保持良好的关系是非常重要的”或是“我们应当教育孩子们，责任优先于个人兴趣爱好”。

我们应当注意到，上文中国家的得分只不过反映了该国公民的平均得分，这不仅取决于一个国家的主流文化及其覆盖的广度，许多影响一国文化发展的因素对此也会产生影响。无论是根据国内生产总值，还是依据蓝领阶层、中产阶层、高收入阶层的年收入对各国的财富进行比较，更多的财富总是与社会各阶层更多的个人主义相联系。更高的人口密度是与集体主义相关联的，因为相互间亲密的生活关系要求人们控制自己的言行以维持和谐的关系。另外，个人主义与个人对异域文化的了解及受教育水平也有关联，因此相比农村，城市的个人主义更为明显。随着年龄的增长，人们由于阅历的丰富，与所在的群体建立了更稳固的关系，也更倾向于集体主义化。同样，他们已经形成了固有的观点，并不会因为新一代文化的变化而变化。在不考虑个性和人生中的一些意外经历的前提下，所有这些因素相互影响，最终决定了一个人在集体主义和个人主义这两个范畴之中的位置。

两种婚姻的传说

既然如此，我的父母为什么能够让别人决定他们的终身大事呢？或许我们可以从个人主义和集体主义的观念中找到答案。如果你仔细观察过自由恋爱婚姻和包办婚姻，就会发现自由恋爱婚姻基本上是个人主义观念的行为，而包办婚姻则是集体主义观念的典范。

让我们一起来看看灰姑娘的童话故事。恶毒的继母和两个丑恶的姐姐虐待可爱善良的灰姑娘，并让她去厨房做女佣。尽管恶毒的继母禁止灰姑娘参加王子的晚会，但在一位仙女的帮助下，灰姑娘得以准时赶到晚会现场。身着美丽的礼服和水晶鞋的她不仅成为全场瞩目的焦点，还夺得了王子的心。王子对她一见钟情。但灰姑娘必须在午夜咒语解除前离开晚会现场。在后来的故事中，虽然继母百般阻挠，但灰姑娘还是证明了自己就是水晶鞋的主人，并最终嫁给了王子，“王子和公主从此过上了幸福的生活”。

现在我们一起来看看另外一个完全不同的故事，是很久以前一位真实的公主的故事。15 世纪，一位美丽的、年仅 14 岁的公主被选为莫卧儿王朝第五代皇帝沙・贾汗（Shah Jahan）的第三任妻子。据说两人一见钟情，但必须等待 5 年后才能结婚，以得到神的祝福。故事在他们结为夫妻后才真正开始。在沙・贾汗统治莫卧儿王朝期间，公主玛穆塔兹・玛哈尔（Mumtaz Mahal）与丈夫形影相随，征战南北疆场，并在此期间为他生下了 13 个子女。

史官尽职地记录下了他们相敬如宾、恩爱无比的夫妻生活。玛穆塔兹不仅是沙・贾汗贤惠的妻子与伴侣，更是他信任的参谋。玛穆塔兹不仅被公认为人妻的典范，其生平更因她的智慧、美貌、仁慈而被诗歌广为传颂。在生第 14 个孩子时，玛穆塔兹因难产而死。据说沙・贾汗在她临终前承诺将建造一座宫殿，纪念两人恩爱的一生。爱妻逝世后，沙・贾汗沉浸在悲痛之中。悲痛过后，沙・贾汗着手建造了一座能与爱妻的美貌与智慧相匹配的宫殿，作为纪念。这座宫殿就是现今位于印度阿格拉的泰姬陵，它不仅是这一桩传奇婚姻的见证，也是目前世界八大奇迹之一。

两个故事分别代表了人类对于理想婚姻的实践，但与此同时，两个故事所反映的选择的价值观却完全不同。灰姑娘的故事主题是主人公克服一切阻碍，包括阶级的差异、家庭成员的反对，努力追寻爱情的故事。这一故事隐含的深意是：男女主人公应当追寻他们内心的真实渴望，为了爱情而战斗。故事也以他们的胜利告终：两人步入美满的婚姻殿堂。故事的焦点是：谁做了选择、如何做的选择。故事并没有告诉我们两人是如何“幸福快乐地生活”的，这是默认的，因为灰姑娘和王子是因为爱情而选择了彼此。而关于沙·贾汗和玛穆塔兹·玛哈尔的故事则不尽相同。从一开始，双方的权利当局已经为他们做了选择：他们要结为夫妻。然后为我们讲述了这一决定的后续故事，这一桩包办婚姻见证了一个伟大的爱情故事。我们通常认为不仅他人无法为自己选择一个完美的配偶，即使是双方当事人也无法为自己选择完全满意的配偶。最终的快乐不在于做出了选择，而在于履行了自己的责任。每个故事都传达给我们明确的信息，即每个人对婚姻的期望。但这两个故事怎么会有如此大的差别？

我父母的婚姻是一桩普通的包办婚姻，没有任何夸张之说，只是遵循了印度社会的传统。我的祖母和外婆是两位堂兄弟的妻子，有一天她们在一起喝茶时讨论两个家族是否可以联姻。一桩好的联姻要考虑诸多因素，不仅包括双方当事人的条件，还有两个家庭的条件。所有的因素都被考虑到了：种姓相同、住址也相近。父亲有供养母亲的经济能力，父亲的家庭成员会对母亲很好，父亲也可以与母亲的兄弟们很好地相处。再看看母亲的条件：受过教育，而她有一位在美国的哥哥也成了一个有利条件。想到他们结婚之后可以移民去美国，不仅可以改善两人的经济状况，对于其他留在印度的亲属也是有利的。因此，在多番讨论之后，众多家庭成员一致认为坎瓦尔应该和库尔迪普结婚。这桩婚姻是对双方结合的各种可能性、双方的共同点进行全面评估后决定的。

正如你在前文了解到的，我的父母在他们结婚的第一天才正式见到对方，而且他们之后也确实来到了美国。他们不是沙·贾汗和玛穆塔兹·玛哈尔，但他们也尽职地履行了各自作为配偶的职责：生育了两个子女，并且相处得很好。婚姻的真谛藏于平淡的日常生活之中：父亲每天开车送母亲去上班，或是在厨房陪着母亲煮饭，与母亲分享他的一些想法，他工作的一天，等等。我的父母的婚姻不会被历史记载，也没有纪念性的宫殿，但他们的婚姻却是沙·贾汗和玛穆塔兹·玛哈尔完美包办婚姻的一个缩影。

对于今天的很多读者而言，包办婚姻是无法想象的。由父母做主的包办婚姻并不是一个特别的案例，也不是印度仅有的，而是近 5 000 年来世界相当一部分地区盛行的一种做法。从中国古代到古希腊，再到以色列的部落，婚姻一直以来都是一种家庭行为。一个男人和一个女人结合，以期保持并加强两个家庭之间的联系（如把附近部落的一个陌生人，通过联姻变成本部落的人，以此加强两个部落之间的联盟）；或是为了经济利益和更有效地分配劳动力，以婚姻的形式保证一个家族的血脉传承和生活方式的延续。换句话说，联姻是为了实现共同的目标。夫妻二人不仅要对对方尽到配偶的职责，也要对双方的亲属负责。联姻要求双方对家庭的义务观念如此强烈，甚至在家庭成员逝去之后，还需要履行对相关家庭成员的义务。希伯来《圣经》中说，如果一个男人的兄弟死了，那么他必须和兄弟的遗孀结婚，并照顾她。直到今天，印度还保留着这种传统。强调对家庭的义务主要是因为每个家庭成员需要相互扶持以维持生计。

但这并不意味着婚姻的结合完全是出于生存的需要。罗曼蒂克式的爱恋是全世界人们的共同经历，并且历史也证明了它的力量。最早用语言表现罗曼蒂克式爱恋的是苏美尔楔形文石碑上刻着的关于爱的诗歌。在其中一首诗里，诗人称其爱人为“我最亲爱的爱人，我的宝贝”。希伯来《圣经》中的雅歌[①]，以“你不经意的一瞥偷走了我的心”开头，随后歌唱了炙热的爱情。所有古文明的神话故事中都有象征爱的神灵，如古希腊神话中的爱神阿弗洛狄忒（即维纳斯）、埃及神话中的奥西里斯夫妇、印度的湿婆神夫妇。史诗记载，爱甚至会引发战争，而爱也可以让人克服一切困难。

无数人写下爱的诗篇，无数人因爱洒下热血！但同时爱情也使得主人公们上演了轰轰烈烈的婚外情。12 世纪，安德烈亚斯·卡佩拉努斯（Andreas Capellanus）在其著作《论爱情》（*The Art of Courtly Love*）中写道：“婚姻并不是没有爱的借口。”他倡导丈夫和妻子之间的爱情——但并非仅限于已经结婚的丈夫与妻子之间。换句话说，既然夫妻之间缺乏爱情，那为何不能爱上邻居的妻子或是丈夫呢？安德烈亚斯·卡佩拉努斯的倡议极大地鼓励了欧洲贵族们的婚外偷情行为，为其体验政治婚姻无法带来的爱情找到了借口。

在人类的发展历程中，爱情是何时，又是如何与婚姻联系在一起的？我们无法确定爱情在婚姻中的作用是何时取代了个体对家庭的义务的。事实上，我们今天也一直在沿用婚姻中对于爱情的描述：“无论贫穷还是富有，疾病还是健康，我们相爱相敬，不离不弃，直到死亡把我们分离。”这是我们在电影或现实的基督徒婚礼中听到的。这是源于英国国教于 1549 年出版的《公祷书》（*The Book of Commom Prayer*）中的一段话，比起莎士比亚的传世名作《罗密欧与朱丽叶》中“直至死亡将我们分离”早了半个世纪。这世间没有比有情人克服重重困难

① 雅歌（Song of Songs）也被译为《歌中之歌》或《所罗门之歌》。——译者注

终成眷属更让人感动的事情了。

在西方国家，自由恋爱婚姻的崛起与个人主义的兴起紧密相连——《公祷书》本身就是英国宗教革命的产物。它第一次以英语记录各种宗教信仰和礼仪，包括婚礼宣誓等，正式宣布脱离罗马天主教会，并随之出现了较为极端的宗教理念，即一个人的命运及其与上帝的关系可以由个人掌控。从人们第一次呼吁“拥有并占有”到今天，宗教革命只是欧洲几个世纪以来众多社会变革中的一项。随着中产阶级的逐渐壮大、城市化的迅速发展，集体家庭的观念越来越淡化，人们已经拥有独立支撑家庭的能力，而不再需要依赖亲属。人们可以在婚姻中找到个人幸福，而爱情则不再与婚姻水火不容。因此在 1955 年，弗兰克·辛纳特拉（Frank Sinatra）唱道：“爱情与婚姻，爱情与婚姻，就如同马儿与马车，我亲爱的朋友们，我可以告诉你们，二者是不能分离的。”他实际上是在倡导一种新的理念，一种人类在过去 5 000 年中几乎不存在的文化理念。一方面，人类几千年来为了适应群体生活的需要，产生并延续了包办婚姻；另一方面，现代社会的人们认为婚姻应当是双方爱情的结合。若是将二者进行比较，我们是否应该问自己究竟哪种婚姻更好？

印度拉贾斯坦大学（University of Rajasthan）的教授乌莎·古普塔（Usha Gupta）和普斯帕·辛格（Pushpa Singh）一致认为这是一个值得研究的课题。他们挑选了 50 对夫妻作为研究对象，其中一半的夫妻是包办婚姻，而另外一半则是自由恋爱而结婚的。这些夫妻的婚龄不一，短则不到 1 年，长则 20 多年。哪种婚姻模式下的人们更能享受婚姻的幸福？每个人都要求填写完整的鲁宾爱情量表（Rubin Love Scale），对其中的表述表示同意或反对，如“我可以对爱人完全坦诚，毫无保留”“如果不能与所爱的人在一起，生活将痛苦不堪”。研究人员随后根据调查问卷进行研究，不仅比较了两种婚姻模式中爱情的比重，同时也充分考虑了夫妻婚龄。在自由恋爱结婚的人中，婚龄少于 1 年的夫妻，平均调查成绩为 70 分；婚龄越长，得分越低，那些结婚长达 10 年甚至更长时间的夫妻，平均只有 40 分。相反，包办婚姻的夫妻一开始爱情值较低，平均只有 58 分；但随着时间的推移，双方的感情逐渐加深，婚龄长达 10 年或是更长的夫妻，平均分为 68 分。

那么自由恋爱婚姻是否有可能在一开始感情炙热，而后逐渐趋于冷淡；而包办婚姻则刚好相反，一开始较为冷淡，而后感情逐渐升温，或者至少变得温情？这或许可以解释上述调查结果，不是吗？一方面，在包办婚姻中，双方基于共同的价值观和目标而结合，并且有共同的假定前提，即随着时间的推移，他们会喜欢对方，就像同寝室的室友、合作伙伴或亲密朋友一样。而另一方面，自由恋爱婚姻主要是基于感情。虽然我们常说人与人之间一旦产生化学反应、碰撞出爱的火花，双方就很容易相互吸引，但在萧伯纳看来，基于自由恋爱的婚姻是人们在最为疯狂、转瞬即逝的炙热情感下的非理性结合。人们被要求宣誓，声称仍会保持这种兴奋、不理智，甚至令人身心俱疲的感情状态，直至死亡将两人分开。事实上，调查研究以及对人体大脑活动的直接检测表明，90% 结婚时间长达 20 年以上的夫妻，当初那种炙热的情感已基本荡然无存。

既然如此，为什么不将决定权交给你的家人或朋友，相信他们会为你找到一个合适的伴侣呢？除非你所在的国家文化还允许包办婚姻，否则你绝对会认为这种提议太荒谬了。即使你愿意注册

e-harmony[1] 网站，并允许一台电脑帮助你寻找“条件优越的单身人士”——即使这些单身人士通过了号称能够检验成功维持长期关系的29 度性格测验（29 Dimensions），你也不会允许电脑以你的第一次约会情况敲定你的终身大事。无论你的朋友多么了解你，将终身大事的决定权交由他人处理，似乎是很冒险的。但实际情况是，目前世界上还是有很多人在实行包办婚姻。他们相信家庭包办婚姻的价值。如果你就是这样的人，而我告诉你，“规则已经改变了——由你去寻找属于自己的伴侣，没有人会再为你提供任何帮助和建议”，那么你可能会觉得我是在反对包办婚姻。毕竟我有什么资格去挑战传统，散播怀疑或不满？我有什么资格让你伤父母的心，羞辱自己的父母？即使不考虑家庭的和谐和荣辱，你可能还是倾向于让你的父母用他们的人生智慧为你提供指引，尤其是当你的父母已经维持了几十年的美好婚姻时。

事实上，关于“究竟哪种婚姻模式才会带来更大的幸福”这一问题，我想答案只能是用我们常听到的“快乐的那种”。古普塔和辛格所做的研究确实会让我们有所怀疑，但这并不会对拉贾斯坦邦即将步入婚姻殿堂的情侣产生影响，更不用说世界其他地区的人们了。文化习俗对于婚姻的影响根深蒂固，即使是一个特殊的案例——无论是个人还是社会的原因，都会对此造成一定的冲击。如果包办婚姻不是你所在国家文化中的一部分，我父母的婚姻在你眼里，最好的情况下，是一种好奇，而最坏的情况，则是对个人权利和尊严的侮辱。然而在印度，90% 的婚姻都是由父母做主的，而且大多数人并不认为这是悲剧。

---

① e-harmony 是一家在线网站，通过 29 度性格测验为单身人士进行速配。——译者注

正如此前提到的，随着印度的集体主义文化越来越个人主义化，今天的包办婚姻也加入了个人主义因素。因此，今天的包办婚姻看上去更像是包办恋爱。现在一位年轻人在最终确定自己的终身伴侣前，会有一两次机会与潜在的结婚对象进行面谈。目前，印度仍有 75% 的大学生——而在美国仅有 14%——表示他们会与并不相爱但其他各方面条件相匹配的对象结婚。

无论是自由恋爱婚姻还是包办婚姻，建立家庭、抚养孩子、相互照顾等日常生活都是一样的。同样，无论是哪种婚姻，总有人感觉幸福，也总有人感觉不幸福。他们甚至可能用同样的语言描述他们的感受和经历，但他们衡量成功婚姻的标准，关于幸福的定义和标准，则取决于他们的父母和社会文化对他们灌输的思想。在包办婚姻中，幸福的婚姻是以履行对彼此的义务为标准的，而自由恋爱婚姻的主要标准则是相互间感情的深厚和持续性。不管人们是否意识到这一点，人们对于婚姻的感受及其相应的结果的认识是基于他们对于婚姻生活的既有了解而产生的。每个人对于幸福的婚姻都有自己的期望和衡量标准。这些故事并不仅仅在说我们可能遵循的婚姻之路，同时也在告诉我们经营婚姻的道理。有人与伴侣携手走过一生，有人以离婚收场，但无论是怎样的结局，在人类发展的进程中，婚姻是要永久延续下去的。

我的、你的和我们的

文化背景不仅影响着我们的婚姻，同时也对我们在日常生活的各个领域做出选择产生了深远的影响。从一开始，生长在个人主义文化国家的人们就被告知做出个人选择的重要性。即使是在前往百货商店的路上也可以上一堂关于这方面教育的课。尤其是在美国，因为百货商店为人们提供了上百种选择。从孩子们牙牙学语开始，甚至在他们刚学会用手势表达时，他们就经常面临关于选择的问题，如："你喜欢哪一个？"父母会细化选择范畴，并耐心地给孩子们解释各个选项，诸如每种麦片粥的区别、每种玩具的区别，并鼓励孩子们做出自己的选择。随着年龄的增长，孩子们就要学会如何做出更难的选择。四岁以后，他们需要理解并应对极具挑战性的问题，如："你长大以后，想成为什么样的人？"儿时的经历告诉他们，他们必须学会分辨自己的喜好，以及什么会使他们快乐或不快乐。由于他们的快乐是以这种方式呈现的，所以选择就显得至关重要，他们必须学会预判自己做出选择的后果。

与之相反的是，集体主义文化更强调个体对于社会的责任。孩子们通常被这样教育："只有按照爸爸妈妈的话去做，你才是个好孩子。"而父母则无须多做解释。从你的饮食、衣着、玩具到学习的课程，父母对你的期望是最为关键的。等你长大了，大人们不再问你想要什么，而是问："你会怎样满足父母的期望？你会怎样做来让你的父母为你感到自豪？"你的父母及其他长辈会为你指明正确的生活道路，避免不必要的错误。生活中有"正确"的选择，也有"错误"的选择，遵循父辈的指示，你将学会如何做出正确的选择，必要时甚至放弃选择。

我们已经看到两种不同的思想对婚姻产生的影响，让我们进一步来探讨一下二者是如何影响我们的日常生活的。取出一张纸，在纸的正面写上生活中你希望由自己做主进行选择的事项，在纸的背面写上那些你比较倾向于让他人帮你做出抉择的事项，写完以后，再仔细思考几分钟，确保自己没有落下什么。好，我们现在将正反两面的内容做一下比较。你能否发现两类内容有何规律？你不希望由他人帮你做出决定的事项是哪些类型的？而哪些类型的抉择是你非常希望由他人帮你完成的？

我在日本京都居住期间，以 100 位美国学生和日本学生为研究对象进行了这项实验。美国学生在纸的正面通常写的是："我的工作""我的住所""我投票选举的政府官员"。事实上，这些美国学生希望自己做主的事项太多，正面一页纸几乎写不下，连边边角角都写满了。而在纸张背面，则基本上是空白，或是寥寥几个事项，最普遍的是"我死亡的时间"或是"我所爱的人去世的时间"。换句话说，美国人希望他们生活中的方方面面都由自己做主。而对日本学生的调查结果则大相径庭，没有一个人希望尽可能地由自己做出选择。事实上，这些人写出来的不希望由自己做主的事项达到希望由自己做主的事项的两倍之多。他们通常希望由别人帮自己做决定，例如，饮食、衣着、早上起床的时间、他们的工作内容等。如果将两国学生的答案进行比较，我们会看到美国学生希望由自己做主的事项是日本学生的四倍。

虽然这些受访者都是大学生，但毋庸置疑的是，我们从一开始就从社会上学到了关于选择的各种规则，并以此作为我们做选择的行为准则。在斯坦福大学读研究生期间，我与我的导师马克·莱珀（Mark Lepper）开展了一系列研究。第一项研究是在旧金山一条日本街的一所小学进行的。小小的教室里放了两张凳子、一张桌子。一张凳子上坐着开展实验的史密斯夫人。桌子上放了 6 支不同颜色的彩笔，以及 6 堆字母顺序被打乱的单词，这些单词事先都被分好了类，如"家庭""动物""旧金山""食物""聚会""房子"，每张单词卡片上都含有能再组成属于这一类别的新词的字母。举例来说，一张标有属于

“动物”类别的卡片上，包括字母“R-I-B-D”，这些字母的顺序经调整后，就变成了“BIRD”(即“鸟”)。7～9 岁的孩子们（半数是亚裔，即日本和中国移民的后代，在家都说母语；半数是英裔美国白人）一个个轮流走进教室，坐在史密斯夫人的对面。

实验之前，我们将孩子们随意分成三组。史密斯夫人向第一组的孩子们展示了彩笔和字谜，并告诉他们：“你们面前有 6 种类别的字谜供你们选择。你们想做哪一类的？你们可以自己选择。”在确定一种类别的字谜（假设是动物类）后，孩子们又选择了一种颜色的彩笔（假设是蓝色)。虽然第二组的孩子们也看到了他们的选项：6 类字谜和 6 支彩笔，但史密斯夫人却说：“我希望你们做‘动物’类的字谜，并且用蓝色彩笔回答。”而对于第三组的孩子们，在他们仔细观看面前的选项时，史密斯夫人就表示：“我们让你们的母亲事先填了一份调查表格。你们的母亲希望你们选择‘动物’类的字谜，并且用蓝色彩笔作答。”实际上，我们事先并未对孩子们的母亲进行表格调查。事实是史密斯夫人根据第一组孩子自由选择的结果，替第二组和第三组的孩子做了选择，以保证三个小组的孩子所做的字谜和所选的彩笔颜色的一致性，以便进行比较。孩子们完成字谜任务后，被单独留在教室里一段时间。这段时间，他们可以继续做字谜游戏或是做教室里其他的字母游戏，如纵横拼字谜游戏、单词搜索游戏等。而此时，另一位研究人员在悄悄地观察并记录着孩子们的一举一动。

实验中，任务分配方式的小小不同造成了孩子们在游戏中极为不同的表现。对于允许自己选择单词类别和彩笔颜色的英裔孩子们，重组的单词量是史密斯夫人替他们做选择时的 4 倍，是母亲替他们做选择时的 2.5 倍。这些孩子在后来的单独活动期间，继续做字母游戏的时间是另外两组孩子的 3 倍。换句话说，这些英裔孩子在能够自主选择的情况下，做得更好，也更乐意花时间；而一旦被告知他们应该做什么，他们的动力便大幅下降，表现也没有那么好了。

相比之下，亚裔孩子们在被告知他们的母亲替他们做出了选择后，表现最好，也最有动力，重组的单词量是他们自己做选择时的 1.3 倍，是由史密斯夫人做主时的 2 倍。在自由活动期间，相信是他们的母亲帮助他们做了选择的孩子们花在字母游戏上的时间是那些自己做主的亚裔孩子的 1.5 倍，是接受史密斯夫人做主的孩子们的 3 倍。

事实上，英裔孩子们在得知他们的母亲事先参与了调查时，都表现出了尴尬。其中一个孩子玛丽的反应非常强烈。在史密斯夫人跟她解释了游戏规则后，玛丽的脸上出现了一个 7 岁的孩子所能表现的极大惊恐："什么？您问过我妈妈了？"与玛丽相反的是，夏海，一位日本移民后裔，被告知她的母亲已经替她做了选择。在史密斯夫人即将离开教室时，她走到史密斯夫人面前，抓住史密斯夫人的衣角说道："您能否告诉我妈妈，我已经按照她的要求做了？"

对于亚裔孩子而言，由他们的母亲做出选择甚至比由他们自己做选择让他们更有动力，因为他们与母亲的关系代表了他们的一种身份。由自己的母亲代替自己做出选择并不会让他们觉得自己的自主权受到威胁，因为他们母亲的喜好对他们决定自己的喜好有着至关重要的作用：事实上，他们和自己母亲的喜好是一样的。相反的是，英裔孩子认为自己应独立做主。虽然他们和亚裔孩子一样爱自己的母亲，但他们希望阐明自己独立的喜好，一旦由他人代替做出选择便会产生冲突。当选择是由史密斯夫人这样一个陌生人做出时，无论是亚裔孩子还是英裔孩子，都产生了抵触情绪，行动也较为消极。

正如我和马克·莱珀开展的另外一个实验所证明的那样，融入一个人身份的并不仅局限于母亲或是其他亲属，任何具有同样目标和共性的群体，都可以融入彼此之中。我们要求五年级的英裔学生和亚裔学生完成一项数学测验。然后，让他们一周后回到教室，并教给他们一款名为《空间探索》的电脑游戏。这是一款通过游戏者对抗由电脑控制的外星飞船的侵袭，拯救地球，从而提高数学能力的电脑游戏。

在游戏开始前，每个学生都能通过屏幕显示的内容，挑选并命名属于自己和外星人的宇宙飞船，并且以班为单位，调查最受欢迎的宇宙飞船的名字和外形设计。就如上述在幼儿园进行的研究一样，每组学生的选择程序是不同的。第一组学生可以任意选择屏幕上显示的名字和设计；而第二组学生看到屏幕上有一组选项被特意突出，并且屏幕上显示根据调查结果，这一组选项是最受欢迎的。最后一组学生看到屏幕上显示的是事先选好的选项，但屏幕显示的信息是这组选项是根据对另一个学校三年级的学生进行的调查而做出的选择。正如上述在幼儿园进行的研究一样，第二组和第三组的学生实际上面临的选择和第一组学生是一样的。

在学生们玩了一个星期的《空间探索》游戏之后，我们对这些学生再次进行数学测验，看看他们自上次的数学测验后是否有进步。尽管对宇宙飞船的名字和外形的选择只是形式上的，并不能对实际游戏产生影响，但结果却大为不同。正如前述游戏一样，对于英裔学生来说，由自己做出选择的学生第二次测验的分数提高了 18%，而由别人代替做出选择的学生几乎没有任何进步。对于亚裔学生来说，当选择是由同学做出时，他们的进步最大，与英裔学生一样，分数提高了

18%；当选择是由自己做出时，分数提高了 11%；而当选择是由陌生人做出时，他们几乎没有任何进步。我们通过这项实验也发现，学生对于数学这门功课的喜爱程度也有所不同。

美国英裔学生和亚裔学生对于选择以及选择在生活中所扮演的角色的理解完全不同。英裔学生认为“是我要玩这款游戏，因此也应当是我本人，而非其他人，替我选择宇宙飞船”。而亚裔学生在得知其他同学的宇宙飞船的名字和自己的一样时，他们倾向于保持这种团结和共同目标，“我们是一个班的，飞船当然也应该是一样的”。我们最初是通过家庭和社会文化了解这种思想的，但当我们不断地被灌输这种思想之后，这种思想就变成我们身上的一种自然的性格特征了。这种思想根深蒂固，我们并未意识到自己的世界观与他人有多少不同，这又是如何影响我们的生活的。这种思想不仅对于形成我们的观点有着巨大的影响，同时对于现实世界——在此体现为在学校的表现——也会造成极大的影响。设想一下，拥有不同思想的人们居住在同一屋檐下，并且被告知他们财富的增减取决于相互间的亲密合作，会发生怎样的故事？

越来越多的跨国公司、国际组织将身处世界各地的人们集合在一起，同时力求实施同样标准的政策和措施，确保公司或组织的高效运转，但不同文化间的冲突是不可避免的。19 世纪 80 年代，以发明泡沫包装闻名于世的美国希悦尔公司（Sealed Air Corporation）对其下属的一家生产机构进行重组，从传统的流水线改成分组工作。与此前由管理人员安排工作内容不同，各个小组可以自己制定生产目标。开展分组生产试验的工厂取得了令人欣慰的成绩：员工不仅心情更加愉快，同时在生产数量和质量上也在不断地突破。

希悦尔公司管理层在第二家工厂再次试验这一新的运营模式，希望能复制第一家工厂的奇迹，在令员工满意的同时提高生产力。但是这一家工厂的工人主要是柬埔寨和老挝移民，对他们而言，新的工作模式会令他们感到压抑。“工人们用那样的眼神看着我，似乎我是世界上最糟糕的生产经理。”工厂经理回忆说。当工人前来询问如何开展工作时，他试图去激发员工的激情和自主性：“你认为什么样的方式是最好的呢？”与第一家工厂的英裔员工欢迎工厂提供表达他们想法的机会不同，第二家工厂的亚裔员工则为他们的经理并未实施管理权而备感疑惑。

面对这一情况，希悦尔公司在这一家工厂从头开始，采取每一步必要的措施，以期实现小组运营的模式。经理们希望通过缓慢的、循序渐进的推进模式，让员工逐渐习惯自己做主，并且明白这样做并不会损害集体团结。管理人员也相信，在员工们看到他们的自主决定产生积极而非消极的结果后，员工们会更乐意自己做主。最后，管理人员鼓励员工之间召开非正式会议，在轻松的环境中分享经验，从而为小组分工工作打下基础。在花费大量心血和时间后，管理层最终摸索出了一种被员工认可的工作方式，于是第二家工厂终于成功地实施了小组分工的运营模式。希悦尔公司的管理层也非常清楚地了解到，文化对于我们理解自己在社会中所扮演的角色有着极大的影响。读者在下一节会了解到文化差异是如何影响着我们看待世界的方式的。

从一幅画看出你的世界观

用 5 秒钟看完下面这幅图，然后不要看图，大声描述一下这幅图。

你看到什么了？你描述的图又是怎样的？你是否仅仅注意到图中最显眼的那三条大鱼？还是试图更宏观地描述这幅图，同样也注意到了水中的植物、石头、气泡，以及背景图中的小生物？事实证明，对如此简单的一幅图的描述足以反映你的世界观是集体主义还是个人主义。

心理学家理查德·尼斯贝特（Richard Nisbett）和考彦增田（Takahiko Masuda）在对美国人和日本人进行的这一研究中发现，美国人会更多地注意到图中三条显眼的大鱼，而日本人对图的描述则更全面。这一差异也反映了他们对图中事物的不同理解，尤其是图中哪一类事物是最强有力的。美国人认为图中的大鱼是这幅图的主要角色，影响着图中的其他事物；而日本人则认为环境主宰着一切，与图中的其他事物相互配合、相互影响。

其后进行的实验进一步凸显了美国人和日本人的文化差异。研究人员对上述图片做了修改，并让参与者判断更改后的图中哪些元素仍然存在，哪些有了变动。在观察背景事物这一方面，日本人的判断优于美国人。不过，尽管美国人倾向于没有注意到与大鱼不相关的修改，但无论大鱼出现的背景有怎样的更改，美国人都能认出大鱼；与美国人相反，一旦大鱼的背景有了变动，日本人就很难再辨认出它们来。这些研究结果表明，文化对于我们在特定情况下对何种事物主宰局面的理解有着极大的影响。在现实生活中，拥有不同文化背景的人们对于完全相同或相近的情形的理解也大不相同，而这相应地会影响人们对于选择的理解。

可能你还记得小时候读过的《小火车头做到了》(*The Little Engine That Could*)，也可能你已经给你的孩子读过这本书了。“我想我能行”，带着这种坚定的信念，小火车头扭转了局面，用自己的实际行动证明了即使是最小的火车头，只要有信念和决心，一样可以爬上最高的山峰。从本杰明·富兰克林的“自助者天助”到巴拉克·奥巴马的标志性口号“是的，我们能做到”，再到无数白手起家、被奉为偶像的人，个人主义文化很自然地产生并强化利用个人力量改变世界的意识：如果人们进行选择，他们可以选择掌控自己的生活，在历史发展的轨迹中留下自己的足迹。我们一直以来被告知：问题的焦点并不在于你能否克服所面临的种种困难，而是在于你准备如何克服它们。

集体主义文化则刚好与之相反，它鼓励人们从全局考虑问题。印度圣典《薄伽梵歌》（*Bhagavad Gita*）中最著名的一段是，圣者奎师那告诉英雄阿遮那："你只能控制自己的行为，而永远无法控制行为的后果。不要仅仅为了荣誉而战，也不能消极地无所作为。"因为世界不会仅仅因为个人的目标而改变，同时也会受到整个社会环境、命运的影响，因此人们应当确保他们行为的合理性，而非过于专注某一个特定的结果。阿拉伯语中有 in Sha' Allah（God Willing）一词，穆斯林常将其附加在表示未来的事件中，如"明天见，愿真主保佑你"，也同样表示了人们认同个人影响世界的力量是有限的。日本人在面对恶劣的环境或承担不合意的义务时，通常会用"shikata ga nai"（"那是徒劳的"）表示无奈。我们不能说个体完全不起作用，但个人只在大千世界中承担了一个小角色而已。

我们可以从人们对失败和成功的理解来观察文化差异。那么我们在故事中又是如何描写胜利者与失败者的？北山忍和黑兹尔·马库斯（Hazel Markus）做了一项针对 2000 年及 2002 年奥运冠军获奖感言的研究，发现美国冠军倾向于将他们的成功视为个人努力的结果："我想我只是比较专注，这是向全世界展示我的能力的时候……我告诉自己，这是属于我的夜晚。"而日本冠军则将他们的成功归功于那些默默支持他们的人："我很幸运，我拥有世界上最好的教练员、经纪人，我背后有无数默默支持我的人，因为他们，我今天才能拿到金牌。我并不是孤军奋战。"而在地球的另一端，我的同事迈克尔·莫里斯（Michael Morris）和他的合作者们对美国及日本对于金融丑闻的报道也做了一项研究，如尼克·李森（Nick Leeson）的非法操作导致英国巴林银行欠下 14 亿美元的巨额债务，该银行最终于 1995 年破产；而在日本，井口俊英（Toshihide Iguchi）的非法操作导致大和银行（Daiwa Bank）于

1995 年因欠下 11 亿美元的巨额债务而宣告破产。研究发现，美国的媒体更多地将丑闻描述为经理人不当的个人行为，而日本的媒体则更多地通过检讨制度问题来分析丑闻事件，如管理层的玩忽职守。无论是表扬还是指责，崇尚个人主义的社会倾向于让个人承担责任，而崇尚集体主义的社会则将后果视为社会体制及环境的结果。

对于个人控制的理解直接关系到我们如何看待日常生活中的选择。我在日本期间，对一些日本学生和美国留学生做了一次调查，要求他们列出前一天里从起床到睡觉所做的各项选择。这些学生上的是同样的课程，因此他们的日程安排也基本相同，同时，那些美国留学生到日本仅仅一个月，所以我们可以假设他们并不完全了解所有可以参与的活动。你可能认为，鉴于此，日本学生的选择应该更多，而事实上，美国留学生认为他们在一天的生活中拥有 50% 的选择权。与日本学生不同，美国留学生将一些生活琐事，如刷牙、定闹铃等都列为选择。尽管美国留学生列出的更多的是生活中的一些琐事，但他们仍然认为他们的选择总体而言比日本学生的更为重要。

你的视野决定了你是如何看待这个世界的，这进而影响着你对世界的期望值以及你对生活的展望。与我的研究结果一致，一些研究也表明，相对于西方人，亚洲人总体而言认为他们对别人的影响力更小，并且认为生活更多是由命运决定的。对选择的不同理解会造成怎样的结果？人们是否会因为对选择的理解不同而受益？对于这一问题，国际金融界出乎意料地为我们提供了答案。

1998 年，我说服花旗集团总裁约翰·里德（John Reed，自动取款机的发明者）允许我对花旗集团的员工展开研究，以便了解拥有不同文化背景的人群是如何看待他们的工作环境，进而影响他们的工作表现及工作满意度的。花旗集团当时是世界上首屈一指的国际银行，业务网点遍布 93 个国家及地区。在里德的协助下，研究团队和我对工作在阿根廷、澳大利亚、巴西、墨西哥、菲律宾、新加坡、中国台湾，以及美国的 2 000 多名出纳员及销售代表进行了调研。鉴于我们也希望调研能够反映美国国内的多样性，我们走访了纽约、芝加哥和洛杉矶的银行分部。受调研人群体现了地域、宗教背景的多样性，包括英裔美国人、西班牙裔美国人、非洲裔美国人及亚裔美国人。

研究的第一步是，我们要求员工以 1（完全没有）～9（经常）的分值表示他们在工作中的选择权的多少。具体问题如“工作中问题的解决方式”“何时休假”等；笼统问题如“在银行工作的一天里，我有权决定自己工作的自由度”。员工对于选择的理解也以其对诸如“工作中，大部分的工作决定是由我的上级做出的”等观点的认同度来衡量。你可能认为鉴于他们从事相同的工作，他们的回答也应该基本相同。以柜台出纳员为例，尽管他们的工作安排等同于流水线工人，但因花旗集团要求在全球实施相同的标准，因此身处全球各地分部的员工实际上遵循的是相同的程序，柜台出纳员的工作实际上局限在支票兑现、接收存款、贷款支付、处理提款等方面。

但实际调研结果表明，员工的种族（与文化背景紧密相连）对他们的选择权观念有着重要的影响。相比英裔、西班牙裔和非洲裔美国员工，在亚洲区的员工（包括亚裔美国员工）认为他们在日常工作中的选择权较少；而拉美籍员工则介于中间。员工认为自己对工作的控制权越少，则相应地表示其认为上级对自己工作的控制权越多。即使是那些在同一家银行机构工作、向同一上级汇报的员工——他们的上级表示给予的选择权是同样多的——对自己所拥有的选择权的理解也大不相同，而这皆因为其文化背景不同。

在研究的第二步，我们询问员工们的工作动机、对工作环境的评价、对工作的满意度、整体开心程度等。同时，我们也请他们的上司评价他们目前的整体工作表现。调查结果发现，当大多数美籍员工（亚裔美籍员工除外）认为自己拥有更多的选择权时，他们在工作动机、满意度、工作表现等方面打的分数也相应更高。相应地，当感到工作更多是由上级决定时，他们打的分数也更低。对于亚洲籍员工以及亚裔美国员工来说，当他们认为工作主要是由上司决定时，对各方面打的分数更高，而个人是否拥有更大的选择权在某些方面甚至对他们没有影响，或者只有很小的影响。拉美籍员工的得分则居于以上两者之间，无论是个人拥有更多的选择权还是听从领导的安排，对他们的影响都不大。

调查结果的有趣性，不仅在于它揭示了人们因文化背景的不同而对选择权有着不同的理解，更在于它揭示了人们对于选择环境的不同偏好。总体而言，喜欢拥有更多选择权的人会因拥有更多的选择权而受益，而这也同样适用于那些倾向于由别人做出选择的人。政策上的调整，无论是剥夺还是赋予选择权，会对拥有不同文化背景的员工产生不同的影响。对美国希悦尔公司的实验和对学生进行的“空间探索”实验便是极好的证明。

但这还不是故事的结局。文化的影响远超过个人对选择权的理解以及对选择权的渴望。文化决定了人们实际做出选择的方式，从而进一步影响整个社会。让我们一起来看看办公室的工作环境。无论是花旗银行还是其他任何一家跨国企业，美国人对于工作环境的描述不仅说明他们认为拥有选择权更好，还因为更多的选择权创造了更多表现自我能力的机会。成功之路在于彰显自己，而由他人做主则不仅会压抑个人发展，也遏制了个人职业生涯的发展。而亚洲人更注重集体利益，因此更倾向于让最有资历的人——更聪明、经验更丰富或是级别更高的人——做出选择。两种选择模式各有利弊：前者更容易产生自私心理，而后者则易导致消极惰性。这也是为何一些跨国集团，如花旗银行，从一开始便花费巨大精力试图在全球创造统一的、汲取两种文化精华的企业文化，但到目前为止，还未能取得百分之百的成功。现在我们一起看看工作环境之外的世界，对于选择权（或者进一步延伸为控制权）理解的不同，是如何影响我们的世界观的。

逃离式自由和实现式自由

1989 年 11 月 9 日，柏林墙一侧的民主德国即将开放封锁了几十年的边界，这个消息震惊了世界。一夜间，东西柏林统一，人们可以自由穿梭于柏林城，仿佛这个城市从未因为柏林墙的存在而拉开过“冷战”的序幕。当时我在西班牙马德里读大学，得知这一消息后，我登上最早的一班火车前往柏林参加在柏林墙边举办的庆祝活动。在柏林墙边，人们蜂拥而上，从东柏林奔向西柏林，或是从西柏林前往东柏林。人们举行了盛大的庆祝活动。似乎全世界的人都赶来参加这一庆祝活动了，人们欢呼着、相互拥抱着，流下幸福的泪水，拆下墙上的石块留作纪念，这些都成为庆祝活动的一部分。

在柏林墙倒塌后的 20 年里，我经常以科研的名义前往柏林，实际上，这同时也是为了满足我自己的好奇心，这个城市从一种体制转向另一种体制，将会产生怎样的变化？1991 年，柏林墙基本被拆除了，取而代之的是新的秩序、新的选择。曾经的柏林墙的位置现在矗立着一座现代化的商城。东柏林的人们拥有更多的商品选择和餐饮选择。资本主义已经在这里牢牢生根。随着资本主义民主政治的引入，尽管一切事物表面看起来很美好，但东柏林的人们面对突如其来的自由，并不是一如他人期待的那样感到由衷的高兴。

即使在统一后的 20 年里，很多时候，因为不同的理念，柏林似乎还是两个城市。理念差异力量之强大，一如那堵厚厚的柏林墙。在与东柏林的人们进行交谈后，我发现那里的人对于增加的机遇、扩大的选择范围，以及市场上各式各样的选择并非持感恩的心态。相反，他们怀疑这种新的生活方式，并越来越认为这种生活方式是不平等的。2007 年开展的一项调研表明，20% 的德国人希望重建柏林墙；97% 的原民主德国人不满统一后德国的民主政治；超过 90% 的人认为，尽管社会主义制度在民主德国曾经的实践中运行不良，但总体而言更好。对共产主义时代的渴望，导致人们发明了一个新的词汇 Ostalgie，德语 Ost（即英语的 East，表示东部）和 Nostalgie（即英语的 nostalgia，表示怀旧）的混合词。1989 年，人们曾经为柏林墙的倒塌而欢庆，现在怎么竟又想重新返回他们曾经渴望瓦解的体制中呢？

让我们来看看苏联的经济体制，东柏林所代表的民主德国也同样实行这一体制。政府计划出每个家庭可能需要的一切物品——汽车、蔬菜、桌子、椅子……并以此推算整个国家的生产目标。国家根据每个公民在学校学到的技能和展现的能力为其安排工作，而工种也是根据国家的生产需要设置的。鉴于房子和医疗是免费的，实际上，需要花费人们工资的也就是商品。但国家的集中生产，又使得每个人的需求是一致的，具体到电视、家具，甚至居住空间等。

历史已经证明这种经济体制是有问题的。人们的工资随着时间的推移逐渐增长，但为避免引起任何社会不满，物价却被人为地控制在较低水平，从而导致人们实际上的购买力远远超出商品的供应能力。也就是说，尽管政府付给人们工资，但由于资金不流通，因而政府缺乏必要的资金来运转项目。加上内部原因和与美国的军备竞赛耗尽了国内资源，苏联的经济体系由此崩溃瓦解。

这种体制消除了人们对于金钱的忧虑，因为每个人都拥有足够的钱购买可供应的商品。虽然人们没有机会购买奢侈品或是挥霍，但人们的基本生活需求是有保障的。而在资本主义制度下，人们无法享受这种保障，于是很多原民主德国人经历了一段痛苦的经济体制转型期。一夜间，人们失去了“铁饭碗”，这对于已经无法适应市场竞争的老一代民主德国人来说尤其困难。同时，自 20 世纪 50 年代起，民主德国就由政府控制并保持稳定的价格水平。而现在通货膨胀泛滥，使得商品，尤其是进口商品价格昂贵，造成人们手中的货币贬值。虽然体制转型期间部分人获取了巨额利益，但这却是通过投机倒把实现的。一个原民主德国人如此精辟地总结了转型前后的对比：“在苏联体制下，你有钱，但没东西可买。现在是商品琳琅满目，而你没有钱买。”

这一表述生动地描述了一个重要特征，即心理学家和社会理论家埃里希·弗罗姆（Erich Fromm）在其 1941 年所著的《逃避自由》（*Escape from Freedom*）中所阐述的我们的文化中一种最宝贵的品质。弗罗姆在书中论证道，自由是由相辅相成的两部分组成的。人们普遍认为自由是“人类逃离政治、经济，以及精神枷锁”，并将其定义为没有外来力量干涉人们追求目标。与这种“逃离式自由”（freedom from）

不同，弗罗姆提出了另一种与之相辅的自由，并将其定义为实现自由的能力："实现式自由"（freedom to），即实现一定成果并充分发挥自我潜力的自由。"逃离式自由"并不总是伴随着"实现式自由"而存在的。但无论是何种自由，一个人都应该有从选择中获得全部利益的自由。我们允许一个孩子拥有一块曲奇饼干，但前提是孩子应当先设法拿到架子上的饼干盒。

理想的资本主义制度强调的是一个人逃离外来约束力、实现社会地位的自由。至少从理论上讲，人们成功或是失败的机会是均等的。没有约束的世界是一个充满竞争的世界，更聪慧、工作更努力，或者仅仅凭运气的人将占有优势。因此，现实世界中有着各式各样的商品和服务，但不是每个人都能获得所有的商品和服务，一些人甚至无法满足基本的生活需求，如食物、住所和健康检查。而理想的共产主义或社会主义计划经济体制则恰恰与之相反，它强调的是结果而非机遇的平等性，它保证社会成员都拥有实现基本生活需求的自由。这种计划经济体制的矛盾就在于，为了满足部分人的需求，就必定要减少他人的资源，政府需要出面征用他人的财产、限制他人的经济行为。

真正的选择要求一个人拥有选择的能力，并且不受外力干预，这也就意味着一种体制向以上两种极端中的任何一种过于靠拢都将限制人们拥有选择权的机会。同时，两种极端在实践中都将产生一系列的问题。一方面，缺少"实现式自由"会导致那些无法自力更生的人经受贫穷、苦难，当然也会产生富豪。巨大的财富将导致权力的不平衡，使得那些富豪有能力去逃避法律的制裁，或是改写法律，以牺牲他人的利益为代价进一步巩固自己的势力，这也就是19世纪末期对"强盗资本家"进行控诉的原因。而从另一方面讲，缺乏"逃离式自由"也易使人产生惰性，更少从事其力所能及的工作，因为他们知道无论怎样，他们的需求都将被满足。缺乏“逃离式自由”也将遏制创新和进取精神，因为人们即使付出更多的努力也无法获得更多的回报。同时，在这种体制下，政府必须要有强大的控制力，过去大多数苏联模式的社会主义计划经济体制也正是如此，而权力的集中必将导致腐败。

幸运的是，尽管不可能同时将两种自由的优点最大化，但二者之间并不是零和游戏。两种社会体制都可以取得一定程度上的最优化，例如，通过征收税赋创造社会的“安全网络”——对“逃离式自由”的小小限制，换来多数人“实现式自由”的利益。（当然，税率对于一部分人而言甚低，但对于另一部分人则是无法容忍的高。）多数人倾向于在二者之间寻求平衡，事实上我们对于平衡的评断都是根据个人的经历和文化背景而做出的假设。

那些此前生活在苏联模式下的人面临向资本主义市场经济体制过渡的挑战，这几乎是从一个极端转向另一个极端。在与形形色色的柏林人交谈后，我明显地发现转型的困难之一在于这很难在短期内改变人们长久以来形成的对公平的看法。我发现，西柏林人与多数西方人一样，通过“逃离式自由”了解世界。而东柏林人，尤其是老一代人，则更多地关注“实现式自由”。例如，克劳斯悲伤地说道：“过去我唯一能去度假的地方是匈牙利，但至少我知道自己拥有假期。现在我可以去我想去的任何地方，但却支付不了昂贵的费用。”赫尔曼也表达了同样的伤感：“以前虽然电视只有两个频道，但至少每个人都能看到这两个频道。但现在完全变了，有些人可以享受上百个频道，而有些人却连一个频道的费用也负担不了。”卡佳对新的健康医疗体制意见最大：“以前我只能去找一个医生看病。现在有很多医生，但这些医生根本不关心你。好的医生收费高昂。我并不觉得我生病的时候会有任何医生照顾我。”年轻一代的东柏林人也表达了同样的伤感，但没有老一代人感情强烈，可能是老一代人切身感受到了经济体制变迁带来的巨变。

随着调查范围逐渐扩大到乌克兰、俄罗斯、波兰等国家，我越来越发现这些国家的人对于选择的公平分配拥有近似的观念，即使对于一些受过高等教育、前景光明的大学生来说也是如此。在讨论的过程中，我给学生们提供了两个假设：一个世界的选择很少，但人人都可以拥有选择权；而在另一个世界，尽管选择更多，但人们的选择权并不是平均分配的，有的人多，有的人少。波兰的一名妇女乌尔苏拉回答道：“我想我会选择生活在第一个世界。我并不追求辉煌的人生，我也不妒忌别人，因为每个人的地位都是通过自己的努力获得的，但我确实不喜欢那些炫耀自己的人。我不喜欢那样的世界。”另一位接受采访的波兰人约瑟夫也表达了同样的观点：“理论上，第一个世界更好。”来自乌克兰的伊利娅表示：“如果仅仅是一部分人拥有绝大部分的选择，必然会造成社会、人们之间的冲突。”波兰的一位商务专业的学生亨里克则表示：“在第二种体制下，我会生活得很富裕。但我想，第一种体制更公平一些。”即使意识到与“实现式自由”相比，“逃离式自由”给人们提供了更多的选择，但接受调查的年轻人并不相信这种体制对于整个社会而言是最好的体制。

不仅被访者认为仅有少数人拥有更多的选择权是不公平的，东欧国家的许多人也并不认可选择范围的扩展。当被问及提到选择时他们的脑海里会浮现怎样的字眼或形象时，来自华沙的格热戈日答道：“哦，这对我来说太可怕了。更多的选择会让人身陷两难的境地。我已经习惯不必选择的生活，所有的事情都是已经决定好的。现在要我对自己的生活做出选择，我感到有些恐惧。”来自乌克兰首都基辅的博赫丹谈到了更多的商品选择：“东西太多了，很多东西其实是我们并不需要的。”华沙调查研究所（Warsaw Survey Agency）的一位社会学家向我解释道，波兰的老一代人并没有经历过美国文化中的商品消费，他们从“一无所有来到满是选择的世界。他们甚至都还没学会如何应对这一新的环境”。所以，他们对新的选择充满矛盾或疑惑。

采访过程中最有趣的现象并不是来自我们的问题，而是简单的一次招待。被采访者到来之时，我们为他们提供了 7 种常见的汽水，如可口可乐、健怡可乐、百事可乐、雪碧等。当我向第一位接受采访的人介绍这几款汽水并期待他的选择时，他的回答让我始料不及：“很好，但喝什么没关系。它们都是汽水而已，所以只是一种选择。”他的回答让我有些惊奇。此后我向每一位接受采访的人介绍这几款汽水，并问他们：“这里有几种选择？”我从他们的回答中找到了答案。一次又一次，他们眼中的 7 种汽水并不代表独立的 7 种选择，他们看见的只有一种选择：汽水。当我们将水、果汁和这几款汽水一并呈现时，被采访人的眼中则有了三种选择：水、果汁、汽水。对这些人而言，不同类型的汽水并不代表不同种类的选择。

在美国，当有一款新产品上市时，我们想当然地认为这是一个新的选择。一款不同味道的汽水扩大了你的选择范围。但如果我们的意识里并不认为这是一个新的选择，那么一些东欧国家的人对众多新增的“选择”持怀疑态度也就不足为奇了。正如一位波兰人托马斯说的：“我不需要 10 种口香糖。我并不是说我们不应该有更多的选择，但我想一些所谓的选择是很表面的。事实上，有很多东西在本质上并没有太大的区别。”真正的选择则被认为是“实现式自由”。举例来说，基辅的一名大学教授阿纳斯塔西亚这样评价他所处的社会向市场经济的转型：“我想我们丧失了拥有平等机会的权利。现在虽然每个人都拥有平等的机会，但给我的感觉是我在苏联时期才拥有更多的选择。”

对于“逃离式自由”和“实现式自由”的观点，并不局限于那些经历过体制变迁的国家的人。总体而言，若社会或传统文化更强调集体主义观念，则人们更青睐能保证每个人基本需求的社会体制，而非那种推动个人成功的社会体制。即使对于绝对的盛行个人主义文化的西欧国家的人们来说（当然个人主义文化不如美国浓厚），他们也倾向于国家采取“实现式自由”而非“逃离式自由”的政策。例如，2009年美国对于最富有的人群征收的个税率为35%，相比西欧国家的个税率低了12个百分点。1998年，美国将国内生产总值的11%用于社会福利补贴，如社会保障、医疗救助等，而欧盟国家用于这些方面的补贴平均为21%。

个人对自己生活的控制权的理解在一定程度上与社会的个人主义文化相关，同时也对生活中我们支配选择的喜好有着重要影响。一方面，认为自己拥有较大控制权的人们倾向于“逃离式自由”，这不仅是因为这种自由为实现个人目标提供了更多的机会，同时也因为他们相信这种自由更为公平——做出最大努力的人将得到最大回报，而懒惰的人将无法生存。而另一方面，相信人的成功是由命运决定（包括一个人的出生环境）的人，则倾向于“实现式自由”，他们认为这种模式更为公平。付出努力并不能保证一定能获得成功，而“实现式自由”能保证那些应当得到回报的人的基本需求。

对于控制权的不同理解是与政治理念紧密相连的，这一事实也进一步反映了人们不同的世界观。保守派尤其倾向于自由放任的经济政策，而自由派则倾向于更有力的政府和更多的社会项目。世界价值观调查（World Values Survey）数据表明，在美国及欧盟国家，相对于保守派，自由派人士很少会认同“贫穷的人是因为懒惰”这种表述，而更倾向于认为“运气决定了一个人的收入水平”。欧洲许多国家的社会民主党比美国的主流政党更为“左倾”，54% 的欧洲人相信一个人的收入取决于运气，而在美国持这一观点者仅为 30%。人们基于自己的信念进行投票选举，通过选举使得一个社会的发展在“逃离式自由”和“实现式自由”之间转换。

说到这里，一个明显的问题可能是：“总体而言，哪种模式更好？”但这个问题很难回答，因为人们对于自由的不同理解，不仅直接影响着人们所拥护的政策，同时也影响着人们评价社会福利的标准。那些认可“逃离式自由”的人更倾向于诸如人均国内生产总值这类标准，它给人一种模糊的可以获得潜在机遇的感觉。例如，美国 2008 年人均国内生产总值为 47 000 美元，而欧盟仅为 33 400 美元。美国资产超过 10 亿美元的富翁人数也是其他国家的 6 倍；世界上最富有的 5 个人中，有 3 个是美国人。相信“实现式自由”的人们则可能选择基尼系数（Gini coefficient）作为标准，基尼系数常用于衡量一个国家财富分配的平等性。在 133 个计算基尼指数的国家中，瑞士的财富和资源分配是最为公平的，而苏联和东欧国家位居前 30 位，尽管其人均国内生产总值较低。美国排名第 94 位，在喀麦隆和科特迪瓦之后。美国的民主为国家带来了巨大财富，但与此同时，也增加了社会的不平等性。

毫无疑问，总体而言，没有哪个国家的人们会像美国人一样相信“逃离式自由”。我们可以从一个耳熟能详的字眼“美国梦”中找到“逃离式自由”的影子。“美国梦”一词是由历史学家詹姆斯·特拉斯洛·亚当斯（James Truslow Adams）在1931年创造的，“美国是一片梦幻之土，在这里，人们生活得更加美好、更加富裕、更加充实。每个人都拥有平等的机会，可以依靠自己的实力获得成功……美国梦还是对一种社会秩序的梦想。在这里，每个男人和女人无论出身贵贱、地位高下，都能够实现其天赋能力所允许的最高成就，并得到他人的认可”。“美国梦”的基本前提是没有人可以阻挡你力争上游，只要你有野心和实力。只要你有梦想、有决心，人们相信这是一片培育你的梦想的最佳乐土。

“美国梦”的确促使一部分人成就了自己的事业，但同时，对于无数普通人，“美国梦”仅仅是一场梦。美国一直以来就被认为是一片充满机遇的国土，它曾经也确实如此。但如今对于多数人而言，美国已同其他后工业化国家并无两样。近期的研究发现，相对于西欧国家，如瑞典和德国，美国人中子女的收入与其父母的收入有着更大的关联性，而这也说明，在美国获得成功更多的还是依靠出生环境，而非个人努力。无论你如何解释这项研究成果，是表明美国人对于美国的独特地位过于乐观，还是其他民族的人过于悲观，它至少表明了人们的价值观和信仰的强大力量。

最后，是否能实现“美国梦”并非是最重要的。世界观是形成一个民族理想的真正力量。在美国，“美国梦”的传说对每个人的生活都产生了影响。当我们真正意识到它的力量时，可能才开始理解为何其他民族、文化对于选择、机遇和自由的理解有着如此大的差别。

文化碰撞下的兼容并蓄

希望我已经成功地回答了前文提及的如何做出选择的问题，同时也希望我的回答会给你一些惊喜，并能引发你的思考。但我最希望带给读者的不只是忍让。我们当中有很多人被告知异域文化具有趣味性。不同民族之间存在差异，这没什么大不了的。尝试用筷子或是放弃使用器皿，这些尝试带来的兴奋也没有任何对错可言。事实上，我们不再像过去那样对异域文化充满怀疑，这也可以被视为一种进步。但如果只是吃寿司、穿纱丽，或是唱《小小世界》，还远远不够。这是一个人与人之间联系越发紧密的世界，与此同时也令人感觉更加迷茫、更加混乱。由于移民（据美国国家统计局预计，至 2042 年，将有接近 50% 的美国人为欧洲人后裔）、国际媒体的扩张（如英国广播公司、美国有线新闻网、半岛电视台，以及其他国外媒体）、互联网平台的开放，曾经局限于一种文化、一个国家的一切都在不断地扩散、蔓延。而这些发展又导致更多个体和文化的差异，越来越多的人在体验着各种截然不同的文化，并试图完全接纳各种文化冲突。每一个事物都与其他事物有着相似或是重复之处，在形成文化融合的同时，也必然会造成文化的冲突。

过去，当不同的文化邂逅时，通常的结果是产生文化冲突。每一种文化都试图证明自己的优越性，并通过文学手段、经济手段或是武力手段，劝服或者强迫同化另一种文化。每一种文化都能在历史的演变中得以保存并发扬，因此每一种文化都声称自己是最好的文化也不足为奇。很多人都认为我们目前正在经历塞缪尔·亨廷顿（Samuel P. Huntington）在 20 世纪 90 年代初预言的“文明的冲突”。即使这一预言变成现实，这种冲突也不会以与此前的文化冲突一样的方式终结。一种文化已经无法完全使另一种文化消亡，也无法建立强大的壁垒来阻挡其他文化的入侵。尊重或是容忍异域文化已经不符合当前的发展潮流，尤其是当其与观念及生活息息相关时。所以我们似乎处于两难境地，我们既没有东西要相互分享，又不清楚前进的方向。

但不同的文化之间是有相通之处的，尽管有时这一点颇具争议。从最广义的角度而言，生活的价值、自由、幸福对全世界人来说是相同的，这一点毋庸置疑。事实上，正如在前一章中提到的，人类有选择和控制的需求。这种需求是基于人们对拥有权利的普遍需求发展而来的——如法律面前人人平等、参与政治选举、接受教育。1993 年在维也纳举行的世界人权大会肯定了全世界的人享有的权利。但当不同社会的人在被给予选择和控制的权利时，社会历史和结构使得处于地球另一端的人们并不愿或感到不应当建立与西方社会完全相同的模式。人们可以自主选择或是综合他人的意见做出选择，改变环境或是改变自己以更好地适应环境。每个人都为自己的生活负责或是采取措施防止他人失足。

除了共同的基本人权问题，面对其他方面的文化差异，我们又该如何观察、评估、学习？相对于既往的以固有己见判断另一种文化，容忍的态度已是一种进步，但同时却有着极大的局限性。容忍通常导致人们彼此分离，而不是促进交流以及自我反省——“你以你的方式思考，我以我的方式思考，相互不干扰”。拥有不同文化背景的人试图将自己与外界隔离，一旦环境迫使人们必须相互融合，价值观引起的冲突就会爆发。我们再也无法简单地像蜗牛一样躲在自己的空间里，无论是现实空间还是虚拟空间。对外界视而不见已不可能，因为当今社会各层面的相互交织是史无前例的。对此，我们既可以选择使文化差异变成冲突，又可以使各种文化相互融合。

那么摒弃容忍之后，我们又可以做些什么呢？我可以提供一个 3 步方案，甚至是 30 步方案。但我相信，我们不能仅仅只听取自己的故事，或是误认为发生在我们身边的故事是这个世界上唯一存在的故事。既然这个世界存在用那么多的语言讲述的各种故事，我们就应当尽可能地充分利用它们。在这里，我用自己卑微的经历来解释可能更易于读者理解。虽然我是个盲人，但我经常用一些表示视觉的词汇，如我“看见”、我“注视”、我“观察”，以便更好地与这个以视觉驱动的世界进行沟通。在家人、朋友和大学同学的语言描述下，通过这些正常人的眼睛，我以我的方式在这个世界生存。我可以写这本书，也希望能够用自己的语言将自己从未见过的事物描述得生动有趣。考虑到我的眼疾，你可能认为我这也是迫于无奈。但事实是，正因为我流利的“视觉发言”能力，我的生活反而更轻松、更丰富。由于我能接触正常人所使用的语言、了解他们的经历，我可以更轻松地表述自己的经历。复制我的这种方法并使其在多元文化中进行规模化运用，殊非易事，但我们了解了选择的不同就已经迈出了重要的第一步。现在，我希望你能真正踏上一方陌生的国土，并了解那里陌生的语言。

第 3 章

选择是寻找自我的过程

选择与成长性思维

这是重要的一天，你踏上了一条通道，未来的人生将由此开启。尽管这条通道并非通向婚姻的殿堂（你将很快找到自己的灵魂伴侣），但是当你站在书架间的这条通道上，寻找“自我完善”类书籍的时候，你将跨越一道同样重要的门槛。你怀揣梦想，如同其他数百万人一样找到这类书，想在其中寻求心灵的成长和知识的积累。你希望自己的人生十全十美——名利双收、健康长寿、家庭和美，而你听说，只有通过自我完善才能实现这样的愿望。你明白了吗？这就是说，如果你能控制自己的思维、集中精神，你就能够掌控外部世界。你所要做的就是掌握控制权。先把你想要实现的所有目标列成一张清单……还是换一种内容吧：列出你所有的习惯。或者你该列出自己死前想去旅行的所有目的地？（死亡离你还很遥远——那边的书架上就有一大堆关于永葆青春活力的书籍。）无论如何，你先要做到喜爱自己、坚守自我。不过，这事儿难就难在这里。你还不太清楚自己到底是谁，还需要“发现自我”，而这不正是“自我完善”法想要教会我们的吗？如果“自我完善”要达成的一项目标也是使用这种方法的前提条件之一，你该如何是好？

于是，你穿过“修身养性”类书籍区的过道，走向旅行类书籍区，那些旅游指南封面上印着鲜艳的图片，向你推荐各种让人永生难忘的美妙旅程。也许去东南亚自助游、去澳大利亚跳伞，或者去非洲当志愿者能够帮助你认清自己。有一种可以提供修身养性的冥思课程，让人能够与自己的内心相通，不过你能付得起昂贵的费用吗？但是如果不进行这种自我发现之旅，一切又从何谈起呢？

伟大的艺术家米开朗琪罗曾说，他的雕塑作品原本就已经藏在石头里，他所做的只不过是凿去多余的部分。我们对自己身份的认识常常与米开朗琪罗的说法相似：在我们遵从有多个条条框框的表象之下，隐藏着一个恒定、独特而真实的自我。在我们眼中，自我发现就是一个挖掘自己本性的过程。我们深挖到表象以下，抛却无关紧要的外在，呈现自己永恒不变的本性。而我们借以发掘这个特性的唯一工具就是去伪存真、去粗取精的选择能力。其实，我们对自己的着装或者所喝饮料的选择，对居住环境、所读学校和所学课程的选择，当然还有对从事职业的选择都体现了我们自身的某些特性，我们也应该努力使这些内容真实地反映自我。

但是，我们到底是谁？命令式的“做你自己”听起来倒是直接明了。（还有什么事情能比让一个人做他自己来得更容易呢？）不过，我们常常会被这句话弄得不知所措，好像一不小心，我们就会变成别人似的。如果迈出的每一步都可能使我们远离真实的自我，那就很难继续前进了，我们也会因此变得犹豫不决。毕业后马上找一份能干上十年八载的稳定工作，然后结婚生子，这已经不是现在的年轻人所走的路了。对如今的年轻人来说，18～25 岁是寻求自我身份认同的时期。直到 1970 年，美国年轻人初次结婚的平均年龄基本保持在女性 21 岁、男性 23 岁。而现在，年轻人的初次婚龄已经猛增到女性 25 岁、男性 27 岁了。

2005 年，美国《时代》周刊称，美国社会出现了所谓的“中间族”现象，一些年轻人已经过了青春期，但在心理上却没有完全步入成人阶段。那期杂志的封面将这些年轻人描述为“生活上仍需依靠父母，不停地换工作、换伴侣。他们并不是懒……只是不想长大”。虽然“中间族”这个新词特指正在寻求身份认同的一批美国年轻人，但它所反映的现象是全球普遍存在的。同样，欧洲有“三不族”（不上学、不就业、不接受培训），日本有“寄生单身族”，而意大利则有“成年宝宝族”。即使是在那些更强调集体主义的国家，发现真实自我的压力也在日益凸显，这个崇高的目标给人们带来了越来越多的不确定性。

从传统观念看，这些年轻人好像停止了成长，但是，以何时结婚生子来衡量一个人的成长和进步并没有确切的道理。过去的几十年中发生了一系列社会变迁，使得那些原本无法选择自己人生的人拥有了更多的机遇。如果这些人想要把握住新近获得的自由、更多地做自己想做的事情，会有人感到意外吗？要是他们不这么做，我们倒真会觉得他们有问题了。我们站在“修身养性”类书籍区的过道中，从某种意义上说，我们都是在寻找同样的东西。但是我们在探寻自我的过程中到底是在寻找什么呢？为什么说发现自我对我们至关重要呢？

消费习惯暴露你的个性

“我是谁？”——有史以来，人类都在试图寻找这个问题的正解。我们在上一章中已经了解到，那些生活在传统集体主义文化背景下的人，常常很容易得出这个问题的答案：个人的身份认同与集体的归属感密不可分。然而，随着个人主义的兴起和传播，不论这种个人主义是作为一种文化的主导思维范式，还是作为与传统做法相左的特例，身份认同已经越来越多地成了人们的私事。个人主义思维占主导的社会，其核心观念就是，一个人所属的种族、阶级、民族和他所信奉的宗教都无法全然决定这个人的本质，他最根本的特质是不受外在影响的。但是在接下来的论述中，我们将看到，人们诠释自我的过程也经历了很大的变化。

美国一向自诩为“自由的国度”，也正因此而吸引了大量移民，所以考察它的历史有助于我们认识人们对自我身份理解的演变。美国很多早期殖民者所推崇的一系列思想是早期极具影响力的个人主义观念之一，马克斯·韦伯（Max Weber）将其概括为“新教伦理”。实践新教伦理的代表性人物就是美国的“建国之父”本杰明·富兰克林。他在美国18世纪大众文化中所扮演的角色相当于今天的奥普拉（美国著名访谈节目主持人）、菲尔医生（美国心理咨询节目主持人）和沃伦·巴菲特（美国著名投资家、企业家）的结合体。他是当时人们公认并推崇的商业领袖、政治家和记者，他写的《穷理查年鉴》（*Poor Richard's Almanack*）中的格言警句在19世纪，乃至今天，一直激励着美国农民、手艺人和商人奋斗。富兰克林的哲学一言以蔽之就是实用主义：勤于业，忌奢靡，善养家，终得圆满。只要具备这些人品条件，任何人都有机会获得成功。作为一个独立的个体，这些意味着能够自食其力，并且可以安享通过奋斗得来的成功与财富，比如，拥有一所大房子、一座打理得很好的花园、饲养得膘肥体壮的牲畜。

虽然在这种社会制度下，人们能够选择自己想要的谋生方式，但这并不等于他们做什么都不受限制。与之前的时代相比，如今可供人们选择的身份角色的范围大大拓宽了。不过，对于应该如何为人处世还是存在很明确的社会共识。一个“品性好”的人，其所作所为都应当符合社会的期望。如果一个人整天游手好闲，喜欢到处炫耀，持有某种非传统的政治、宗教观念，或者违背道德规范，那人们就会摇头叹气，说这个人“品性不好”。非同寻常的人只有在一种情形下能被社会接受，那就是做寻常人该做的事，而且做得更出色。你可以比别人工作更勤奋、信仰更虔诚，或者比周围的人更加严格地遵从既有的社会规范。

一个人的“品性”如何，绝不只是关系到周围的人如何看待他。举个例子，1916 年，美国福特汽车公司为员工提供一天 5 美元的高薪（是当时平均薪金数额的两倍），不过要挣到这笔钱是有条件的。只有那些符合福特公司认定的“美国方式”的员工才够资格，这也就意味着他们要戒酒、戒赌、会讲英语（刚来美国的移民还得去上“入籍归化”的课程），而且要承担起传统的家庭角色。只有自己养家的单身女员工才有资格领取津贴，如果一名男员工的妻子走出家门去工作，就算她也是福特的员工，这名男员工也无法享受津贴。福特还设立了一个被称为“社会化机构”的委员会，专门负责以上规则的监督实施。委员会成员会走访员工的家庭，看看是不是所有人都过得规规矩矩。这种政策以现代的眼光来看带有歧视性，而且侵犯了个人隐私，但在当时却广为接受，甚至受到不少好评。

当时的人们在遵守严格的传统社会规范的同时，还得服从关于效率和纪律方面的新职业规范。福特公司如今著称于世还有赖于它的另一项革新，那就是流水化作业。从 18 世纪英国工业革命的工业化进程至今，流水化作业进入了一个全新的发展阶段：个体农民和小手工作坊的生产方式逐渐让位于工厂雇工的生产方式，而每个工人的个体地位不过就是复杂机械上可以更换的零件。美国人弗雷德里克·温斯洛·泰勒（Frederick Winslow Taylor）将这种观念归纳成一门科学，写进了于 1911 年问世的专著《科学管理原理》（*The Principles of Scientific Management*）中。科学管理强调每道工序都必须严格遵守制定好的规范以实现最高的效率。书里记录了他与钢铁厂生铁搬运工施密特先生的一段对话，内容如下：

> “我想看看你是能拿高薪的人，还是像厂里那些没用的家伙一样不能拿高薪。告诉我，你是想一天挣 1.85 美元，还是想像那些没出息的家伙一样一天挣 1.15 美元就满足了。”
>
> “我想不想一天挣 1.85 美元？我能不能拿到高薪？嗯，是的，我应该拿高薪。”
>
> “好吧，那你明天从早到晚都要听这个人的安排。他让你搬起生铁走，你就搬起来走，他让你坐下休息，你就坐下休息。明天一天你要完全听他的话，而且不准顶嘴……明天早上你来上班，天黑之前我就能知道你到底能不能干这份高薪的活儿了。”

接着，泰勒自豪地写道，施密特一字不差地遵从了他的指令，从而提高了工作效率，工资也涨了 60%。但他没有提到施密特对于这个新流程有什么看法。那跟工厂的高效运作无关。

然而，早在福特和泰勒制定这种标准化规程之前，就有人对其扼杀人的个性的做法表示反对了，散文家、思想家拉尔夫·沃尔多·爱默生（Ralph Waldo Emerson）就是美国早期一位很有影响力的反对者。他将 19 世纪中叶的美国社会描述成一家“股份公司”：“在这家公司里，成员们为了让各个股东更好地保住自己的饭碗，同意放弃捧饭碗者的自由和文化。”爱默生曾这样写道：“（这种社会里）最需要的美德就是从众随俗。”在当时，他推崇激进前卫的人生哲学，强调个体的独立自主、自力更生，拒绝屈从于社会的条条框框，他认为只有这样才能发现并诠释个体的本性。“你隐藏在层层障蔽之后，我无法看清你的本来面目，”爱默生在文章中写道，“不过，只要你做自己真心想做的事情，我就能了解真实的你。”他提到的“层层障蔽”不仅让他人无法看清我们，也使我们不知道真实的自己是什么样子的。而当我们听从自己内心的声音做出“真实的”选择时，就会冲破那“层层障蔽”。

因此，有些人认为自我完善运动始自爱默生也就不足为奇了。“展现自我，做自己真心想做的事”的确是提到“自我完善”时不得不说的话。但是，爱默生不像今天所谓的很多“专家”，他说的话和做的事并不是为了出名或发财。他是同时代知识分子中的佼佼者，提出的观点与当时的社会主流思想形成了有力的对峙。他的一个同龄人曾盛赞他的著作是美国的“思想独立宣言”。

人们有权对与自己的人生有关的一切做出选择，这一观点引起了人们的共鸣，在大众文化中也得到了越来越多的体现。美国第一位诺贝尔文学奖获得者——作家辛克莱·刘易斯（Sinclair Lewis）就创作了以此为主题的作品。刘易斯在他的《大街》（*Main Street*）等作品中尖锐地批判了 20 世纪 20 年代美国小镇生活的保守与空虚。这部小说的主人公卡罗尔·肯尼科特（Carol Kennicott）随丈夫从圣保罗市回到他的故乡明尼苏达州的格佛草原镇定居。生性自由、思想有深度的卡罗尔发现小镇的生活保守、沉闷、令人窒息，并且她认为正因如此，很多和她一样的人才永远地逃离了小镇生活。

卡罗尔认定，人们离开小镇并不是因为它有些土里土气，而是由于小镇比土里土气要糟糕得多。

小镇生活因循守旧到了难以想象的地步，人们说话、做事都死气沉沉的，整天心里想的就是保住面子不丢脸。死寂中弥漫着逝者的沾沾自喜，仿佛在嘲讽活人走来走去难消停。唯一尊奉的美德就是顽固不化，在这里幸福是被禁止的，人们给自己戴上了奴役的枷锁，而且套死了不肯松开。单调乏味已经成了这里的神祇。

面目模糊的人们吞下无味的食物，饭后脱掉外套，头脑空空地坐进布满愚蠢装饰花纹的摇椅，听着广播中播放的呆板音乐，机械地谈论着福特汽车厂的卓越超群，并且自诩为世界上最伟大的民族。

刘易斯笔下的格佛草原镇是美国千千万万小镇的一个缩影，他通过描写卡罗尔在镇上的艰难经历，凸显了在一个抹杀个性表达的文化背景下，人们要获得个性独立不得不面对的痛苦挣扎。虽然卡罗尔看不起镇上的居民，但这并不影响她对小镇生活评价的正确性。直到今天，卡罗尔和刘易斯或许还会被某些人贬为“东海岸自由媒介精英”的代表，这只能说明即使我们使用的措辞发生了变化，当时的社会中存在的许多矛盾和冲突至今依然存在。

工业化进程带来的“机械化”生活令很多人不满，于是出现了查理·卓别林在其1936年的电影《摩登时代》中对现实的讽刺。卓别林所扮演的流浪汉的经典银幕形象令人印象深刻。他是一家工厂的工人，泰勒的科学管理原理在这家工厂里发挥到了无以复加的地步。流浪汉按照指示站在快速运转的流水生产线旁，在一个特定位置上为出品的机器拧上螺丝，而且机器经过的速度越来越快。最后，他的手已经对这种规定动作形成了惯性，即使不在生产线上，他遇到任何有点像螺丝的东西都忍不住要去拧一把，周围人的鼻子和身上的纽扣因此遭了殃。在工厂的时候，流浪汉连吃饭都要受到监管。为了提高效率，他必须吃“喂食机”喂给他的一叉叉牛排，从一根自动旋转的玉米棒上啃玉米。这部电影最著名的场景是，流浪汉再也受不了自己的工作，干脆躺在了传送带上，被拖进了工厂的巨大机械体中。他的身体随着转动的齿轮和机轮滑动，真的变成了工厂设备上的一个齿轮。

具有讽刺意味的是，在塑造我们今天认为的人人享有自由选择的环境的过程中，工业化也发挥了重要的作用。新教伦理强调节俭，这在人们手头不宽裕的 19 世纪以及 20 世纪 30 年代大萧条时期都是具有现实意义的。不过“二战”之后，普通工人的收入逐步提高，节俭的观念就变得越来越不合时宜了。此外，当某种产品供大于求时，生产者就会在包装设计和广告宣传上进行创新以期提高市场需求，于是购买从一种单纯的消费行为变成了一种表达个性的方式。比如，当你购买了一辆汽车时，你不仅仅在满足自己的出行需求，也在向周围的人宣告你的身份和你关注的重点。与此同时，大众媒体的发展也加深了这种趋势。普通老百姓也能够通过媒体间接地参与迷人的电影明星和娱乐界名人的生活当中，近距离接触“叛逆偶像”詹姆斯·迪恩（James Dean）、魅惑歌手“猫王”普莱斯利（Elvis Presley）等人。20 世纪 50 年代，人人都向往过上“白色尖篱绕房栽”的中产阶级生活，但在那之后出现了一种全新的成功理念，即抛弃融入人群与安分守己的思想，推崇通过表达特立独行的个性而彰显自己的与众不同。

20 世纪 50 年代后期到 60 年代的这些经济与文化因素共同催生了社会对个体身份认同的广泛变化。全新的一代在繁荣富足的环境下成长起来，也没有“二战”那样的事件将他们像其老辈人那样团结起来：而这非常有利于个体独立思潮的产生。“垮掉的一代”代表诗人艾伦·金斯伯格（Allen Ginsberg）和杰克·凯鲁亚克（Jack Kerouac）挑战50年代的主流文化，而他们的后继者发起了60年代的“嬉皮士反正统文化”运动。1964年，英国的甲壳虫乐队首次登上了“沙利文秀”节目的舞台，他们不同寻常的蓬乱发型引发了争议。成千上万的甲壳虫狂热者和其他年轻人开始通过另类的音乐、留长发和改变宗教信仰来挑战传统。尽管到20世纪70年代末，这种自我观念的变化已经较少通过极端的方式体现出来，但是这种变化确实是不可逆转的：独立几乎永远胜过从众！此外，随着大众传媒技术的不断发展，经济领域的国际交流日益增多，在这些促进全球化进程的因素的共同作用下，个人主义价值观也随着其象征——可口可乐、李维斯牛仔裤等，一起从美国输出到了世界其他地方。

我们对相关的历史背景进行了走马观花式的回顾，接下来该看点儿什么呢？我们会看到一些奇怪的现象。在现今的美国，我能够选择以前并不存在或者不久前对像我这样的人来说还是遥不可及的道路。在全球范围内，传统家庭模式发生的变化（双薪无子女家庭、男性持家教子的家庭、单亲家庭、收养孩子、同性婚姻等）日益被人们接受，这些新型家庭对居住在何处也拥有越来越多的选择自由。到1970年，美国主要城市的三分之二的居民都出生在别处，而在亚洲城市中这个比例是将近50%。一次近期的人口普查表明，3 900万美国人，即占美国人口总数13%的人在过去的一年中都搬过家。

宗教信仰过去曾一直被认为像眼球的颜色一样绝对不会改变，然而现在它竟然也变得复杂起来。2009年皮尤调查的结果显示，一半以上的美国人至少改变过一次宗教信仰。而人数增长最快的是那些根本不信仰宗教的人。现如今，有色隐形眼镜使得眼球的颜色都可以改变，而且随着整容产业的迅猛发展，我们呈现给世界的整张脸都能换了。从染着夸张发色的咖啡店店员到穿着牛仔裤的首席执行官，人们拥有了更多的自由，甚至受到了更多的鼓励。人们可以像在个人生活中一样，在工作场所展现自己的独特风格。在像聚友网（MySpace）、"脸书"（Facebook）和第二人生（SecondLife）这样的社交网站中，人们完全可以掌控自己呈现给别人的形象。没有迹象表明这种增加的身份选择自由只是暂时的，它看起来在未来更有可能进一步增加。

虽然这种前所未有的选择自由具有人性解放的意义，但是它的产生也对人们提出了新的要求。伦敦经济学院的社会学教授尼古拉斯·罗斯（Nikolas Rose）在他的著作《自由的力量》（*Powers of Freedom*）一书中写道："现代人不仅仅是有'选择的自由'，社会也要求他们自由地做出选择，自由地理解和演绎自己的人生。他们必须思考过去做出的选择产生了何种结果，也要设想未来可能做出的选择将带来什么影响。他们做出的选择体现了自身的特点——表达了个性——也反过来对他们自身产生了影响。"所以说，做好自己就是做出最能代表自己的选择，而这些选择在日积月累的过程中表达和诠释了我们最为珍视的价值：自由。作为"选择之国"（Choiceland）的公民，我们生活在最根本的民主制度下，我们自由地做出选择不仅是为自己，也是为了证明我们对自由理念的信仰。我们的个人决定由此就具有了政治上的意义。

当个人拥有了一种权力时，这个人是谁以及他的目的和动机是什么就变得非常重要了。因此一个人需要更多地审视自己，而这有时又会给人带来困惑甚至是恐惧。当我们的视野拓宽后，自我实现也有了更多种可能性。就像前面所说的米开朗琪罗雕刻石像的故事，在我们企图呈现隐藏在石头里的自我时，多出来的部分变大了，需要凿去的石料越来越多。换句话说，自我发现的过程在变得更为迫切和重要的同时也变得更为艰难了。如果说，没有哪种人生道路是绝对正确的选择，那么究竟该怎么选择对任何人来说都不容易。认识自我、坚守自我、展现自我的难度急剧上升。我们怎么才能发现真实的自己并做相应的选择呢？让我们来分析一下在自我发现的过程中我们面临的三项主要挑战，或许我们将会对自己是谁和如何做出选择之间的关系有不同的理解。

我想与别人不同，但又担心另类

有人说，如果你的某个感官不灵敏了，那么其他的感官就会变得更为灵敏。对我而言，现在就有了一种相当神奇的“第六感”：虽然你我素未谋面，但我却能“读懂”你的内心，给你做一个性格分析。请允许我向你展示这种能力。

> 你是一个勤奋刻苦的人。有时候人们并不总这样认为，因为你无法实现每个人的期待。不过，如果一件事对你而言真的很重要，你就会竭尽全力去做好。从一般人的角度来看，你做事并不总是能成功，但是你并不像他们那样在乎这一点。你承认有些规则和标准的存在很有必要，所以你不会刻意地违反它们。不过，真正指导你为人处世的原则还是你心中很

强的主见。别人不一定能看出来这个优点，他们很可能低估了你的智慧，不过有时候你的能力会让你自己都感到惊讶。你喜欢学习新事物，但是你并不认为学习非得在正式的环境中进行，或者非得为了某个特定的目的去学习。你愿意为不幸的人多做些事情，即使现在做不到，你也会以自己的方式对他们表现出关爱和体贴。你曾经遭受了几次较大的挫折，但是你挺了过来，而且依然乐观积极。你坚信，如果自己保持专注和自信，你的努力总会见到成效。实际上，你在生活或者工作中很快就要遇到一个特别的机遇了。如果你抓住了这个机会并且坚持下去，你一定能够实现自己的目标。

这个性格分析挺准的吧？也许不是百分之百准确，但是考虑到你我素不相识，我在你拿到本书之前就已经在书里这么写了，还是挺惊人的吧？如果你让自己的家人和朋友都来买这本书，他们也会因我的特异功能受益的。你现在还没打算去告诉你爱的人我是个预言家吗？为什么不告诉他 / 她呢？

跟那些心理学家和预言家惯用的绝招比起来，我这个不太聪明的小花招真是小巫见大巫了。其实，只要客户不是太多疑，预言家再有几分表演的天赋，“读心术”都可以顺利地施展。我的“第六感”说破了也就是下面这几条：

（1）人们彼此间比想象得更相像。

（2）人们对自己的看法大抵相同。

（3）每个人都认为自己是独一无二的。

基于以上三条，预言家就可以赌一把，而且常常会猜对。因为我们可以说出那些几乎适用于所有人的概括性特征，因为没有人觉得自己跟别人有什么共同点，所以我们不需要任何魔力就能细致、准确地读懂别人的内心，对方也愿意相信你说的那些话。

杰弗里·莱奥纳尔代利（Geofrey Leonardelli）和玛丽莲·布鲁尔（Marilyn Brewer）做过一个实验，让参与者估算屏幕上播放的一系列录像中出现的点的数量，并且说明这是为了测试他们在无意识状态下的感知能力。做完测试后，研究者告诉参与者，大多数人（大约有75%～80%）更倾向于高估屏幕上出现点的数量，而剩下的20%～25%的人则倾向于低估点的数量。随后研究者不看参与者给出的答案，随机选出了一半参与者，告诉他们，他们低估了点数；而另外一半参与者则被告知他们高估了点数。研究者并没有说低估或者高估意味着什么，参与者只知道自己的天性是属于一个多数群体还是少数群体。尽管如此，那些得知自己属于多数群体的参与者的自信心受到了不小的打击。这看上去好像是，不论某个多数群体意味着什么，只要自己被划进了大多数人的群体里就是不好的。我们会把自己看作特殊的个体并不奇怪，这是一种自我保护的机制。因此，我们宁愿相信那个穿着天鹅绒袍子、戴着头巾的女巫的确有着超自然的能力，能看到我们的内心和灵魂深处，并能预言我们的未来，也不愿意相信自己其实跟她的其他顾客很像，她对我们每个人的说辞其实是一样的。

这就是为什么我们愿意相信是自己独一无二的，而且也希望别人看到真实的我们（或者认为是真实的我们）。这并不奇怪，你也许经常被灌输这样的观念，独一无二或者非常罕见的人就是比其他人好。要不然，为什么每份高中毕业致辞或者大学入学申请书里都要引用罗伯特·弗罗斯特（Robert Frost）的《未选择的路》（*The Road Not Taken*）中的诗句："我选择了人迹较少的一条，从此决定了我一生的道路。"太像其他人，做出了大多人都会做出的选择，说得轻一点儿是个性有缺陷，体现了人的一种惰性，缺乏抱负；严重地讲，它说明一个人根本就没有个性。这种人被贬称为"行尸走肉""应声虫""鼠辈""绵羊"——暗示他们缺乏作为人类的某种根本要件。最终，他们可能会变成乔治·奥威尔（George Orwell）的恐怖政治小说《1984》中描写的被洗脑的服从者，或者是皮克斯公司有趣的动画电影《机器人总动员》中描绘的未来的顺民，一切按指令办事，一分钟前所有人还穿着完全相同的蓝色衣服，一听到"流行红色了"，马上就齐刷刷地换成了一模一样的红色衣服。最后，还是靠机器人唤醒了这些糊涂的"老好人"，告诉他们怎样才能掌握控制权。这些虚构的恐怖世界体现了人们的一种恐惧感，即害怕从众最终会毁掉内心深处的自我。

我们一次又一次地告诉自己和周围的人，我们是多么与众不同。"优于常人效应"非常贴切地描述了大多数人都存在的一种高估自己的倾向：认为自己比实际工作更勤奋，比实际更会投资赚钱、更会讲故事，比实际对爱人更体贴、对朋友更关心、养育子女更有办法等。很多实验都表明，不管评价什么能力，只有极少数人愿意承认自己"在平均水平以下"。我们当中 90% 的人都认为自己属于智力、能力出众的那 10% 的人。至少，我们应该为这种比例数据感到庆幸。这种现象也被称为"乌比冈湖效应"(Lake Wobegon effect)。"乌比冈湖"是电台节目主持人盖瑞森·凯勒（Garrison Keillor）虚构出来的一个小镇，小镇上"所有的女人都很强壮，男人们都长得不错，小孩都在平均水平之上”。在我们的意识里，似乎把自己当成了乌比冈湖镇光荣的一员。

即使当我们跟随大多数人的时候，我们也认为自己是个例外，因为我们的决定经过了特别的考虑而不是简单从众。换句话说，我们觉得自己的行为较少受到一般情况的影响——我们是有独立意识的。研究人员乔纳·伯杰（Jonah Berger）、埃米莉·普罗尼奇（Emily Pronic）和萨拉·姆鲁奇（Sarah Moulouki）将这种现象称为相信自己是“独自在羊群里”。让我们来看看他们举出的两个研究实例。其中一项研究是让一群学生对几个立法草案进行投票，并且告诉他们应该考虑共和党和民主党各自的立场。结果在意料之中，大多数学生都选择与自己所属的党派保持一致，只有一个人例外。投票的学生都认为自己更多地考虑到了草案的内容，而其他投票者只是跟随党派的步伐而已。另外一项研究调查了人们为什么会购买十分流行的 iPod（苹果公司生产的音乐播放器）产品。结果也是一样，人们都认为自己的购买决定不像其他用户那样受到社会潮流的影响，强调自己的选择是出于实际的考虑，比如这款产品体形小或者存储量大，还有人说喜欢它光滑的外形设计。

其他的研究也揭示了同样的现象。问问美国人：“你与其他人有多像？”他们中的大多数人会回答：“不太像。”把这个问题反过来再问他们：“其他人跟你有多像？”他们回答的相似度就会显著地提高。这两个问题从本质上讲是一样的，所以答案也应该完全一样，但是我们会骗自己，就像我们会说自己高于一般水平或完全不受社会因素的影响。我们一次又一次地自认为自己与众不同。那么，到底是什么原因让我们觉得自己比其他人都独特呢？

在某种程度上，这是因为我们与自己更亲近——“我对自己非常了解”。我在清醒时的分分秒秒都知道自己在想什么、感觉到什么、在做什么，基于这一点，我可以自信地说，没有其他人能够和我一样思考、感觉、做同样的事情。但是我们又是怎样观察他人的呢？他们看上去好像都差不多，他们在同样的商店购物、收看同样的电视节目、收听同样的音乐。当我们看到别人做出了同样的选择时，我们很容易会认为他们是从众的，而如果我们自己也做出了同样的选择，我们却知道自己这样选择的理由，而认为自己只不过是碰巧和别人做了同样的事——别人是不动脑子地从众，我们是有所考虑地选择。这并不意味着我们都是嘴上不承认的从众者，它只是说明我们常常会忘记别人的思想和行动也跟我们一样复杂多样。我们不是羊群中唯一的一只，而全都是披着羊皮的独立个体。

实际上，我们也并不希望自己过于与众不同。过于另类会让我们无法忍受。之前提到的那个估算点数实验的研究人员还进行了另一个版本的实验，有些参与者被告知自己属于高估的大多数人，有些被告知自己属于低估的少数人，其余的人则被告知他们的成绩非常特别，研究者说："不知道你该算高估者还是低估者。"高估者的自信心还是同样会受到打击，低估者则提升了自信，但是那些被告知太特别而无法被归类的人也产生了自我评价降低的现象。我们在"刚刚好"、属于既区别于大众又可以被归类的时候感觉最佳。

我和同事丹尼尔·埃姆斯（Daniel Ames）考察了人们在面对日常生活中的具体选择时，能够接受的独特性的最大程度。我们进行了一项研究，向一些参与者提供了40个孩子的名字列表，还让另外的参与者看30条领带、30双鞋和30副墨镜。我们让每个实验对象都能看到普通、有些独特和非常独特的三类选项（普通还是独特的标准事先由专业人士定好）。比如，孩子的名单中包含了迈克尔、凯特这样的名字，也有爱登和爱迪生之类的名字，还有马达科斯、尼赫迈亚这种非常少见的名字。而在领带中也包含了标准的红色和藏青色领带，以及带一些特别图案的如条纹或螺旋花纹的领带，还有一些领带则夸张地印着亮橙色的豹子图案或者装饰着类似闪光灯球的亮片。

研究对象看到有关的名字或物品后，被要求评价他们认为每个名字或物品有多特别，并且说明自己好恶的程度以及自己觉得别人可能好恶的程度。跟先前提到的那些实验结果一样，这4组实验的参与者都认为自己是与众不同的，觉得自己比一般人更易接受独特的事物。而实际上，参与者的答案基本上都一样。所有的实验对象都对有些独特的选项给出了更高的评价，而对那些非常独特的选项给出了否定的评价。西方消费文化虽然非常重视“独特性”，但实际上，人们对于“独特性”的接受程度都有自己的底线。有一位研究对象表示：“我觉得给孩子起个听起来很特别的名字是可以的，只要这个名字好念、方便被用作昵称……不过这张名单上的名字中有些确实太奇怪了。”一位参加实验的“时尚达人”看到各种领带后认为：“穿西装的时候，领带是唯一可以彰显一个人品位与个性的部分。不过，这些领带有的看上去个性过头而品位不足。领带不适宜过于前卫、另类。”

我们欣赏、渴望具有一定的独特性，但是我们认为自己的选择能够被其他人理解也很重要。其实，挑选领带的眼光独到与品位怪异之间的界限并不十分明显，所以我们大多数人宁可保守一点儿，也不愿去挑战人们对领带的接受底线。我们既想与大多数人有所区别，又不想显得太过古怪独特。有时，我们不会选择自己真正喜欢的领带，因为担心别人会觉得我们太另类。

我们都想在正态曲线上找到令自己感觉最舒服的位置，即使需要扭曲事实也在所不惜。就像约翰·邓恩（John Donne）在 400 年前所说的那样：“没有人是一座孤岛，可以自保；每个人都是广袤大陆的一角，是整体的一部分。”我们身处人类社会，需要有一处稳固的立足之地，这就意味着我们必须弄清楚自己想距离周围的人多远或是多近，自己到底该站在哪里，我们想要归属于什么样的、有多大规模的群体。为了找到适合自己的位置，我们恐怕要经历一些旅途周折。不过，不是有这么一句话吗：旅行是找寻你自己的绝佳方式。

“当你企图撒谎掩饰自己的时候，你会使自己看起来更接近还是更远离正态曲线的中间值？”

更高层面的身心一致性

黛安娜于1916年出生在一个富裕的传统家庭，除去她所处历史时期的动乱，她是在一个比较舒适的环境中长大的。她的父亲是一家公司的律师，外公是一位著名的银行家。尽管生长在经济大萧条的年代，她的家庭仍然可以供她获得良好的教育。父母为她选择了新成立的、备受推崇的本宁顿学院（Bennington College），这是一所坐落在佛蒙特州的女子学院。他们将这种教育作为提升她的素养的一种方式，并希望她成为一个受人尊敬的、有教养的年轻女子，希望她可以在那里通过学习从而能轻松自如地谈论经典名著、举止得体且与她的家庭背景相符合。但是当黛安娜于1934年作为一名新生入学时，她没能发现一种将社交和学术合为一体的正式教育。这与她在孩童时期所接受的教育大相径庭。

本宁顿学院是基于一种试验性的哲学教育而成立的，它高度重视爱默生的自立论。学院的社区都是自给自足并安排紧凑的。学院的教师都比较年轻（1932 年学院成立时，所有教师的年龄都在 50 岁以下），一律是自由派人士，他们与学生更多的是一种不拘礼节的、自然随意的关系，而没有等级区别。学院鼓励开放的沟通对话，并且通过磋商咨询的方式保持学生与教授之间的互动反馈。虽然教师的人数比学生多，但学生可以通过学生与教员管理委员会的多数选举来参与学院社区的管理。在这种与较传统的学校——如最受推崇的瓦萨学院——大为不同的新颖教育模式下，学生领袖经常被视为自由主义政治哲学的典范。

尽管这种环境一开始令黛安娜感到不知所措，她却同时感受到一种与她成长过程中所接受的约束性教育截然不同的、令人愉快的自由。她开始质疑过去所接受的关于世界的知识，并且有了新的朋友圈子，在这一点上，这些新朋友与她很相似。她上大学的第一年正值美国大选，校园里充满了关于新政和其他时事问题的激烈讨论。大部分学生都支持民主党候选人罗斯福。受到充满激情的辩论的影响，黛安娜逐渐开始相信充满激情、更为自由的社会政治。不用说，当她在晚餐时分提出这一观点的时候，她的父母感到非常困惑。父亲非常坚定地准备投共和党候选人阿尔夫·兰登（Alf Landon）一票，他认为那些持自由主义观点的人都是“绝对的愚蠢”，并责备黛安娜幼稚。出乎所有人（包括她自己）的意料，黛安娜回击了父亲的说法，认为父亲的生活经历“太过狭窄”。这是黛安娜有生以来第一次让她的家人感到紧张和不安，而黛安娜则开始感觉父母对她的态度充满了忧虑，甚至是不信任。

黛安娜中学时期的密友从瓦萨学院和莎拉劳伦斯学院回来，如预期般镇静，只是看起来对她有些怀疑。为什么事情变得和之前这么不同?她认为这其中只有一个解释——她没有按照父母为她所设想的道路走，而是开辟了一条属于自己的路。结果虽然苦乐参半，但她依然为自己的成就感到自豪。

黛安娜并不是唯一一个大学时期在意识形态上经历如此显著且永久性转变的学生。西奥多·纽科姆（Theodore Newcomb）对1936—1939年入学的本宁顿学院的近400名女生进行了调查。和黛安娜一样，这些学生基本上都来自富有、传统、家教良好的家庭，她们中的很多人都在本宁顿学院经历了政治观点上的转变。1936年的总统选举是美国历史上最不平衡的一次。罗斯福以压倒性的60%的普选选票及262张选举人选票获得了胜利，而66%的本宁顿学院学生的父母投了阿尔夫·兰登的票。在本宁顿学院，一年级的新生们基本都追随了他们父母的选择，62%的新生投了阿尔夫·兰登的票。但这一比例随着年级的增高而逐渐减少，二年级学生的比例为43%，而三年级以及更高年级的学生仅为15%。

此后25年和50年开展的两项追踪研究表明，学生们在大学时期所形成的政治观念在他们此后的人生中一直都保持不变。相对于同龄人，本宁顿学院的毕业生们更倾向于选择自由主义的课程，比如，女性权利和公民权利运动等，而非保守主义类的课程，如越南战争。她们趋向于选择与她们拥有共同政治观点的人作为爱人和朋友，而后又以她们的政治观点影响她们的后代。

本宁顿学院的女学生们在政治观点上的转变有两种不同的方式，她们后来对自由主义态度的稳定性可以从中得到理解。第一种方式是女生们完全真实地表达自己，超越了其家庭及社会团体所灌输的价值观，以期在这个世界上找到自己的真实位置。即使是在今天，大学依然被认为是寻找或成就真我的一种极好的途径，因为它为学生们提供的自由让他们脱离了父母的影响，并且可以与新同学一道全新开始。另外一种方式则如一些人认为的那样，态度和观点的转变是因为外界的力量。以本宁顿学院的学生为例，这个外界的力量就是本宁顿这个团体给她们施加的力量。毕竟，学生的新观点与学院现有的标准如此相似，不免让人有些难以置信。

参考从本宁顿学院毕业的女生的话语，从中可以总结出，这两种方式都在一定程度上属实。正如人们所说的："变得激进意味着只考虑个人，对家人熟视无睹。同时也意味着在思想上与自己最崇拜的老师和同学保持一致。"也有人说："深入了解自由主义的声望值并不需要花费很长时间……如果说一开始是因为声望值成为自由主义者，那么，此后坚持做一名自由主义者则是因为自由主义所关注问题的重要性。"然而，更值得注意的是使人们坚持新信仰的力量。抛开人们是如何开始新信仰的问题不谈，是什么力量使得人们能够坚持这种信仰，甚至随着时间的流逝，这种信仰越发坚定？

孩童时期，我们根据自己的个人喜好区分周围的世界。"我喜欢冰激凌。我不喜欢球芽甘蓝。我喜欢足球。我不喜欢做家庭作业。我喜欢海盗，长大了我也想成为一名海盗。"这个过程随着时间的流逝变得越发复杂，但是基本前提是一致的："我是个性格内向的人。我是个愿意承担风险的人。我爱好旅游，但是我不是很有耐心，因为我无法忍受机场烦琐的安检。"我们所能做到的是有能力对自己和世界说："我是 ×× 一类的人。"并且我们对自己所做的评估被认为是正确的。最终，我们想要了解自己，同时使社会对自己的认知与自己对自己的了解保持一致。

但作为极其复杂的生物，我们在整个人生中需要经历很多发展和变化，厘清沉淀的过去是很有挑战性的。蹚过记忆、行动和行为的河流，选出最能代表核心价值的事物。在这一过程中，我们会很自然地看到一些矛盾。当然，很多时候我们所做的与我们所想的一致，但更多时候，我们的行为是迫于周遭的环境产生的。例如，我们在工作中的言行举止——我们的衣着、我们与老板的说话方式往往比我们在家或与朋友在一起时要更正式、更传统一些。我们必须厘清这种矛盾，了解我们为什么需要选择这种方式，而后决定我们将来该怎么做。

在《自我之歌》这首诗中，爱默生的信徒沃尔特·惠特曼（Walt Whitman）便抓住了这种进退两难的情况，并果断地以诗歌反驳："我自相矛盾吗？那好吧，我就是自相矛盾。(我辽阔博大，我包罗万象。)"但是，对于我们中的大部分人来说，要平衡自己内在的"万象"并不容易。尤其是当我们自身的两个矛盾方面发生冲突时，或是在我们的信仰与行为发生矛盾的情况下。以本宁顿学院的学生为例，她们当中有的人自认为是保守派，却在与自由派的同学进行政治问题的讨论时，发现了她们自己对自由主义的认可，她们对于这样的事情该得出怎样的结论？是她们的行为是非理性的、令人费解的，还是因为迫于社会压力从而支持她们实际上并不相信的观点？无论是哪一种情形，都将威胁到她对于自己是一个理性的、可信的人这一点的自我认同感。这种被困于两种矛盾之间的不愉快经历被称为"认知失调"，会使人感到焦虑、愧疚和困窘。

为了使自己的行为合理并获得成功，我们有必要解决这种认知失调的状况。想想《伊索寓言》中关于狐狸和葡萄的故事。狐狸试图摘葡萄却没有成功，于是悻悻地走开了，同时在心里嘀咕：“嗨，也许这些葡萄是酸的呢。”狐狸的这种心理变化即是一种典型的例子，是我们在试图减少“认知失调”的情况下使用的策略。当信仰和行为发生矛盾时，由于时光无法倒流，我们只能调整自己的想法，使之与行为一致。如果这个寓言故事改变一下，狐狸想办法摘到了葡萄，结果却发现葡萄是酸的，那么狐狸可能会告诉自己它就是喜欢酸葡萄，这样才能避免自认为自己的努力完全是一种浪费。

避免认知失调、保持自我认知的一致性可以使人们将其他原因所导致的价值观和观点内化。许多研究发现，让一个人去写一篇与他的个人信仰不一致的文章，如支持提高税率的文章，会使他更强烈地支持自己文章中的立场。对于本宁顿学院的学生而言，减少认知失调可能意味着她们承认自由主义确实对一些有价值的问题很重要，或者甚至承认自己其实一直都是自由主义者，只是直到现在才有机会表达出来而已。外界力量通过改变人们的自我认知，会对他们产生持久的影响。

同样，一旦自我认知达成一致，人们愿意通过选择可以增强这种一致性的方式来避免认知失调。举例来说，本宁顿学院的女生们选择自由主义者作为自己的丈夫、朋友。其实在任何一类团体中都能看到这类模式：保守主义者、宗教人士、环保人士等。当然这么做不仅仅是为了避免认知失调，因为人以群分；这么做同时也满足了我们的归属感。随着时间的流逝，自由选择的相互作用最终不仅使自我认知趋于定势，同时也使周围的人也更容易对个体下定义。

当我们试图决定如何更好地过自己的生活时，追求一致性会导致进退两难的局面。一方面，我们当然不想做心口不一的人，无论是在自己眼里还是在别人眼里。当有人告诉我们“连我都不认识你了”的时候，其中的负面暗示很明显：你的行为方式对其他在你成长过程中认识或喜爱你的人来说是不可知和不值得信任的。另一方面，世界永远在变化，如果永远保持一致就意味着我们有可能变得顽固不化并且和世界失去联系。2004 年的美国大选就是个非常鲜明的例子。约翰·克里因为反复无常、惯于玩弄权术，受到谴责并丧失了候选人资格；而乔治·布什则因为坚持己见受到了大多数人的尊敬。但是一旦回到办公室，布什却因为机械模仿某些观点和口号，很少考虑“当时的实际情况”而受到批评。在 2006 年白宫举行的记者招待晚宴上，喜剧演员史蒂芬·科尔伯特（Stephen Colbert）“称赞”布什说：“这位先生最伟大之处在于他的坚定。你知道他坚持的立场。他星期一所相信的事情到星期三仍然坚持相信，无论星期二发生了什么事。”似乎你一旦做出改变，就会受到谴责；而如果不做任何改变，你也将受到谴责。这就是为什么在一致性和变通性之间保持适当的平衡是如此之难。

从我和我的一个博士生蕾切尔·威尔斯（Rachel Wells）合作进行的一项研究中可以看到，面对这种进退两难的情况，人们会有一种共同的，也许不一定是最理想的反应。我们对数百位即将毕业并开始寻找人生第一份正式工作的大学高年级学生进行跟踪调查。第一份工作是将对他们的后续经验和身份产生重大影响的选择。作为该研究项目的一部分，我们要求这些学生在从一开始寻找工作到最终被聘用的 6～9 个月的三种不同情况下，描述他们认为理想的工作所具有的特征。每次，我们让他们对一份工作的 13 个特征按重要性从高到低进行排序，这些特征包括“高收入”“有发展潜力”“工作稳定性”“具有发挥创造力的机会”“拥有自主决定权”等。虽然这个项目只是针对毕业生进行的研究，但实际上，所有人，无论处于事业的哪个阶段，都必须对这些因素进行衡量。一份工作是能实现自身价值更重要，还是能帮助你为家人提供更好的生活条件更重要？牺牲工作的稳定性以换取经济上的富有是否值得？这些问题的答案在很大程度上取决于我们自身的价值观；而我们的选择，反过来又对我们将成为怎样的人产生影响。

在找工作的最初阶段，学生们都倾向于一些价值比较高的特征，如“具有发挥创造力的机会”及“拥有自主决定权”。换句话说，他们倾向于那些与实现个人自我价值关联更大的、比较理想化的特征，而不仅仅是为了谋生。时间一个月接一个月地过去，毕业生们在招聘市场上投出简历、期待面试机会，试图确认哪些职位是对他们开放的。他们的选择面很窄，因而他们被迫需要对实际工作的正反两面进行对比，他们对工作特征的重要性排序开始发生变化。他们变得更重视实际的方面，比如“有发展潜力”。“为了获得更高的学历，我投入了大量时间和金钱。很明显，相比较之下，有些工作职位会让我得到更多。”其中一位毕业生说：“我不想我所投资的时间和金钱白白浪费了。”在他们决定要做哪份工作后的第三轮排序中，他们考虑的最重要的因素是收入。

当我们询问这些学生此前他们是如何对各种特征因素进行排序的时候，他们并没有意识到他们选择的优先顺序已经随着时间而发生了变化，而是错误地认为他们对工作的选择标准一直都是一致的。这不仅是因为他们已经忘记了自己一开始选择的优先顺序，同时也是因为他们对自己的过去重新进行了设想。“不是的，”其中一位刚被聘用的被调查者说，“我自始至终都在考虑工作的稳定性。我还在还学生贷款，因此选择工资更高的工作当然很重要。”

求职者们愿意调整他们优先考虑的因素，从而使自己可以根据实际相应地调整自己的期望值。为了解决最初优先考虑的因素和此后实际优先考虑的因素之间的冲突，他们编造出自己在事业方面的价值观——虽然是假的，却是一致的。那些越是模糊最初排序的人越容易对自己的工作感到满意。这种带有保护性的幻想使得人们无法意识到自己的矛盾性，从而可以按照他们调整后的优先顺序进行选择。

解决这种矛盾的另外一种方式——从长期来说也是更实用和更合适的方式——就是在更高的层次上争取一致性，比如追求真理和道德标准，或是忠于某些理想。如果我们的行为自相矛盾了，那么好吧，就让它们自相矛盾吧。如史蒂芬·科尔伯特所说，星期一说这样的话而到星期三却说那样的话并不矛盾，如果你在这中间的星期二学到了新的知识或者情况本身发生了变化，也在情理之中。事实上，对同一件事情的坚持可能正印证了爱默生所称的“愚蠢的一致性是人类狭隘思想里的一个妖怪”。思想的广泛性使得我们不仅可以调和自身的多样性，同时也可以向世界清晰地表达我们广义上的行为准则。为了能在坚持自我的同时保持一定的适应性，我们必须证明，我们做出改变是为了坚持自我，或是承认自身的一致性本身是具有变通性的，但这并不会减弱它的可信度。无法坚持自我，却依然认可自己，是很有挑战的。

你希望别人怎么看待你？

2008 年 7 月 28 日，我在黎明破晓之前醒来（准确地说是凌晨 4 点），拦了一辆车，然后前往曼哈顿第五大道上的一个苹果（Apple）专卖店。我加入拥挤的人群就是为了给我的丈夫买他向往已久的生日礼物：新款 iPhone 3G 手机。他已经好几天泡在专卖店里和网上以确定他到底想要什么，并让我记住产品型号，以免在他赶到之前已经排到我了。在我排队的几个小时里，我一遍遍地重复着：容量 8G、周末及夜间免费通话、黑色……即将轮到我时，丈夫到了。在柜台前，他让我大吃一惊："我改主意了，我想要白色的。"

"我记得你之前说过白色更易脏，而且黑色的更酷。"我说道。

丈夫回答："但是每个人都要黑色的。我可不想拿着一个所有人都拥有的东西。"他事先清楚地了解自己想要什么、为什么要。然而在最后时刻，他改变了自己的喜好，仅仅是因为他不想成为盲目的模仿者。

事实上，学界已经有很多针对不想成为"盲目的模仿者"的冲动进行的研究。我最喜欢的一项研究是由丹·艾瑞里（Dan Ariely）和乔纳森·拉维夫（Jonathan Levav）在一个小镇上的酒吧和饭馆进行的研究。对于客人达两人以上的桌位，他们安排一名服务员递给客人一份酒单，上面有当地一家酿酒商酿造的 4 种啤酒。每位客人都可以选择免费品尝其中一款 4 盎司[①] 的样品。对于酒吧中一半的桌位，这名服务员依次记下客人的选择，这也是酒吧点酒的常规做法；而对于另外一半的桌位，这名服务员则让客人各自在卡片上勾选，客人并没有与同桌的其他人进行沟通。调查发现，客人在通过卡片勾选点酒时，选择的酒的品种比较类似；而按常规方式点酒时，选择的啤酒种类的重复较少。换句话说，依次点酒时，客人的选择呈现多样化结果，四款啤酒基本都被选中了，没有一种酒是独占鳌头的。这似乎就是所谓的

① 1 盎司为 29.57 毫升。——编者注

为客户量身定制，不是吗？每个人都品尝到了他们自己点的啤酒，没有人是被迫品尝同一种酒的。

但事后当客人被要求对其所品尝的啤酒进行评价的时候，研究表明，无论人们所点的是哪种酒，那些依次点酒的客人对自己的选择普遍不太满意，事实上他们希望能重新选择，换个品种。而那些通过填卡选择的客人则对自己的选择比较满意，尽管他们选择的啤酒可能与同桌的其他客人是一样的。更能说明问题的是，在依次点酒的桌位上，只有一位客人对其选择表示满意——第一位点单的客人。

对于第一位点单的客人而言，唯一需要做的便是忠于自己的内心。而其后试图点同一款啤酒的客人则陷入了困境，他们可以简单地说："很好，这也是我想要的。"或是完全忽略自己选择同款啤酒的自我意识，但独立意识通常会使人们最终做出另外的选择。

这一研究表明，在形成及表达自身个性的这一过程中，我们需要确定他人眼中的自己与自己眼中的自己是一致的。人与人之间需要有共性，但我们不想成为"盲目的模仿者"。这种要求是如此强烈，以至于有时我们的言行违背了自己的真实意愿，而这只为给别人制造一种假象。与他人相处时，我们希望给别人带来欢乐但不哗众取宠，表现出智慧而非自命不凡，表现得随和而不是盲从。可能每个人都认为自己是集所有美德于一身的典范，但在复杂的社会生活中，我们该如何表现自己？

事实上，我们所做的任何一个选择，在他人眼里都不可避免地成为每个人个性的代表，只是其中有一些选择的代表性更强。相较音响的牌子，通过音响播放的音乐更能代表一个人的品位。选择所具有的功能性作用越弱，则越能表现个体的特性，这也是为何我们需要特别注意如音乐、时尚等并无实际用途的事物。无论是从一个流行音乐的博客上直接下载音乐列表，还是从一位了解流行音乐的朋友那儿直接获得音乐列表，抑或是直接复制一部电影或一本电子杂志的音乐，都是在向世界声明，我们没有个人主见。但倘若你使用的是你所崇拜的演员所使用的牙膏，则往往会更倾向于被归因于该款牙膏非凡的清洁牙垢的效果。

无论是有意识的还是无意识的，我们在生活中总是尽可能准确地展现自己的个性。我们选择的生活方式通常都直接表明了我们自身的价值观，或者至少是我们期待他人认为这些选择代表了我们的价值观。在救济中心或是捐衣活动中的志愿者会被认为是利他主义者；坚持跑完马拉松的人会被认为是自觉主动、有自我约束力的人；自己粉刷房间或是打造别具一格的家具的人，会被认为是心灵手巧的人。在日常生活中，当我们做出各种选择时，我们在意的不仅是哪些选择最符合自己的个性需求、我们需要什么，还有旁人是如何看待这些选择的。我们从生活中的小细节里寻找线索以判断旁人是如何看待这样或那样的事物，这要求我们对代表某个特殊选择的各种细节非常敏感。

斯坦福大学研究生乔纳·伯杰和奇普·希思（Chip Heath）开展了一项研究。研究人员逐个拜访了斯坦福大学的学生宿舍，呼吁学生为兰斯·阿姆斯特朗基金会的抗癌活动捐款，同时佩戴黄色腕带以表示他们对该活动的支持。一周以后，研究人员开展了第二轮的黄色腕带销售活动，这一次的研究对象是校园里有名的“极客”[①] 宿舍。又过了一周，研究人员开始调查还有多少人佩戴腕带。研究人员发现，在与

---

① “极客”源于英文“geek”，又译作“奇客”。在美国俚语中指智力超群、善于钻研，但不懂与人交往的学者或知识分子，含有贬义。——译者注

“极客”宿舍相邻并且共享同一个校园餐厅的学生们中，32% 的人自“极客”佩戴腕带之日起便摘掉了腕带，而对于那些宿舍离“极客”宿舍较远的学生，这一数字仅为 6%。突然间，佩戴腕带已经不再表示“我支持兰斯·阿姆斯特朗基金会的抗癌活动”，而变成“我反对社交活动，我正在学习克林贡[①]语，仅仅是为了娱乐”。尽管全世界所有兰斯·阿姆斯特朗基金会的支持者都佩戴腕带，并不含有任何“极客”的含义，但对于紧邻“极客”宿舍的学生们而言，佩戴腕带在一夜间已经多了一层含义。

仅仅因为表面的原因而改变言行举止，这似乎与追求真实、一致的自我有些矛盾，但事实上，我们经常为此改变自己的言行举止。要想在脱颖而出和被群体孤立二者之间寻找一个平衡点，我们首先需要明确自己的位置。可是一旦发现我们自以为所属的群体并不认可自己，我们又该怎么办？被他人认为自己“装腔作势”或是“患有妄想症”，不免令人感到痛苦。但更糟的结果是，如果他人的观点是正确的呢？一旦自我认知与他人对自己的认知产生冲突，由此引发的社会后果及自我怀疑，丝毫不亚于自我认知与行为产生冲突时，自己对自身个性认可的动摇程度。

正因如此，我们重视自我认知与他人感知的一致性，我们通过解读他人的言行举止来了解他人眼中的自己。尽管我们花费了大量时间和精力去了解张三、李四、王五是如何看待自己的，但实际结果是你将更深入地了解张三、李四、王五之间是如何看待对方的。这并不奇怪，因为比起告诉你他对你的看法，张三更乐意告诉你他对李四、王

① 克林贡（Klingon）一词源于电影《星际迷航》，是该电影系列中创造的外星种族，他们拥有自己的历史、语言和文字等。——译者注

五的看法。同样，当他人的肢体语言、面部表情是针对第三方，而非我们自己的时候，我们也更易解读这些信息。

我们善于了解人们对我们的总体看法。举例来说，在他人看来，我们是内向还是外向，是粗鲁还是善解人意。但我们有可能了解每个人对自己的看法吗？这就好比掷骰子。女人总是擅长判断一个男人是否对自己有意（反之却行不通），我们也可以判断他人是否认为自己所讲的笑话有趣。但除此之外，无数的研究都表明，自我认知与他人感知之间通常存在巨大的差异。如果我们最后才知晓他人对自己的看法，可能会追悔莫及。确立自己个性的最大挑战在于如何在无须做出迫不得已的选择的情况下，处理好自我认知与他人感知之间的差异。

若要了解个体融入世界的过程，我们不妨通过广泛传播的、全面的、精确的信息来了解他人眼中的自己。大约 20 年前，约 90% 的世界 500 强企业采用了名为“360 度反馈”（也称“多评估者反馈”）的员工绩效考核系统。这样命名是因为它通常包括 4～8 名人员的匿名评估，包括直接上级、下属、同事、客户等。这一系统可用来评估人们的各种技能，包括领导力、冲突解决能力、个人性格等。它还包括个人的自我评估，从而评估员工的自我认知是否与他人感知相契合。这一系统被企业用于决定员工的奖金发放、职位升迁，但对于每个社会的个体而言，它能帮助我们更好地了解他人眼中的自己。

鉴于“360 度反馈”在全球企业界的影响力，2000 年，我牵头设计并实施了哥伦比亚商学院的一个新的工商管理硕士项目，所有新生都将收到从以前的同事或客户到现在的同班同学对他所做的“360 度反馈”评估。每年的调查结果都很相似，逾 90% 的学生都发现他们的自我认知与他人感知之间存在巨大的差异，这完全出乎他们的意料。

那些自认为颇受欢迎、表现不俗的团队成员发现，在他人眼里，他们或是表现平庸，或是难以共事。那些自认为颇具领导力的人发现，虽然别人认为他们很聪明，但少有人认为他们具备管理才能。那些易于爆发激情的人（他们认为自己的激情爆发是合理的）却发现他们在别人眼里情绪波动太大、不稳定，因此他们颇为苦恼。同时，人们也惊奇地发现，别人眼中的自己的优缺点也大不相同。换句话说，尽管一些人可能被纳入"难以共事人群"的范畴，但对于这个"难"的程度，每个人的意见又不尽相同。

为什么会有如此大的差异呢？我告诉那些烦恼不已的学生，虽然他们自己非常清楚自己言行举止的动机，并因此认为自己的行为是合理的，但眼见为实，人们往往只根据自己的亲眼所见做出判断。就好比你在桌上敲打一首人人皆知的歌曲的旋律，让另外一个人猜出歌曲名称。我们心里清楚自己敲打的是《生日快乐歌》的旋律，但对其他人而言，他所听到的只是"哆—哆—哆—哆—哆—哆"，似乎是《星条旗永不落》的前奏。他人并不是在真空环境下解读你的信息，他们自己的经验已经形成了一副有色眼镜，更甚者，他们会通过已有的条条框框，根据表象判断你的为人。

"360度反馈"评估的研究结果表明，不能因为周围人对自己的评价差异太大而忽略它。我们每个人每天的言行都受制于他人的解读、理解，甚至是误解。除非完全放弃人类社会，返回原始森林，否则我们必须尽可能地使自我认知与周围朋友、同事，以及我们每天需要接触的成百上千的陌生人对自己的感知达成一致。

他人的意见可以作为现实的参考。正如此前提到的，我们倾向于表现"乌比冈湖效应"。即使没有"360度反馈"，人类的自我意识仍然可以使自己获得这些信息。我们需要密切关注他人对自己行为的反馈，如果有必要，可以直接与这些人沟通，阐述我们如此行事的原因。(获取各类反馈是“360 度反馈”系统具有强大威力的主要原因。) 一旦知晓他人是如何看待自己的，我们可立即做出相应的调整。

在得知别人眼中的自己与自我认知有所出入时，我们可以通过改变自己的言行，成为我们想要成为的人。当经理发现自己在同事眼里是一个自大、不善解人意的人时，他可以通过积极地改变自己的行为来消除人们对他的这种印象，例如不再随意打断别人在会上的发言，即使他认为，为了提高效率而打断他人发言是必要的。或者，他可以仍然保留这一习惯，但同时要向同事解释清楚这么做的原因。我们无法彻底消除他人感知与自我认知之间的差异，但至少我们可以通过自身的努力减少这种差异。

但我们必须小心谨慎，不能故意影响他人，从而使其对我们产生比实际情况更完美的印象。丹尼尔·埃姆斯和同事开展的一项研究发现，在工作场所，那些越是努力彰显自己、试图提高自己地位及声望的人，通常被认为是“害群之马”，并且实际的最终表现都较差。如果你看过美国电视剧《办公室》(*The Office*)，那么你的脑海里就会浮现出安迪·伯纳德（Andy Bernard）这一可怜人物的典型言行。安迪试图通过“神经语言学”，并时不时地强调他是美国康奈尔大学的毕业生而影响他人对自己的看法。从长远来看，一个人必将因不懈地追求自我认知和他人感知的一致性而受益。

倘若你自认为是“奥斯卡·王尔德第二”，而朋友却认为你个性沉闷呆板；或是你自认为甜美大方，而朋友却认为你心胸狭隘，这些难免会令人心生不快。但实际上如果周围的人对你都是正面、积极的印象，也未必是一件好事。研究表明，人们喜欢与他人感知与自我认知一致的人交往，即使是在缺点方面的认知保持一致。自认为个性讨嫌的人将故意对那些认为其个性随和的外人表现得更加孤僻执拗，以期消除他人的错觉。众多研究甚至发现，对于已婚夫妇而言，一旦一方在另一方眼中过于完美，夫妻间更容易产生距离。

每个人都希望受到他人的赞赏和钦佩，但同时也希望能完全展现自己的优缺点。然而希望他人感知与自我认知一致的愿望远比被当作偶像的愿望来得强烈。一旦我们了解了他人如何看待自己，我们便迫不及待地想要重新认识自己。

选择是生命的动态体现

要发现真实的自我并做出相应的选择，面临的挑战可想而知。可能有人会说，我们实际上是在个性与选择的反馈回路中寻找一种动态平衡：如果我是这样的人，我会做出那样的选择；如果我做出那样的选择，那么我必须成为这样的人。理想状态下，随着年龄的增长，我们为保证自我认知、他人感知及选择方式的一致性所做的调整将越来越少。实际上，我无法确认选择的“责任”是否已经消失，这又回到了尼古拉斯·罗斯的观点。事实上，我们可能仍旧面临极大的压力。挖掘真实的自我可能需要我们与世隔绝、专注于自己的内心，而这对我们当中的大多数人而言都是不现实的。现今有多少人愿意回到深山老林，独居于小木屋之中来实践爱默生倡导的原则？尽管如此，我们依然追求理想中宛如完美雕塑的自己——我们自己雕刻的杰作完整、一致。但是否有其他有效的方式可以帮助我们了解选择是如何影响人的个性的形成的?

一如本章开头提到的，美国人的社交圈子在过去的几年里由于选择的增加而不断变化。我们可以预见，随着选择的进一步增加，人们的社交圈子还将继续发生变化。但这并不意味着我们将变成没有社区感的生物。我们在平衡个性与选择这个问题上面临挑战，就是因为选择不是简单的个人行为，而是一种社会行为，是在社会各种力量间寻求平衡。也正因为如此，选择要求我们更深层地，既从自我认知的角度，又从他人感知的角度思考我们是谁。

如果暂且不考虑那个完美的自我，我们就会发现，个性的形成是一个动态的过程，而非一个静止的目标。在选择中不断地雕琢自我，方可逐渐形成每个人的个性。每个人都是雕塑家，我们是在选择的过程中而非结果中不断发现自我的。一旦我们的观念改变了，一旦我们认为接受选择是一个动态的过程，那么选择就不再被认为是一股具有破坏性的力量，而是不断解放自我的创新过程。一旦认识到这一点，我们的责任便是做出有意义的选择，即在当前的社会背景下能够满足我们需要的选择。人与人之间的选择相互交织，他人是因为我们先前的、当下的选择而对我们有所认知，绝不是因为那个存在于个人内心深处的“完美的”自己。作家弗兰纳里·奥康纳（Flannery O’Connor）曾说：“写作是为了挖掘自己的所知。”或许我们可以把它改为：“选择是为了发现真实的自我。”

第 4 章

选择中的理智与情感

你的选择是最优吗？

恭喜你！

今天属于你。

你将前往美好的地方！

你将踏上远行的征程！

你拥有智慧。

你可以迈出自己的步伐。

你可以掌舵自己的人生，朝着梦想奋进。

你已独立，了解自己所想。

决定前行方向的那个人就是你自己。

设立远大的目标。追寻自己的梦想。踏上征程！这是我们在孩童时期便接受的教育，而随着年龄的增长，这一点变得越发重要。当我们才 4 岁的时候，父母便为我们朗读苏斯博士（Dr. Seuss）的《噢，你将去的地方！》（*Oh, the Places You'll Go*!），不仅仅是出于娱乐，更饱含对你的鼓励。当你高中或大学毕业时，朋友将这本书作为礼物送给你，是一种激励、一种挑战、一种使命。选择不仅是关于可能性的选择，也是关于责任的选择。一旦“决定前行方向的那个人就是你自己”，你最好仔细研究一下地图，了解前行的正确道路。

但起航之后，你很快就会发现这幅地图并不完整，也不准确。是谁绘制了这幅地图？它并没有给你一个清晰的框架，告诉你做出选择后，你将会被带到何处，有时甚至会使你深陷困境。所以，你只能不断地进行修改、更正，填补地图上的空白处。很明显，你的旅途并不轻松。你选择了一份自认为能够给你带来事业成功、薪酬丰厚的职业，但你已经厌烦了。于是你决定离开这个城市，住进一所大房子，还附带美丽的花园，邻居也很安静。这应该就是你所期待的休闲生活，但交通问题却让你头疼不已。并不是所有事情都如此糟糕。可能你以前一直认为婚姻关系难以维系，尽管你与爱人相识仅一个月便闪电结婚，但你们的婚姻生活却非常完美！

你会发现，选择的期待值与实际结果总会存在误差。为什么？有什么办法可以使实际结果更符合我们的期待值？如果想让生活更加美好，我们就必须了解为什么我们会做出错误的决定，为什么本该是美好的选择，而实际结果却让我们失望不已？在本章中，我们将就这些问题进行探讨。

棉花糖的故事

一个小男孩正安静地按照大人的吩咐排队等候。队伍前面的孩子依次被一个表情严肃但面容和蔼、穿着白色大褂的男子带入一个房间。这种感觉就像去医院看病。尽管小男孩的父母已经向他保证不会有扎针或其他任何令他痛苦的事情发生，但小男孩还是有些紧张。终于轮到他了。小男孩被带入一个秘密的房间，桌上的托盘里堆满了各种美味的零食——椒盐脆饼棒、奥利奥曲奇饼干、棉花糖。白衣男子要求小男孩挑选一种他最喜欢的零食，小男孩选择了棉花糖。

“很好！”白衣男子说道，“现在我必须去另外一个房间办一件很重要的事情。”他交给小男孩一个小铃铛。“我们可以这样，”白衣男子继续说道，“你可以现在就吃一块棉花糖。但如果你能等我回来，就可以吃两块。在我离开期间，你一摇这个铃铛，我就会马上回来，但那样的话，你就只能吃一块棉花糖了。你同意吗？”

小男孩想了想，点点头，坐下了。白衣男子从托盘中拿出一块棉花糖，放在小男孩面前，而后关上门离开了。小男孩真的很喜欢吃棉花糖，如果有两块棉花糖那就太棒了。他决心等待，一如此前排队一样，耐心等待着。小男孩坐在椅子上，晃晃腿，四处看看，不时地换换坐姿。时间一分一秒地过去，白衣男子似乎离开几百年了。他说过多长时间会回来吗？可能他已经忘了，不会再回来了。

面前的棉花糖越来越诱人，似乎比最开始看到的时候更白、更柔软。小男孩趴在桌子上，两眼瞪着面前的极品美味。他的肚子开始咕咕叫了，是否该摇动小铃铛了？如果棉花糖超级美味，吃一块也就足够了，也不一定非要吃两块，不是吗？但如果真的超级美味，是不是就会后悔没有坚持多等一会儿？小男孩犹豫不决，直至他再也无法抗拒面前那美味的棉花糖。白衣男子怎么可以把他一个人丢在房间里那么久？这不公平，又不是他的错，他的表现已经很好了，理应得到棉花糖。小男孩累了，几乎要哭了，他用力摇响了铃铛。

“棉花糖研究”是 20 世纪 60 年代末著名心理学家沃尔特·米歇尔（Walter Mischel）开展的一个研究项目，因其对人类抵制或屈服于诱惑的深入探索而广为人知。4 岁的孩子为抵制诱惑所做的各种努力并没有持续多长时间，平均坚持 3 分钟就放弃了。但就是在这 3 分钟里，

孩子们经历了巨大的思想斗争：是即刻获得自己想要的，还是为了更好的结果而坚持下去？孩子们的这种思想斗争在成年人看来只是有趣的经历，但我们都了解，一旦屈服，每个人都会因为未能坚持而感觉沮丧。

无论是抵制额外的棉花糖诱惑，还是克制自己不沉溺于新型科技产品，时间越长，你脑海中两股力量的斗争也将越发激烈。一如奥斯卡·王尔德所说，屈服于诱惑经常是使自己解脱的最快方法，虽然你可能很快就会后悔自己的选择。当行为由于诱惑而违背实际所想时，我们的内心将经历怎样的斗争？明明知道这个选择的结果更好，为什么我们又会屈服于另一个选择？有时你会感觉自己是在用两个头脑进行思考。事实上，人类确实拥有两个相互联系却又相互独立的信息处理系统，它们相互协助，帮我们做出最终的判断。

我们称第一个系统为自动系统，它能下意识地、轻松迅速地运行。这一系统分析感官信息，使人类迅速地产生相应的感知，并采取行动。可能你还没有厘清头绪，便已经采取了行动；也可能你在行动之后数秒方才反应过来。这就是那个促使你立即“吃掉棉花糖”的系统，因为这一系统知道当前的一切。详细斟酌后的选择也可能是基于自动系统的结果做出的——可能是一种你无法解释的、强烈的直觉或诱惑。

相反，反应系统不以原始感官的直觉，而是以逻辑和理性分析为基础来运行的。反应系统不局限于直接经验，从而使我们得以分析抽象的想法、思考未来，以便做出最好的选择。当我们使用这一系统时，我们清楚地了解自己为何会做出这样的选择。我们明白“因为 Y，所以 X 是正确的”或是“为了实现步骤三，就必须先完成步骤一和步骤二”。反射处理过程使我们有能力处理复杂的选择，但相较自动系统，这一过程进展较慢，也更耗费精力。它需要激情以及坚持不懈的努力。

如果这两个系统最终得出的答案是一致的，那么就不会产生任何冲突。举例来说，面对一头冲过来的犀牛，自动系统和反应系统的答案只有一个：赶紧逃！但两个系统的答案经常是不一致的。在这种情况下，二者之中必有一个是占上风的。如果时间紧迫，我们很可能就采用了自动系统给出的答案；如果时间充裕，我们则更倾向于采用反应系统的答案。当面临诱惑时，我们可能非常清楚，我们使用自动系统的欲望更强烈，而采用反应系统将得到更好的结果，但我们了解这一过程并不意味着我们会因此做出正确的选择。

在米歇尔的实验中，孩子们就经历了这两个系统的斗争。他们中的大多数人仅仅在几分钟之后就拉响了铃铛，铃声标志着自动系统战胜了反应系统。由于孩子的反应系统并未发育完全，因此实验结果也在意料之内。但即使是已经拥有复杂的反射能力的成年人，在生活中很多时候也无法抵制各种“棉花糖”的诱惑。研究数据表明，在恋人关系中，不忠情况存在的比例为 30%～40%；而在婚姻关系中，这一比例达到了 40%～60%。另一项调查显示，52% 的大学生表明自己需要帮助以克服拖延；超过 30% 的工薪阶层并没有存款养老。即使知道自己应当怎么做，以及希望实现的长期目标是什么，人们通常还是会为自动系统提供的各种选择而感到茫然。有时自动系统的反应是如此强烈，你甚至感觉自己似乎被一股外界力量所控制：我已经不是我自己了；我也不知道自己为何会这样；肯定是被魔鬼附身了，所以我才会这么做。若有人表示你所做的决定非常糟糕，你就会试图声明那是无奈之选：亲爱的，你要相信我，我别无选择，我只能这么做。

当然，即使这些借口真的有效，也仅此而已。事实上，人们也在不断地努力，寻找抵制诱惑的各种方法，而这种抵制诱惑的能力也许能帮助人们走向成功。在米歇尔的实验中，有 30% 的孩子坚持了 15 分钟。15 分钟后，白衣男子回来了，并奖励给孩子们两份所选择的食物。此后，米歇尔及研究人员对当年参加这项实验、现已进入青春期的孩子进行了追踪研究，发现当年成功实现自我控制的孩子的人际关系更好、处理问题的能力更强、存在更少的行为问题。而这些孩子的学术水平测验考试[①]成绩比那些未能成功实现自我控制的孩子的成绩平均高出 200 分。成年后，前者的表现依然优于后者：前者吸烟较少，不易沉溺于毒品，享有更高的社会经济地位，接受了更多的学校教育。换句话说，前者更聪明、更健康、更富有。尽管这些不能完全归功于自我控制，但鉴于二者的相互关联，我们也不能低估自我控制对个人成长的影响。

另外，若一个人总是因为期待未来更好的成果而忽略当前的既得利益，也不免令人痛惜。适当的随性、放纵和莽撞也不是完全没有道理的。若一个人一生总是小心谨慎，避免因为做出任何错误的决定而后悔，他的一生都将是过于严肃且无趣的。每个人都想存钱，但并不想成为艾柏纳泽·斯克鲁奇[②]；每个人都想努力工作，但并不想成为“工作狂”；每个人都想拥有健康，但并不想使健身房成为自己的第二个家。但如何找寻平衡是最大的挑战，尤其是当我们“目前”的欲望和关注重点通常都与“以后”的欲望和重点有着极大的区别时。要

---

① 学术水平测验考试（Scholastic Assessment Test，简称 SAT），是美国高中生进入大学的标准入学考试。——译者注

② 艾柏纳泽·斯克鲁奇（Ebenezer Scrooge）是狄更斯的作品《圣诞颂歌》中的主角，一个性情刻薄、冷酷的“守财奴”。——译者注

想了解自己是如何平衡当前与以后考虑的重点的，你可以试试下面的测验。

> 假设有人给你提供了两个选择：从今天起一个月后给你 100 美元，或者从今天起两个月后给你 120 美元。你的答案是什么？
>
> 还是同样一个人，这次提出：今天给你 100 美元，或者从今天算起一个月后给你 120 美元。这一次，你又会做何选择？

研究发现，在第一种情况下，大多数人为了多拿些钱愿意多等一个月。但在第二种情况下，大多数人宁愿立即拿到这 100 美元，也不愿意为 20 美元再等上一个月。理论上，上述两种情况的实质是相同的——都需多等一个月才能多拿 20 美元——但实际上，在一旦能立即拿到钱的情况下，人体的自动系统就开始运作了。在第一种情况下，多等一个月可以多拿些钱，人们考虑过后认为这样做是合理的。但在第二种情况下，你脑海里马上就会想到如果能立即拥有这 100 美元，你要怎样利用或花费这 100 美元？这不是很好吗？不比你等上一个月多拿 20 美元更令你开心吗？这就是自动系统发挥作用了。

如果你选择这极其难得的 100 美元是为了满足一个特别强烈的愿望，那么你也只是损失 20 美元。但如果 100 美元的机会是经常性的，在人生漫长的道路上，损失不断累积，若干年后，你将会因为扔掉太多钱而后悔不已呢？屈服于自动系统会变成人的一种惰性。每次你都对自己说，“就这一次”，但这个承诺基本不起作用。大多数人都不想这样生活，既然如此，我们又能做些什么呢？

我们可以从棉花糖实验中那些仅 4 岁的孩子却能抵制诱惑直到实验人员回来这一故事中得到一些启示。这些孩子拥有惊人的自制力是因为他们采用了各种方法与人的自动系统做斗争。有些孩子用手挡住脸，这样他们就看不见托盘里诱人的零食了；有些孩子幻想他们正在玩玩具，以转移自己的注意力；还有些孩子成功地使自己相信面前的棉花糖是云彩，而不是入口即化的美味糖果。这样，这些孩子就从生理上或精神上“隐藏”了诱人的零食，也因此成功地将诱惑踢出脑海，因为人不会受到根本不存在的事物的诱惑！

我们从米歇尔随后开展的研究中发现，有意转移注意力也是一个积极有效的方法。在另一个版本的棉花糖实验中，米歇尔或是给孩子们玩具，让他们在等待过程中想象一些有趣的游戏；或是直接用不透明的盖子将零食盖上。在这一实验中，孩子们的平均等待时间延长了 60%，并且大多数孩子都能抵挡住诱惑。适当地应用一些技巧，我们也可以忽略那些诱惑。不在放有电视机的房间工作，即使电视已经关掉了；把饼干藏在橱柜里，而不是放在桌子上。这些是人们实施自我控制时的常识，但是我们并不经常采取这些小措施来增强自我控制能力。

在消除诱惑的同时，我们也必须积极地思考如何实施自我控制，以及在何种情况下必须进行自我控制。设定好目标，然后看看为了实现这一目标，哪些诱惑是必须抵制的，而在哪些方面是可以适当放松要求的？如果每件事情都被视为障碍物，你就会发现日子异常难熬，所以成功的第一步是确定你的战斗对象。这就好比一名运动员，自我挑战的前提是不能对身心造成伤害，这会使他根本无法参加比赛。但我们最终的目标是要通过使自动系统与反应系统结果相一致，从而让自我控制不再成为一种痛苦的挣扎。我们无法察觉自动系统的作用，但我们可以将自动系统视为干涉我们行动的一股外界力量。尝试教导自己避开诱惑，直到这种躲避行为变成一种习惯性、自发性的行为，而非总是试图以各种小把戏来转移自己的注意力。

选项的描述会影响选择结果

宁可穿得过于正式，也不要过于随便；在砍价或谈判的过程中，说出的要求应高于你的预期值；不要在晚上吃零食；不要不懂装懂；学会全面地看待事物；住房成本不要超过收入的 35%；还有，千万不要在醉酒的时候打电话给你的前男（女）友或是前夫（妻）。

上述经验法则对于人们面临的共性问题相当实用，它为人们提供了直接解决方案，使人们不必再浪费时间和精力去做一些不必要的选择或是处理本可避免的后果。虽然不是十分简单明了，但这些经验法则是可靠的，可以使人们更容易理解这个复杂且充满不确定因素的世界。我们疲于与各种诱惑做斗争，并且不堪选择的重负，因而求助于经验法则（正式名称为“启发法”，后文用此正式名称）也未尝不是一种解决办法。

事实上，尽管我们每天都会做出很多选择，但我们的选择能力却并未因为重复性的选择行为而有所提高。尽管拥有丰富的经验和知识，我们却常对自己所做的选择感到失望。启发法似乎为我们提供了将选择的风险最低化、满意度最大化的方式。但不幸的是，我们并不擅长分辨启发法何时对我们有帮助，而何时是一种误导。因此，尽管我们很用心，也很努力，却依然无法选择最优的行动方案。

启发法并不总是有意识的行为，有时也是人们下意识地、凭直觉草率地采取的行动。有时我们并未意识到自己正在采用启发法，即使意识到了，也可能仍坚信它是正确的，尽管实际上它已经错了。启发法的过失被称为“决策偏见”，自从心理学家丹尼尔·卡尼曼（Daniel Kahneman）和阿莫斯·特韦尔斯基（Amos Tversky）在他们的诺贝尔获奖作品中第一次提及“决策偏见”这一概念以来，决策偏见已发展为人们独立研究的一个领域。接下来，我们将仔细分析最常用的四种启发法是如何发挥作用，又是如何成为偏见的，从而明确为了做出更好的选择，我们需要进一步采取的措施。

一

我们大脑记忆库里的信息影响着我们所关注事物的类别及其重要性——这又被称为“可利用性法则”[①]——并反过来影响我们的个人喜好。假设你决定像圣诞老人一样，为一位你并不是特别熟悉的同事准备一份圣诞礼物。你决定送一条领带给他，但又不确定他喜欢什么颜色。于是，你试图回忆印象中他最常戴的领带的颜色。这看上去似乎是一个完美、合理的方法，但你脑海中浮现的最“可利用”的颜色可能并不是你同事最经常戴的领带的颜色。

相较于直接朴实的事实和干巴巴的数据，人们通常对于那些能够刺激其感官或激发其情感的事物印象更为深刻。这也就意味着你有可

① 可利用性法则（Availability heuristic），一般又称为可获得性启发式、可得性法则、易得性法则。——译者注

能高估了同事佩戴红色领带的次数，而低估了他佩戴灰色领带的次数，因为红色更醒目。同样，你可能忽略了相当一部分网民对于一家新餐厅积极热情的评价，仅仅因为你的一位朋友告诉你她刚刚在那里吃过世界上最难吃的一顿晚餐。尽管网上大多数人的意见与你朋友的意见不同，但你每次经过那家餐厅时，脑海里浮现的都是那位朋友的亲身经历以及她描述那次经历时生动的表情。

我们的决定也会因选择结果的生动性、有形性而受到影响。你是否注意到相对于现金消费，自己在刷卡消费时会更大手大脚？研究表明，在用信用卡而非现金付款时，人们更乐意消费。还有一些研究表明，刷卡消费的金额是现金消费金额的两倍。一旦把钱从钱包里取出来交给收银员，人们就会立即意识到钱在减少。但当收银员刷完卡再将卡还给我们时，我们会觉得好像这些商品是免费的。

甚至选项的前后顺序也会影响其可利用性。对于一组选项，人们更容易记住第一个及最后一个，即人们可能首先受到选项的排列位置而非选项的优点的影响。这也是为什么陈列在商店首尾两个货架上的商品比在中间货架上的商品更受欢迎。同理，这也是为什么面试官在不知不觉之中会对第一位及最后一位面试者的印象最为深刻。

二

每年，我都会跟工商管理硕士（MBA）学生讲述传奇人物罗伯特·戈伊苏埃塔（Roberto Goizueta）的故事，他是可口可乐公司 20 世纪 80 年代的首席执行官。上任伊始，在一次与公司高级副总裁开会时，戈伊苏埃塔发现公司高层正在为拥有 45% 的市场占有率而庆祝！

管理层似乎很满意他们目前的成绩，并设定了发展目标——在未来几年内使股价提升5%～10%。戈伊苏埃塔认为他们过于保守，于是决定挑战他们对于增长的概念。他问道："每个成年人平均每天要喝多少饮料？"接着他又问道："目前世界人口是多少？"最后，他提出了最重要的一个问题："我们占有整个饮料市场的份额是多少，而不仅仅是软饮料市场？"对于最后一个问题，答案是可怜的2%。

在重新构建主要问题的框架之后，戈伊苏埃塔鼓励同事们拓宽视野、创新思维。此前管理层对于市场的观点过于狭隘，并且满足于公司目前在这一狭义市场所占的市场份额，而戈伊苏埃塔进一步说明了可口可乐公司目前的市场地位并不像他们想象得那样稳健，但所幸公司还有上升空间，可以扩大市场占有率。这次会议转变了公司的战略，之后公司取得的成绩令人惊叹。1981年，可口可乐公司的市值为43亿美元；而到1997年戈伊苏埃塔去世时，公司的市值已经超过1 520亿美元！

不同的信息框架构建方式对于人们看待事物的角度及选择将产生大不相同的效果。无论是收到新信息或是重新审视旧信息，我们都会受到信息展示角度的影响。构建信息框架是一种有效的信息处理手段，但有时也会对人们做出决策产生消极影响。例如，如果信息框架偏重于强调选择方案所带来的损失而非利益，那么人们就可能会被误导。研究发现，损失对于人们的影响远远超过利益带来的影响。对于我们认为至关重要的那些事情，我们会尽可能采取各种措施避免造成损失，却不采取措施尽可能获得最大利益，因为我们害怕承担风险，担心获利不成反而会造成损失。这看上去似乎很自然，却也说明我们极其容易受到信息展示角度的影响。

对于这一结论，看看阿莫斯·特韦尔斯基及其同事开展的一项研究便可知晓。研究人员用数据向病人、医学院学生，以及医院的医生说明外科手术及放射治疗对于癌症治疗的有效性。所有参与人员被分成两组，并被要求在听完介绍后选择他们所倾向的治疗方法。对于第一组人员，研究人员介绍说，通过外科手术治疗的癌症病患中，90% 的病人手术成功了，其中 34% 的患者的寿命至少延长了 5 年；而对于采用放射治疗的患者，这一数据分别为 100% 和 22%。对于第二组人员，研究人员给出的信息是一样的，只是用死亡率而非存活率进行说明：外科手术治疗的癌症病患，10% 的人手术失败了，其中 66% 的手术成功者其寿命最多延长 5 年；对于采用放射治疗的患者，这一数据分别为 0% 和 78%。

虽然研究人员给两组人员的信息完全相同，但因为角度不同，结果也大不相同。通过存活率角度介绍说明的一组，25% 的人倾向于选择放射治疗；而通过死亡率角度介绍的一组，42% 的人倾向于选择放射治疗。一旦过于强调外科手术的死亡率，即使采用放射治疗后寿命延长时间缩短，人们依然倾向于选择放射治疗。同样，尽管医生拥有丰富的经验，并接受了专业培训，他们也受到了影响，无法根据这些数据做出应有的专业判断。

三

云端上的长颈鹿、夜晚星空上的天蝎座、印有圣母马利亚图案的烤奶酪三明治——你会发现生活中的模式无处不在。人们的思维总是习惯性地寻找一种定式，同时倾向于建立不同信息之间的关联，而这对于人们做出决定有着重要的影响。针对关联性的判断能力对于一个人的逻辑能力来说至关重要，一旦人们开始寻找实际上并不存在的定式或者与其已认知的定式有出入时，人们便会做出极其糟糕的选择。

以过去75年来加速世界经济危机爆发的房地产泡沫事件为例。从传统意义上讲，美国中产阶级拥有一座属于自己的房子是一种安全的投资，虽然不会暴富，但从长远来看，也不至于贬值。第二次世界大战后到1997年，受通货膨胀的影响，美国楼市均价约为110 000美元。但此后，也就是1997—2006年，出现了一种新模式，房价翻了一番，约为200 000美元。房价急剧的连续性上升使人们相信它仍有上升空间。罗伯特·席勒（Robert Schiller）和卡尔·凯斯（Karl Case）经研究发现，2005年旧金山的购房者们期望房价在未来10年内将以每年14%的增长率上涨。而有些人则更为乐观，认为每年的增长率将达到50%。在这种预期下，许多人都认为尽管购房贷款条件并不优惠，但仍然值得冒险买房。

事实上，当时的经济环境已经暗含房价大跌的因素，当然并不是狂热的购房者看到的那些因素。真正的情况是繁荣过后的萧条，或者称为“泡沫”，也就是当一种正常的热情演变为盲目的狂热，导致价格远远超出物品的实际价值时，一旦被人为抬高的房价显示其真正的价值，人们便会纷纷紧急抛售，此时泡沫破裂。在人类的经济发展史上，泡沫事件成风：17世纪荷兰的“郁金香热潮”导致一株郁金香的价格超过国民平均年收入；美国20世纪20年代股票投机最终导致大萧条；而此轮房地产泡沫爆发10年前，互联网泡沫也使得整个国家陷入经济萧条时期。只见树木不见森林——或者说看不见房子周围一个个隐形的泡沫——人们并没有关注事物发展的可持续性。基于这种短视，或者说是“误视”所做出的选择通常会带来极大危害。

四

一旦启发法没有产生预期的结果，你可能认为人们最终会发现某些既往经验是错误的。即使没有发现这些错误，我们仍然可以看见预期结果与实际产出之间的差异，不是吗？不一定！事实上，我们常用自身的偏见支持这些错误观点。如果我们倾向于某一选择——可能是因为它与我们记忆中的信息更相符，也可能是因为它所造成的损失最小，还有可能是因为它与某种前景光明的模式很相似——我们就会倾向于搜集那些证实自己的选择是合理化的信息。一方面，如果我们可以用数据及一系列的理由来证明我们的选择是正确的，这是明智之举；但从另一方面来讲，一旦我们不小心，我们的分析就很有可能是带有偏见的，因此最终无法避免错误，这就是人们常说的“证实性偏见”。

以面试为例。几乎所有的公司在面试时都设置了一个环节“谈谈你自己”，甚至很多公司的面试仅通过这一环节来进行招聘。但事实证明，传统的面试方式在预测员工的事业发展方面是最无效的。这是因为，面试官通常在与应聘人员接触的前几分钟里就已经对其产生了第一印象，例如，对于与其性格相似或兴趣相同的人，在人际关系上就会更为主动积极。而在此后的面试时间里，仅仅是在寻找证据，通过已带有个人观点的问题进一步确认自己的想法。如：“你前一份工作前景非常好，你选择离职，应该很有事业心吧？”而不是“你并没有全身心投入前一份工作，不是吗？”这就意味着面试官在进行面试时，很有可能忽略了一些能够证明该应聘人员并不是最佳人选的重要信息。更系统的面试方式，例如获得应聘者的一份作品或者以假设性的问题了解对方如何应对困难，这对于评估应聘人员的事业发展能力极为有效，其有效性几乎是传统面试方式的三倍。

我们不仅在试图证明自己观点的正确性，同时也在排除“不利”信息方面动作迅速。《专家的政治判断》(*Expert Political Judgment*)一书的作者、心理学家菲利普·泰特洛克（Philip Tetlock）开展的一项开创性研究表明，即使是专家也存在这种倾向。20世纪八九十年代，泰特洛克询问过上百位政治权威——政治学家、政府顾问、权威人士及其他政策学者——从理论范畴预测某个特定事件的发展态势，如美苏关系是会保持不变还是有所缓和，抑或是恶化。泰特洛克及其同事意识到，事实证明，尽管专家代表一种职业和专业，但多数专家的预测甚至比他们随意进行的预测误差都要大。而那些越是对其预测结果信心满满的人，预测的偏差反而越大。

这些专家，当暂且不考虑他们的世界观和钟爱的理论时，也更乐意接受那些证实其观点正确的信息。例如，克里姆林宫的一则档案曾显示，20世纪20年代，斯大林曾差点儿因党内矛盾而下台，有人对此资料做了一些分析，但那些信奉苏联是“邪恶帝国”的人试图寻找各个疑点，质疑这些分析的可靠性。而那些观点多元化的专家则接受这些信息。一直以来，那些所谓的专家都可以利用各种手段将黑说成白，他们坚持己见，而不是根据事实改变自己的观点。

而在生活中，我们也在做着同样的事情，欢迎那些支持我们观点的信息。毕竟，证实而非质疑自己观点的合理性，只考虑“利”而置“弊”于脑后让人感觉更舒服。但如果我们想充分利用选择从而使生活更美好，我们就必须学会让自己的生活“不舒服”——挑战自己的观点。但问题是，即使我们乐意这么做，我们又该如何避免偏见的误导呢？

直觉选择，决断 2 秒间

卡尔·莱特曼（Cal Lightman）知道这个女孩很害怕，他确信那个政客有所隐瞒，那个打电话的男人由于内疚而对妻子承认他欺骗了她。无须与其交谈，仅凭几分钟甚至几秒钟的观察，莱特曼就能对一个完全陌生的人做出评价。而且在大多数情况下，他的评价都是正确的。在福克斯电视网的电视剧《别对我说谎》（*Lie to Me*）中，蒂姆·罗斯（Tim Roth）扮演的莱特曼是一位自信、粗暴，甚至有点儿疯狂的博士。他集众多电视英雄般的心理学家的才能于一身，可以通过人们的肢体语言和微表情侦破案件，拯救人们的生命。

人们可能认为只有在电视剧中才会出现这样的天才，但是现实生活中确实有这样的人。这一角色是以保罗·埃克曼（Paul Ekman）教授为原型改编的。埃克曼教授是一位“人类测谎专家”，其测谎准确率高达 95%。人们对他的天分感到非常吃惊，因为有些谎言是很难被识破的。我们大都根据直觉判断别人是否在说谎。除非有事实依据，否则我们也只能通过说话者的语气、肢体语言、面部表情等信号来判断此人是否在说谎。大部分情况下，这些信号都过于微妙，最终我们还是会根据直觉进行判断。问题是，假如我们通过社交活动来锻炼评价他人可信度的能力，那么如果未收到判断正确与否的反馈，我们就不能确定自己是容易轻信别人，还是抱有过多的猜疑。也就是说，我们不能通过练习来提高自己的能力。虽然许多人都认为自己善于识别谎言，但是他们的准确率并不高。一般来说，即便是警察、律师、法官、精神病医生或与常人相比接触严重谎言更多的人，他们的准确率也并不比常人高。那么，令埃克曼与众不同的原因是什么呢？

埃克曼教授的秘诀在于他经过了数十年的练习和反馈分析。他致力于研究各种表情，而且他不只是研究人类的表情。一开始，他对猴子的面部表情进行了长时间的观察，并将猴子的面部表情与其随后的行为，诸如偷取其他猴子的东西、攻击或示好等，联系在一起进行分析。之后，他采用类似的方法来识别谎言，并发现说谎的人通常会被自己的微表情出卖。这些微表情持续的时间只有几毫秒。说谎的人和观察者通常都不会察觉到微表情。埃克曼通过慢放录影带观看了许多已知说真话的人和说谎的人的表情。比如，让学生们观看恐怖的医学过程并让他们假装看到的是宁静的自然风景画面，记录下他们的表情，并慢放录像进行研究。在这个过程中，埃克曼练就了忽略不相关的肢体语言和话语，而只是自动识别和关注微表情的能力。他的能力看起来有些超常，却是通过常规方法练就的。

通过创造性自学和刻苦练习，埃克曼找到了将自动系统和反应系统联系在一起的方法，从而可以又快又准地进行判断。他使用了一种叫作“直觉获知”的方法。通过这一方法，他可以将反应的速度与认真思考和分析的客观好处结合起来。事实上，这一行业的许多专家都是根据直觉的获知取得骄人成就的，马尔科姆·格拉德威尔的《决断2秒间》（*Blink*）即是如此。扑克牌高手就是通过游戏策略、扑克牌技巧，以及识别他人肢体语言的细微变化来判断对手是否在唬人的。受过训练且经验丰富的机场安检人员几乎一眼就能看出偷运毒品或走私其他物品的乘客。对于主宰宇宙的物理定律，阿尔伯特·爱因斯坦曾说："并不存在发现基础定律的逻辑方法，我们只能借助于对表象背后的自然法则的直觉。"

我们无须像爱因斯坦那样达到"专业知识是第二天性"的境界，这确实是不容易做到的。赫伯特·西蒙（Herbert Simon）是一位诺贝尔奖得主，也是百年来极有影响力的学者之一。他曾经说："直觉即认知。"自动系统不会进行预测，也不会使用理论知识，它只会对一个人当前面临的情况做出反应。如果当前的情况与以往的经历相似，那么自动系统的反应就会非常准确，现有的专业知识就会转化成直觉获知。要想成为某一领域的世界级专家，平均需要练习 1 万个小时，相当于每天坚持练习 3 小时，共练习 10 年。而且仅凭练习是不够的。如上文所述，医生和政治学专家的专业经验并不会使他们摆脱偏见的困扰。你不可能仅仅通过在 10 年当中每天都花费 3 个小时做一件事就成为这方面的顶级权威。想要提升自己的能力，你必须不断地进行批判性的自我分析：我在哪些方面做错了？怎样才能做得更好？

无论在哪个领域，不断练习和自我批评的最终目的都是达到直觉获知，进而在速度和准确率上超过仅仅使用反应系统的效果。如果你成功了，那么你将能够快速地收集和处理与已知情景最相关的信息，而不会受到偏见的干扰。记住，无论你的直觉有多敏锐，它都只限于你投入时间和精力获取直觉的这个领域。在没有明确目标的领域中开发直觉获知，即便有可能，也是非常困难的，单单确定成功的确切标准就非常困难。对于选择来说，并不是所有的练习都会奏效。但是如果方法得当，练习也确实有助于专业技能的培养。

当然，我们不可能成为所有行业的专家。那么，我们如何提升自己的整体选择能力呢？关键是运用反应系统对自己正确或错误地运用启发进行分类整理。想想自己的偏好是如何形成的：是自己深受某个事物的影响吗？是由于自己将某些事物定义为损失而过快地排除了某些选项吗？是自己受到某些根本不存在的趋势或定式的影响吗？试着想一下自己直接排除某些选项的原因。收集不支持自己的观点的证据。我们虽然并不能在每次选择之前都进行广泛思考，但是事后可以再斟酌一下选项，这是非常有必要的。尽管我们不能更改选择，但是如果我们发现了自己的错误，我们就可以在下次选择时避免犯同样的错误了。在选择过程中，我们通常会有所偏好，然而我们却可以通过警觉和正确的怀疑来匡正这些偏好。

富兰克林的公式

下面我给大家讲一个故事，这个故事在我那些哥伦比亚大学的同事中流传已久。霍华德·雷法（Howard Raiffa）曾是哥伦比亚大学的一名教师，也是决策分析领域的领军人物。他收到了哈佛大学的一封职位邀请函。如果去哈佛大学的话，无疑会提升他的声望。为了留住他，哥伦比亚大学提出将他的工资提高两倍。面对两难的选择，雷法决定去征求一个朋友的意见。他的这个朋友是哥伦比亚大学某学院的院长。朋友建议雷法运用为他赢得哈佛大学职位邀请函的技能分析这个问题：将决策分成几部分，建立这些部分间的映射关系，然后用数学方法确定哪个选项更好。“你不明白，”雷法回答道，“这是一个很严肃的决策。”

这个故事可能是杜撰的，但其中有一点是肯定的：个人的幸福通常都是一个严肃的问题。用公式和对策分析别人的问题很容易，但是如果用它们来分析自己的长远幸福问题，我们就不确定这么做是否可靠了。我们倾向于认为机械的方法不能解释个人幸福这样的问题。但是如果我们不明白什么可以使我们幸福，那么我们又该如何对其进行衡量呢？

早在 200 多年前，本杰明 · 富兰克林在赞美列出利弊的好处时，就已经为雷法指明了方向。当富兰克林的一个朋友写信就一个艰难的抉择征求他的意见时，他回复说自己并不是很了解这件事情，因此无法建议选择哪个选项，但是他可以对如何选择提供一些建议。

> 抉择之所以艰难，主要是因为我们考虑问题时并没有对其进行利弊对比分析……在解决这类问题时，我经常在一张纸中间画一条线，将其分成左右两栏，然后花上三四天进行思考。在思考过程中，我会列出各种情况下的利弊之处。这样我就可以对事物有整体的看法和权衡了。如果我想到了一个优点和一个缺点，它们就可以相互抵消；如果我发现一个优点可以抵消两个缺点，那么我就会将它们一起划掉；如果我发现两个优点可以抵消三个缺点，那么我就会将它们一起划掉；这样我就可以找到一种平衡了……我觉得我可以更好地选择，而不是轻率地做出决定。事实上，我就是得益于这一方法，它可以被称为道德公式或慎重公式。

富兰克林的公式看起来非常简单，可它确实有效吗？回想一下前一章里我们提到的研究，大学毕业生无法意识到求职过程中需要优先考虑的事项在不断变化。在该研究中，我和蕾切尔·威尔斯、巴里·施瓦茨（Barry Schwartz）组成了一个小组，我们询问了参与者最终选择的工作。我们感兴趣的是，与随意找工作的毕业生相比，从客观上来说在求职过程中表现更积极的毕业生（与职业顾问、父母和朋友沟通更多，利用专家提供的公司排名，以及申请更多职位）的结果有什么不同。6个月后，表现更积极的毕业生都从更全面的分析决策中受益匪浅。他们获得了更多的面试机会，收到了更多的工作邀请。他们最终的年平均工资为44 500美元，而随意找工作的毕业生的年平均工资只有37 100美元。虽然比随意找工作的毕业生的工资高出20%，但是表现更积极的毕业生并不确定自己是否做出了正确的选择，而且对工作的满意度较低。虽然他们积极主动地权衡了许多选项的优缺点，但是，最终的选择并没有给他们带来更多的幸福感。

也许是表现更积极的毕业生的期望值本来就很高，也有可能他们尽善尽美的愿望也是导致他们幸福感较低的部分原因。但是，这并不是故事的全部。利弊分析法的致命缺陷是它关注具体的、可测量的标准，而缺乏对情感方面的考虑。工资和公司排名非常容易对比，但是我们如何评估和比较两家公司的工作氛围或与未来同事相处的融洽度呢？由于我们无法以定量的方式测量感情，因此，即使我们的幸福大部分取决于利弊列表中的选项，我们也可能无法对此做出权衡。这也许正是表现更积极的毕业生幸福感较低的原因吧。

在从两个工作邀请中进行选择时，大部分人都会赋予工资很大的权重，即使金钱和幸福并不直接成正比。我们在研究中也发现，只有在某些特定情况下，金钱才可以等同于幸福。一旦人们的基本需求得到了满足，更多的财富带来的额外价值就会迅速降低。2004年，美国社会调查的结果表明：年收入低于 2 万美元的人的幸福感明显较低，但是其中仍有 80% 以上的人称自己“相当幸福”或“非常幸福”。相对而言，年收入超过 2 万美元的人普遍都感觉更幸福，但是收入如果再增加的话，对幸福感几乎就没有什么影响了。对于大部分年收入为 10 万美元的人来说，他们的幸福感并不比年收入为 5 万美元的人多。其他研究也发现了这种趋势。年收入超过 500 万美元的美国人也确实如此——收入的增加并不会提升幸福感。

我们选择“薪水”一项可能是受到反应系统的影响——更多的钱会为我们带来更多的舒适感和安全感，从客观上讲，这是一个比较好的结果。但是尽管工资增加，由于上班路途更远而导致的乘车往返等可能会造成休闲时间的缩短。利弊分析法的公式中可能不包括这些时间的心理成本。丹尼尔·卡尼曼及同事在研究中发现，到目前为止，在人们的生活中，乘车往返是最不舒服的部分。花费 20 分钟乘车对幸福的影响是失业对幸福影响的 1/5。你同意去较远的地方上班可能是因为你想住在一个不错的社区，你想有一栋大一些的房子，甚至你想在附近有一所好学校，但是这些好处根本不能与长时间乘车往返带来的负面影响相抵消。

由于自动系统会带给我们痛苦的经历，因此人们对它的评价也很差。但是在幸福这一问题上，我们应该对自动系统给予更多的关注。弗吉尼亚大学的蒂姆·威尔逊（Tim Wilson）和他的同事开展了一项研究，对“我一点儿也不了解艺术，但是我知道自己喜欢什么”这一公众的普遍认知进行了测试。他们让参与者从下列 5 种海报中选一张挂在家里：莫奈的画、凡·高的画和其他三幅粗俗的动物海报。大部分人都会本能地选择艺术作品，但是当被要求描述一下自己的理由时，参与者会发现喜欢动物海报的原因更容易表达。(除非参与者接受过某些艺术方面的正规教育，否则很难详细描述印象派画家的作品。但是描述一头微笑的牛就相当容易了。)因此，他们就会选择动物海报，而不是印象派画作。但是，几个月后，他们又会回到自己的偏好上：每天看到自己选择的海报，3/4的选择动物海报的参与者会感到后悔，而选择莫奈或凡·高画作的参与者却没有一个表示后悔。

如果证明个人品位都如此困难，那么表达浪漫的吸引力几乎就是不可能的了。正如布莱士·帕斯卡（Blaise Pascal）所说：“心也许有自己的道理，有一般理智难以理解的逻辑。”在让参与者填写“在恋爱关系中自己有多幸福”的调查问卷中，威尔逊和他的同事也注意到了这一点。他们让部分参与者仔细思考一下自己之所以处于当前恋爱关系的尽可能多的理由，并将这些理由写在问卷上；而让其他参与者写出自己脑海中立即闪现的理由。研究人员对参与者进行了追踪调查，调查他们在7～9个月后是否还与恋人在一起。结果发现，凭直觉的判断非常准确，而通过逻辑分析得出的判断与结果却没有什么联系。通过全面分析自己的恋爱关系得出关系良好的结论的参与者，也像那些凭直觉感觉关系非常紧张的参与者一样分手了。

威尔逊的研究似乎想说明内心方面的问题需要依靠自动系统，但是唐纳德·达顿（Donald Dutton）和亚瑟·阿伦（Arthur Aron）研究的结论却似乎有所不同。他们的研究是在英属哥伦比亚的两座桥上进行的。第一座桥又宽又结实，还带有高高的护栏，即使有人从桥上跳下去，也会落到距桥面仅10英尺的平静河面上。相反，第二座桥又窄又长，悬于距河面230英尺的岩石之上，桥下是汹涌奔流的河水，桥上的栏杆很低，似乎风一吹或人一走上去就会有倾斜的危险。

当男性游客走到桥中间时，会被已经等候在那儿的一名漂亮的女研究员询问是否愿意参与一项“关于本区域自然风光对人们的创造力的影响”的研究。如果愿意参与的话，这位女研究员会让他为一张一手遮面、另一手伸向远方的女子的照片写一个简短的故事。对于每一位写故事的参与者，女研究员会把自己的姓名和电话号码留给他，并告诉他假如他想深入探讨研究目的的话，可以随时联系自己。

当然，“吊桥上的爱”这一研究与创造性的写作无关，其实际目的是想研究人们如何混淆情绪高亢（本研究中具体为恐惧）与其他激情（本研究中具体为漂亮女研究员的吸引力）之间的关系。事实证明，走过摇晃吊桥的参与者中有一半的人给女研究员打了电话，而走过稳固的桥的参与者中只有 1/8 的人给女研究员打了电话。之后，让并不知道此次研究的评论人员评论参与者所写的故事，得出的结论是：在摇晃吊桥上写出的故事包含更多的性暗示。如果你还对男人们的意图有所怀疑，你可以想一下让男性研究人员在这两座桥上重复此次调查，他接到的电话会有多少。

人们怎么会把在摇晃的桥上的恐惧感混淆成被“爱神之箭”射中的感觉呢？我们知道，自动系统会记录生理反应，但是并不会记录造成这些反应的原因。恐惧和爱看起来是两种截然不同的情感，而两者的生理反应却非常相似：心跳加快、手心出汗、心里七上八下。一见钟情与害怕掉落的感觉有很多相似之处。

关于桥的研究结果并不能用例外来解释。事实上，我们经常会注意到我们在社会背景下的心理状态。20 世纪 60 年代，斯坦利・沙赫特（Stanley Schachter）和杰罗姆・辛格（Jerome Singer）在哥伦比亚进行了一次经典的研究。他们发现被注射过肾上腺激素的学生（这些学生自己并不知情）很容易受到研究人员的引导而表现出高兴或生气的情绪。根据研究人员设定的互动环节，学生们表达药物引发的生理兴奋的方式有两种：“我很开心！”或“我真的生气了！”

我之前的一个学生切身体验过环境与情绪之间奇特的关系。他在与一位女性朋友一起出游印度的时候，由于怀疑关于桥的研究，他自己也进行了一项研究。他对同行的这位朋友怀有爱慕之情，但是对方似乎没有什么回应。因此他决定按自己的套路出牌。他觉得乘坐机动三轮车进行一场快意刺激的德里之旅会让人情绪激动，而且她也一定会将自己的兴奋之情与坐在身边的人联系在一起。这个计划实际上非常简单！他招手拦下了一辆高速行驶的机动三轮车，开车的是一个身材高大、声音洪亮、戴头巾的男人。他们选择在一条狭窄、喧闹、崎岖的街道上穿行。整个过程中，同行的那位女士都紧紧地抓住护栏，眼睛睁得大大的，头发都被风吹散了。最后，当他们停下来时，她跌跌撞撞地从车上下来，整了整自己的衣服。他对自己的表现非常满意，问那位女士：“你觉得怎么样？”她靠近并直视着他说道：“这个三轮车司机简直太棒了！”

预测他人对既定情况的反应是不容易的。我们甚至无法预测自己的情绪。当我们尝试预测自己在将来对现在所做决定的反应时，也主要是基于自己现在的感觉。在这种情况下，我们通常会屈服于本章前面提到的一些偏见。例如，由于关注一个生动的情景而忽略了事件发生的大背景，我们就会高估自己的反应。体育爱好者可能觉得自己支持的团队的输赢对自己的影响很大，但是他们并未将天气、交通、工作压力、家庭聚餐等当天的其他因素考虑进来，而这些因素对他们的情绪也是有很大影响的。

同时，我们也会高估情绪的持续时间。如果职位晋升让你觉得非常高兴的话，你可能会觉得这件事在今后的两个月内会一直让你非常高兴。但是事实上你会很快地适应新工作。即使是中彩票也不会给人带来长久的快乐。同样，家庭成员的去世、被诊断患有癌症、变成残疾等意外事件带给人们的负面情绪持续的时间也并不会像我们想象得那么长。悲伤或哀思之情一开始会很深切，但是这种悲伤或哀思之情也会随着时光的流逝而慢慢淡化。

为了消除偏见的影响，也许我们可以效仿保罗·埃克曼等专家。也就是说，我们可以通过回忆过去的期望，认识到自己以往的错误，并在将来进行必要的改变来提升自己的能力。但是在情绪方面，我们可以这样做吗？蒂姆·威尔逊和他的同事对其他更为复杂的事情进行了分析。在美国 2000 年总统大选之前，他们找到了一些对政治非常感兴趣的投票者，并询问如果乔治·布什或阿尔·戈尔当选，他们会有多高兴。在戈尔发表败选演讲后的第二天，他们又联系了这些投票者，并询问他们的感觉。4 个月后，他们再次询问了这些投票者在选举前的感受和在戈尔败选后的感受。无论是布什的支持者还是戈尔的支持者，他们都不能准确地回忆自己当时的感受。他们高估了自己在选举前的情绪的效力。对于戈尔发表败选演讲后的反应，布什的支持者觉得自己很高兴，但是事实上他们并没有如自己所说的那么高兴；反之，戈尔的支持者也并没有如他们所说的那么伤心。

很显然，像预测自己将来的感受一样，我们并不擅长记住自己过去的感受。但是，正如我们在上一章中提到的那样，我们应该相信自己是始终如一的，并且是可以理解的个体。因此，我们就为自己构建了关于情绪和观点的讲得通的故事。例如，上述研究的参与者可能会想："作为一位坚定的民主党支持者，如果戈尔竞选失败，那么我肯定会很难过。"我们预测自己将来的感受（"如果戈尔竞选失败，我肯定会很难过"）与预测他人的感受（"鲍勃是个不折不扣的自由党人，如果戈尔竞选失败，他肯定会很开心"）的情况基本上是相同的。回答看似正确，但是事实上编造这些谎言太容易了。这就是我们弥合自己的真实反应和偏好之间差异的方法，而我们的真实反应和偏好在通常情况下是不一致的。

因此，我们又回到了这个问题上：如果我们连自己的想法都不能确定，那么又如何判断什么可以让我们高兴呢？虽然我们可以调和自动系统和反应系统，但我们还是会出错。也许，除了从自身找原因，我们还应该思考一下其他人在面对类似情况时是如何做的。心理学家丹尼尔·吉尔伯特（Daniel Gilbert）是快乐研究方面的领军人物。在《撞上快乐》(*Stumbling on Happiness*）一书中，他这样写道："对于困境，具有讽刺意味的是，我们准确地预测自己将来的情绪所需要的信息就在我们的眼皮底下，但我们似乎意识不到。"我们倾向于认为我们的环境和个人特质是独一无二的，因此他人的经验与我们无关。"我们都认为自己是独一无二的，我们的思想与他人的是不相同的，"吉尔伯特写道，"因此我们通常会拒绝对我们有益的他人的情绪和经验。"

人们常说历史在不断重演，对于个人来说也是一样。我们可以通过观察、交谈和咨询建议来收集他人生活中的教训。我们可以用自动系统找出哪些人比较快乐，用反应系统评价他们为什么会快乐。追求快乐并不需要做一个"独行侠"。事实上，与他人交流可能是处理选择问题的非常好的方法。

在《噢，你将去的地方！》一书的结尾部分，苏斯博士曾提醒我们：在生活中，我们有时是自己的对手。当我们与诱惑做斗争或因自己的选择而沮丧时，我们可能会想如何才能战胜自己。让我们坦然面对失败已经足够难了，但是我们还必须忍住冲动。在当今社会中，选择无处不在，因此我们并不能完全拒绝选择。最好的办法是继续研究我们与选择的复杂关系。在下一章中，我将会谈到更具挑战性的选择。请记住，虽然选择是一门很深的学问，我们有时会犹豫不决，但是，通过直觉获知和朋友的帮助，我们完全有能力对选择进行深入的研究。

第 5 章

潜意识、主观联想与选择

淡粉和芭蕾舞鞋粉

到现在为止我们已经看完好几章了，大家的表现都不错，所以我决定要和大家分享一个秘密：有时我会将自己的选择变成别人的问题。考虑到我们在做选择时做出“错误”决定的概率很大，有时我会把自己的选择机会让给其他人，这样其他人也就有了表达自己观点的机会。我无须再为选择负责了，其他人也非常乐意提供建议。我知道你会感到很惊讶，但这并没有你想象得那么阴险。

例如，当你去做美甲时，你会面对上百种色彩的选择。这些色彩大致分为四类：红色系、粉色系、中性色系和其他比较有个性的颜色，比如美国出租车似的黄色或天空般的蓝色。人们一般会选择中性色系和红色系。尽管不能像视力正常的人一样对颜色有更强的偏好，我还是比较喜欢中性色系。当然，中性色系的颜色种类比较少，但其中还是包含二十多种颜色，比如粉色、珍珠色、香槟色等。

“哪种颜色更适合我呢？”我问美甲师。

“当然是芭蕾舞鞋（Ballet Slippers）的那种淡粉色。”美甲师说。

“当然是 Adore-A-Ball。[①]”坐在我旁边的客人说。

“哦，那两者有什么不同呢？”

“Ballet Slippers 更优雅。”

“Adore-A-Ball 更迷人。”

“它们在颜色上有什么不同呢？”

“Ballet Slippers 是一种非常淡的粉色。”

---

① Adore-A-Ball 是一种粉色系的美甲颜色。——编者注

“Adore-A-Ball 是一种透明的粉色。”

“那么，它们给人的感觉有什么不同呢？”我问。

“这两种颜色都挺适合你的。但是 Ballet Slippers 看起来更优雅，Adore-A-Ball 则更迷人。”

如果我不是盲人，这也许是我内心的想法。但是因为我看不到，所以最终我还是放弃了。我告诉她们其实我并不理解她们所说的。虽然我没有大声说什么，但是她们选择的类似“优雅”和“迷人”这样含糊的形容词并不能帮助我区分这两种颜色。只有一件事，她们的意见是相同的，那就是“相信我们，如果你能看到，你会分辨出其中的差异的”。

我能分辨吗？她们可能是正确的。正如一句印度谚语所说的：“猴子怎么会知道姜的味道呢？”换句话说，我只是不能欣赏色彩渐变中微妙的美罢了。但是，在把自己当成猴子之前，我需要对她们的断言进行测试。所以，作为一名研究人员，我对哥伦比亚大学的 20 名女大学生进行了一次初步测试。参与者可以免费享受美甲一次，可供选择的颜色有 Ballet Slippers 和 Adore-A-Ball 两种。参与者被分为两组。一组参与者看到的是贴有 Ballet Slippers 或 Adore-A-Ball 标签的指甲油，另一组看到的是贴有 A 或 B 标签的指甲油。

在可以看到颜色名称的 10 名参与者中，7 名选择了 Ballet Slippers，其余 3 名选择了 Adore-A-Ball。她们认为 Ballet Slippers 颜色更深、更饱满。在另一组参与者中，6 名参与者选择了 A（实际为 Adore-A-Ball），她们认为 A 的颜色更深、更饱满；其他参与者要么选择 B（实际为 Ballet Slippers），要么认为颜色无关紧要。其中有些参与者并不能区分这两种颜色，如果不是贴有标签的话，她们会认为这两种颜色没有差别。事实上，在可以看到颜色名称的参与者中，有 3 名参与者认为我们在搞恶作剧——让她们从两种相同的颜色中进行选择。

其中令我备感兴趣的是：两种颜色间的差别甚微，只有在给出名称时，人们才会感到差别的存在。在可以看到名称的情况下，大部分参与者会选择 Ballet Shippers——与 Adore-A-Ball 相比，她们更喜欢 Ballet Shippers。这不可能仅仅只是巧合。似乎是名称可以使颜色看起来更好看，或者至少让人感觉更好。

对我来说，名称不会改变我对颜色的看法，我只是尽可能客观地了解各种颜色。具有讽刺意味的是，我是个盲人，却得以从根本上辨别颜色的不同；而视力正常的人却是通过包装来选择颜色的。我不会在意颜色的名称，因为我认为名称并不能完全代表颜色，可能这主要是因为我无法用肉眼区分颜色的差别。但是在选择颜色时，视力正常的人却不遵从眼睛看到的事实，而是被产品的包装或定位左右。人们的感觉难道是受颜色的名称这一似乎肤浅的特征影响的吗？如果是这样，我们是否可以相信我们根据名称做出的选择呢？鉴于这一关于颜色的研究取得的初步成果，我决定对此进行更深入的研究。

鸡生蛋还是蛋生鸡

人们告诉我，戴维·沃尔夫（David Wolfe）是一个 60 多岁、有着中等身材的男人。漂亮别致的眼镜、斑白的头发和精心打理过的胡须在汉普顿人特有的棕褐色皮肤的映衬下，格外显眼。2008 年 6 月，我第一次见到了我的助手斯诺登口中描述的沃尔夫：身穿一条棕白相间条纹的亚麻裤子和一件黑色纽扣衬衫，外加一件棕色三扣运动衫。引人注目的还有他的仿蛇皮面料的乐福鞋和运动衫内明亮的深红色口袋。不过，他只是引人注目而不是出风头。这一切与他站在演讲台上给满屋子的时尚设计界、制造界、批发界和零售界的大人物演讲相得益彰。

沃尔夫谈到了“增加耐磨损性”这一时尚趋势和当前业内的“风格矛盾”。他称赞了休闲服饰奢侈品，展示了救生圈大小的项链，并对伊夫·圣罗兰（Yves Saint Laurent）的去世表示哀悼。最重要的是，他预测了未来的流行趋势，这也是他的众多听众此行的目的。沃尔夫对未来流行趋势的预测包括在不久的将来，“小白裙”会像“小黑裙”那样成为女性衣柜的必备之选。几天来，每天面对 100 多名不同的听众时，他都会重复他的阐述。业内人士的着装不一，有的穿着保守的灰色和米黄色衣服，有的穿着斑马纹细高跟鞋和亮蓝色长袜。但是他们都在听沃尔夫的预测，不是关于一个月或一个季度内人们的衣着流行趋势，而是一年甚至两年后人们的时装发展走向。

从沃尔夫发表演讲的多尼戈尔集团（Doneger Group）总部走出来，你会发现自己身处纽约市中心西部曼哈顿的制衣区，这里自 20 世纪初以来便是时尚设计和制造中心。然而，要想看到演讲大厅工作的成果，你最好去离居民区较远的市中心—— SOHO 区的百老汇逛一逛。在那里，你会发现人行道上满是超级时尚迷。你会发现穿着浅绿色运动衫的 20 岁左右的小伙子；在他身后几步远的地方，你会看到带着超大号红色太阳镜、穿着红色短袜的 50 岁左右的妇女；你会看到装扮时尚的青少年；你还会看到有人懒洋洋地倚在街边的长椅上，调整着自己色彩鲜艳的眼罩。

即使在这种色彩与风格混杂的情况下，也存在着一定的模式。奔放的主色调似乎比较流行，同时你也会看到一些冷色调，比如蓝色的衬衣、青色的女式衬衫、天蓝色长裙和短裙。似乎是为了使色彩更斑斓，你可能还会看到深黄色和深褐色。印花裙比较流行，宽松式连衣裙也是如此。之前风格的影响是显而易见的，亮色系的打底裤与 20 世纪 80 年代的风潮很相似，20 世纪 70 年代的喇叭裤和 90 年代的紧身 T 恤却并不流行。当然，所有这些都不会令沃尔夫感到惊讶，他总是在预测时尚界的下一个潮流。

在潮流预测行业工作了 30 多年后，沃尔夫于 1990 年加入了多尼戈尔集团，担任创意总监。多尼戈尔集团是时尚界最大的顶级预测公司，通过研究与产业相关的包括设计、销售、零售在内的各个发展阶段，为其 1 000 多个客户提供咨询，帮助客户成功运营。多尼戈尔集团的咨询方式多种多样，比如下一年的流行色、预测化妆品流行趋势的“美容书籍”、类似此次演讲性质的演讲等。

美国色彩协会（Color Association of America）也提供类似的服务。该协会成立于 1915 年，每年举办两次发布会，预测两年后男装、女装、儿童服装和包括家具、日常用具、餐具、电器在内的室内设计中即将流行的 24 种颜色。这些颜色预测覆盖的客户面很广，包括设计收藏品或销售产品的时尚产业、需要装修的华尔街公司、希望使用流行色进行网站设计的科技公司，以及想让自己的幻灯片展示更出色的企业等。

我和斯诺登见到沃尔夫的那个夏天，我们也参加了关于男装和女装时尚的色彩协会委员会会议。协会位于纽约市中心曼哈顿地区的办公室，从地板到天花板都采用白色设计，一面墙为整体布饰，另一面墙则为整体书架，上面整齐地摆放着各类艺术书籍。办公室内的焦点是位于办公室中央的桌子前面的一面墙。墙上由各种颜色的小正方形组成一个大正方形。一开始你可能会以为那是一幅数字图像或一幅查克·克洛斯（Chuck Close）的画作。实际上它是颜色光谱的表现形式，由从办公室落地大窗投射的阳光与颜色光谱上部固定装置的荧光混合而成。委员会的成员包括一些著名的、有影响力的公司的代表，如美国棉花公司（Cotton Incorporated）、萨克斯第五大道精品百货店（Saks Fifth Avenue），以及多尼戈尔集团等。他们聚集到这里分享他们关于2009—2010年秋冬季流行色的预测。

每个与会代表都做了关于“色卡”的介绍。“色卡”是关于灵感来源的一张海报，内容通常是艺术品、雕塑、模型、陶器、静物画、单车把手、花朵、树叶的照片，以及富有个性或引人注目的物品的照片等。有一幅照片是一个长着山羊胡子的人正在亲吻一只达尔玛西亚犬；另一幅照片上充满了罕见颜色的圆球，它们像是童话世界中的雪球。除了照片，与会者还分享了他们认为可作为时代标志的事件、趋势、色彩世界的文化指标等故事或事例。沙尔·斯萨雷尼（Sal Cesarani）是S. J. C. 理念公司的总裁，他提到了大都会艺术博物馆中展览的超人装，并表示这可能预示着明亮的饱和色、宇宙类书籍催生的作品风格的流行。谢里·唐伊（Sherri Donghia）是唐伊家具集团（Donghia Furniture Group）的总裁，她兴奋地讲述了弗兰克·盖里（Frank Gehry）在切尔西为巴里·迪勒（Barry Diller）的互联网科技公司设计的新总部大楼。《纽约时报》的建筑评论家尼古拉·奥罗索夫（Nicolai Ouroussoff）如此描述这一建筑：“从远处看非常漂亮。在切尔西风化的砖砌建筑的衬托下，其独特的轮廓呈现出与天空相同的颜色，似乎与天空融为一体。从北部看，该建筑则更加对称，轮廓也更加分明，像是一艘艘重叠的船只或一个个刀形的褶皱；从南部看，轮廓则比较敦实。建筑的外形似乎千变万化，令人难以捉摸，却也因此令人着迷。”唐伊说，这栋外形似乎会随着人们的位置和心情的改变而千变万化的建筑将刺激人们对亮色系和个人感知体验的渴望。

我并不能准确地把握局部的事物和结构是如何影响人们对颜色的偏好的。我自言自语道：“颜色让我非常困惑。”之后，萨克斯集团负责男装设计的副总裁迈克尔·马科（Michael Macko）为委员会成员阐述了“生态解决方案”的观点。他指出，环保运动会激起人们对天然染料、可持续利用材料和大地色的兴趣。虽然介绍中的证据并不极具说服力，但对我而言，这听起来似乎更加理智。每个成员都做了介绍之后，委员会综合各种预测建立了一张确定的“色卡”。

除了讨论，委员会预测工作人员还询问了卡尔文·克莱恩（Calvin Klein）、拉尔夫·劳伦（Ralph Lauren）、迈克尔·科斯（Michael Kors）等杰出的时尚设计师的灵感，设计师们对委员会的预测非常感兴趣。由于会议论及两年后从设计到成品销售的各个环节，一窥时尚的未来趋势便可以增加新服装成功的机会。同时，通过与预测人员交谈，设计师还能收集到竞争者关于流行趋势和颜色预测方面的信息。据称，卡尔文·克莱恩购买了预测信息。“世界上没有不需要购买潮流信息的设计师，”戴维·沃尔夫说，“对于时尚设计师来说，这是研发的一部分。”

零售商也对未来的流行风格非常感兴趣。过去，他们通常通过参加著名时尚设计师在巴黎、米兰、伦敦和纽约的 T 台发布会获得这些信息。现在，世界上所有的大城市都会举办时尚周，同时，互联网和语音通信传播时尚的速度也不容忽视。因此，零售商们可以依赖预测人员和设计师互动之后综合整理出来的关于潮流的预测信息。但这就导致货架上的服装非常相似，因为服装虽然是独立设计的，但是设计所基于的信息却是相同的。如果现在流行的是绯红色而不是你所钟爱的信号红，那么除非你在之前的衣柜里寻找，否则你根本就找不到信号红色的衣服。

这些“预言”其实是导致现实结果的根源。如果设计师认为白色会像黑色一样成为下一个流行色，那么他们就只会生产白色的服装，或者零售商就只会订购白色的服装，这也就决定了顾客要购买的产品。即使你试图背道而驰或基本不关心服装，你的选择仍然会受到当前流行趋势的影响。梅里尔·斯特里普（Meryl Streep）在《穿普拉达的女王》(*The Devil Wears Prada*) 中扮演的时尚杂志主编在这点上表现得可谓淋漓尽致。当她的女助理将时尚简单地称为“东西”时，她这样说：

> 这……“东西”？好了，我明白了。你认为这与你无关。你走到衣柜前试图挑选一件衣服。我不知道，比如说你那件松松垮垮的蓝色绒线衫，试着告诉世人你的人生重要到你无法关心自己的穿着。但你要知道，那件衣服不仅仅是蓝色，它不是蓝绿色，也不是青色，而是天蓝色。你还忽略了很多事情，像奥斯卡·德拉伦塔（Oscar de la Renta）在 2002 年设计过一系列天蓝色的晚礼服，然后，我想是伊夫·圣罗兰，是吗？设计出天蓝色的军式夹克衫。之后，天蓝色就成了其他 8 位不同设计师的最爱。然后将其放入名下的商店，最后慢慢放到可悲的休闲装角落，才让你从他们的打折货中淘到。

> 总之，那蓝色值上千万，花费了不少心血。滑稽的是，你以为是你选择了这个颜色，让自己远离时尚界。而事实却是，这屋子里的人帮你从一堆衣服里选中了这件绒线衫。

我们可以更进一步思考，奥斯卡·德拉伦塔的晚礼服之所以选择天蓝色，是因为颜色预测者预测天蓝色即将流行。这有点儿类似“鸡生蛋还是蛋生鸡”的游戏：是先有顾客，还是先有设计师？是普通大众造就了时尚，还是时尚造就了大众？这个问题越是深思，就越难以回答。

时尚界的各种元素以及辅助元素是相辅相成的。像第五大道这样的零售商会将店中即将上架的服饰告诉《时尚》(*Cosmopolitan*)、《智族》（*GQ*）等时尚杂志的专栏作家。设计师会举办时装秀，还会特别邀请《服饰与美容》（*Vogue*）等杂志的摄影师和作家。这些杂志会独家爆料最新的潮流趋势，同时也为设计师进行了免费的宣传。设计师会在电视节目和电影中安排展示其设计的产品 [如果你拥有一件和凯利·布莱德肖（Carrie Bradshaw）一样的外套或者与詹姆斯·邦德一样的腕表，你也会感到非常骄傲的]。他们还经常将自己最新的作品赠送给演员、音乐家和像帕里斯·希尔顿（Paris Hilton）那样的社会名流。“狗仔队”会在红毯时刻或夜总会拍到这些名人。当他们出现在杂志和小报封面的显眼位置时，这些衣服也就展现在人们的眼前了。购物顾问、室内设计师和业内人士会在鸡尾酒会上讨论向自己的客户推荐什么。如果说我在与时尚界人士接触的过程中学到了什么，那就是人们将相互熟悉，因为在大多数情况下，他们都在为共同的团队效劳。

他们的目的是通过更多的媒介将产品展示给顾客，在多个层面上影响顾客，并充分利用“曝光效应”（mere exposure effect）。正如 20 世纪 60 年代罗伯特·扎荣茨（Robert Zajonc）的研究中所表述的：假如我们在一开始对一个事物或想法抱有积极或中立的态度，那么接触该事物或想法的次数越多，我们就越会喜欢它。1968 年，扎荣茨做了一项这样的研究。他将汉字向不懂汉字的参与者展示了 1～25 次，并让这些人猜猜这些字的含义。他发现与汉字接触的次数越多，人们所猜的含义越倾向于积极，例如人们会猜“高兴”而不是“马”或“疾病”。对于一个不认识的字来说，看一次和看很多次获得的信息是相同的，因此，这表明人们对待汉字的态度会随着接触次数的增加而改善。曝光效应可以解释我们生活中的许多方面，如为什么找一个可以像妈妈那样精心准备我们童年最爱的事物的人那么困难。当我们在商店、产品目录和我们认识的人身上看到最新的时尚潮流时也是如此。

此外，当某种流行趋势出现时，它发出的是该流行趋势将会不断地被更多人接受的信息。当我们在同一段时间内看到许多独立的零售商提供的产品以同样的方式变化时，我们就可以预测我们的需求也将发生改变。当然，实际驱动这场改变的可能是对未来需求转变的预测。这种预测可能是具体的，也可能不是。但无论如何，它都会影响人们的选择。产品曝光的次数越多，获得的社会认可度也就越高，就会有越多的人去购买它，反过来这又会增加产品的曝光次数并提高社会认可度。通过这种方式，预测人员和时尚专家的预言就会变成现实，也让人们觉得他们是时尚趋势的预言家。“可鄙的是，这是一个自我实现的预言，”当我向戴维·沃尔夫询问预测流行趋势和影响流行趋势之间的差别时，他这样说，“时尚是最能反复的过程，人们操纵选择，然后将其呈现给大众。坦白地说，我是一个操纵者。”

对我来说，这开始变得像一部充斥着语言、色彩感觉和选择之间复杂关系的恶意侦探小说。我是否揭示了一个骗局呢？如果是，这又能怪谁呢？沃尔夫已经做了各种各样的坦白，但是我还没有准备好揭发他对顾客犯下的“罪行”。一方面，他和其他预测人员都声称他们了解顾客的选择需求；另一方面，他们会通过减少选项的数量帮助我们“选择”时尚潮流和色彩，帮助我们解决是选择天蓝色、蓝绿色或是青色的问题。我认为这样很好。

还记得我参加的色彩协会会议吗？最后的预言结论包含四种类别的“色卡”。“色卡”叙述着一系列颜色的“故事”。在进行2009—2010 年秋冬季女装色彩预测时，“缪斯”的故事中包含的颜色有依蕾托（紫色）、卡拉培（橙色）和克利欧（灰色）；“前卫花园”包括伊甸园（蓝绿色）、鳄鱼（棕色）和马鞭草（绿色）。名称除了描述颜色的性质，还将预测人员想表达的信息传达给了设计师。例如，在为一种绿色命名时，预测人员玛格丽特・沃尔克（Margaret Walch）说道：“对于我们将命名为苜蓿色的颜色，还有其他既可以准确描述这种颜色，又可以吸引人们注意的名称吗？……我可以叫它翡翠色或爱尔兰绿色。”名称和故事是颜色包装的一部分，正如我在美甲时注意到的那样，对于可以看到产品的人来说，包装相当重要。我认为这很愚蠢，即使在光明的世界里，我这样的盲人也是女王。但是，我有理由相信我在其他方面也会像其他人那样容易受到操纵。

伪选择与自我欺骗

有线电视节目《佩恩与特勒之识破谎言》（*Penn & Teller: Bullshit!*）

中有这样一集：两名魔术师（或称为表演者）对瓶装水产业进行了测试。在证明瓶装水和自来水在水质上没有什么差别之后，魔术师提议进行品尝测试。在瓶装水广告中，生产商都说他们的产品不仅更加有益于消费者的身体健康，而且口感更好。但是，佩恩与特勒在纽约大街上进行的盲测结果却表明：与法国依云矿泉水相比，75% 的参与者更喜欢自来水的口感。

调查的第二阶段是在一家高级餐厅进行的。他们雇了一名演员扮演“送水服务生”。这名“服务生”向比较容易轻信的就餐者提供了一份由皮革装饰的酒水单。所列瓶装水的名称有富士山（Mount Fuji）、L’eau du Robinet 等，费用高达 7 美元一瓶。服务生向就餐者介绍各种品牌瓶装水的好处，例如它是“一种天然的利尿剂，并具有抗毒素的作用”。如果就餐者决定购买，服务生就会将水倒进他们的玻璃杯中，然后把剩下的半瓶水放回餐桌旁的冰酒桶中。他还会征求顾客对口感的意见。有的就餐者对瓶装水的评价是口感明显优于自来水，比自来水“更清新”或“更柔和”。

你可能已经看出了其中的诡计：所有的水都是“一种天然的利尿剂，并具有抗毒素的作用”，而且 L’eau du Robinet 的意思就是“自来水”。的确，除了包装上写着来自遥远的地方，所有外表看似高贵的水的来源都非常普通：餐馆后面的水龙头。“服务生”用软管和漏斗灌装了这些瓶装水，一想到将要为顾客讲解各种瓶装水的特点，他就忍不住轻笑。

佩恩和特勒在调查中感受更多的是娱乐价值而不是科学价值。但是类似的研究也得出了相同的结论。在一项研究中，加州理工学院和斯坦福大学的研究人员邀请初学品酒的人品尝标价为每瓶 5～90 美元不等的 5 种葡萄酒。在盲测中，实验参与者对每种葡萄酒的喜好程度相同，但是当他们看到标价后，便都更倾向于更贵的酒了。参与者并不知道他们实际上喝的是同一种葡萄酒，只是标价不同而已。

无论是产品商标的颜色，还是产品自身的颜色，抑或是产品的包装，都会对人们的喜好产生影响，但盲测中却不存在这种现象。为什么会出现这种情形？难道是我们不知道自己的喜好？正如我在第 3 章中提到的，我们在很大程度上倾向于根据事物的身份进行选择。当我们说我们喜欢 L'eau du Robinet 或更昂贵的葡萄酒时，它们可能是“皇帝的新装”的情形——我们不愿意让自己或让别人觉得自己在味觉上不讲究或者更喜欢劣质酒而不是优质酒。但是，这是否会在更深的层面上影响我们的选择？我们不是鉴赏专家，大部分人都需要根据事物的外部信息进行选择。像我们接下来会看到的那样，有些信息可能比其他信息更有益。

举例而言，你更喜欢瓶装水可能是因为你觉得瓶装水比自来水更干净。并非只有你一个人这样想：一半以上的瓶装水购买者部分或完全出于安全方面的考虑。刺激消费者购买的不是身穿白衣的代言人通过统计数据宣称饮用瓶装水的益处，而是瓶身上带有诸如纯天然阿尔卑斯山泉的图片。一方面，它表明该瓶装水源自未遭到人类破坏的阿尔卑斯山脉；另一方面，它也说明“从山泉中灌装的瓶装水在质量、口感和新鲜度方面更有优势。两者间是有差别的”。几乎所有的瓶装水标签上都注明了该产品是“纯净的”、“新鲜的”或“天然的”，当然，这些也都可以在山脉、山泉、冰川和其他自然环境下水源的图片中看到。瓶装水给人们的暗示是没有用这种瓶子包装的水可能是不纯净的、非天然的，还可能对人体有害。这种广告策略看起来虽然非常简单，却取得了极大的成功。1987 年，美国人均消费的瓶装水量为 5.7 加仑[①]。20 年后，人均消费量上升至 27.6 加仑，几乎是 1987 年的 5 倍，比牛奶或啤酒的消费量还要大。

进一步的调查表明，瓶装水所宣称的神奇之处其实是一个骗局。水晶高山泉水实际并没有它声称的比厨房里的自来水或竞争者生产的水更优质或口感更好，或是更新鲜。这其中可能会“存在差别”，但差别是什么，与什么相比有差别？这种策略的法定术语叫“吹捧”，美国联邦贸易委员会（Federal Trade Commission）将其定义为“一般消费者不会认真对待”的主观声称。吹捧包括了劲量兔式[②]的夸张，像其中“最好的”“革命性的”“精致的”“美食家”“你会喜欢的”“更年轻”等术语，以及其他大量听起来吸引人却没有什么具体意义的时髦词。但是，很明显，人们会很认真地对待这些吹捧，至少当商家认识到它对销售的促进作用后会继续使用它。

瓶装水消费者当然对吹捧非常买账——他们对瓶装“精华”的重视程度比自来水高 1 000 倍。但是事实证明有四分之一左右的品牌瓶装水都是自来水，直接来自为家庭和公共用水提供水源的市场水源。其他品牌的瓶装水的标签在技术层面上都是正确的，但是产品通常不能达到其暗示的承诺。以雀巢的“波兰春天”为例，其取水井为人工水井。其中一口井位于停车场的下方，还有一口位于垃圾场和废弃的非法污水处理厂之间。虽然这些在定义上也属于“泉水”——自然涌到地面上的地下水——但是完全不像瓶上标签勾画的

① 美制 1 加仑为 3.785 升。——编者注

② 劲量兔为劲量电池中的广告角色，是一只粉红色的兔子。——编者注

那样来自一个田园诗般的地方。事实上，美国自来水水质标准比瓶装水标准更严格。因此很可能瓶装水与自来水相比是有差别的，那就是它还不如自来水好（尽管在大部分情况下，自来水和瓶装水都是非常安全的）。

我们通常认为自由市场的运作可以淘汰劣质产品或人们不需要的产品。毕竟一个独立的品牌要想在激烈的市场中生存，就必须为消费者提供更好的产品。难道竞争者不会揭穿一个品牌虚假或超乎事实的夸张的广告吗？事实并非如此，尤其是当与“敌人”串通比揭穿同类产品背后的共同秘密更有利可图时。（难道之前我们没有见过诸如此类为了共同的利益而相互利用的例子吗？）当不同的品牌属于同一家特大型企业时，它们便会积极合作。情况通常都是这样的。

在我们费尽心思区分各类矿泉水时，我们却发现圣培露矿泉水（San Pellegrino）和巴黎水矿泉水（Perrier）同属雀巢公司，而且同属雀巢公司的还有其他 28 种品牌的矿泉水。因此，你不会看到这些品牌相互间存在如百事可乐和可口可乐一样的广告竞争。美国最畅销的两个瓶装水品牌分别属于百事公司和可口可乐公司，但是两家公司在瓶装水方面的广告均不如其在软饮料方面的广告力度大。这种现象并不仅限于瓶装水行业。菲利普·莫里斯公司（Phillip Morris）和雷诺公司（R. J. Reynolds）分别是美国奥驰亚集团（Altria Group）和雷诺美国（Reynolds America）旗下的子公司，占有美国烟草市场约 80% 的市场份额。它们旗下的品牌有 47 种，包括骆驼、基本香烟、库尔、切斯特菲尔德、百乐门、云丝顿、沙龙、维珍妮，还有万宝路。美国超市中大部分谷物产品都来自家乐氏公司（Kellogg）或通用磨坊公司（General Mills）；大部分的美容产品都来自巴黎欧莱雅或雅诗兰黛。

在几乎所有的商业舞台上，生产商或是合并，或是被收购，或者销售自己的品牌产品。这样的结果是，少数特大型企业可以在产品上架前决定产品的品种。这些企业并不想真正地制造丰富多样的产品，它们只是将图片上的差异最大化，制造不同的假象，进而吸引更多的各类消费者。

标价为 1.3 美元的水晶高山泉水与标价为 1 美元的全食公司的 365 有机泉水（Whole Food's 365 Organic）来自同样的水源。实际上，超市中很多品牌的产品只是标签不同而已。美国食品与药品管理局（FDA）要求未注册的药品与注册的药品效果相同，但是前者更便宜。有时候，它们甚至是由同一家公司生产的（在这种情况下，未注册的药品被称为“授权仿制药”）。比如抗胆固醇药物辛伐他汀（Simvastatin）由默克公司（Merck）注册为舒降之（Zocor）品牌；未注册的药品同样也是由默克公司实验室生产的，同样带有默克商标，通过瑞迪实验室以未注册药品的形式出售。

即使产品并不完全相同，它们之间的相似度也超乎我们的想象。虽然兰蔻和美宝莲品牌的产品外观及针对人群不同，但都是欧莱雅旗下的品牌。其哑光粉底是由同一家工厂生产的，粉底的成分几乎是一样的。根据“化妆品警察”宝拉·培冈（Paula Begoun）的说法，这两种粉底在效果上并没有什么不同。人们选择购买售价为 37 美元的兰蔻柔美哑光慕丝粉底而非售价为 8.99 美元的美宝莲梦幻哑光慕丝粉底，两者之间的差价并不是因为产品质量，而是一些隐性因素。

这些公司这样做是因为它们不仅控制着特定的产品，还控制着它们实际上并不存在的竞争者。这样就能使消费者难以辨认差别的真伪。我们倾向于认为越贵的产品质量越好。如果便宜的产品效果也非常好，那么生产商也一定会做宣传的，不是吗？但是，如果两个品牌都属于同一家公司时，以不同品牌销售同一种产品，并制定不同的售价，有利于公司获得更高的利润。

这种策略的结果是，虽然我们感觉有很多选择，实际上真正的选择却很少，从而使选择变成了一个令人苦恼的问题。人们漫无目的地花费很多精力从大量选项中进行筛选并做出选择。人们会求助于网络、新闻和其他各种途径辨别吹捧的真伪，以做出更有意义的选择。但是，即便是最公正的资料也不能保证今天的新发现不会变成明天的反面推荐。所以我们知道的信息越多，我们就会变得越困惑。你会感到头晕目眩，说："我不在乎这些会不会操纵我的选择。我渴了，只想喝瓶水，水晶高山泉水就挺适合我的，它看起来非常纯净、清爽。"没有人会因为一些小小的决定而痛苦不已，也没有必要这样做。但是当我们需要选择的是自由和控制权时，我们还能当自己是一名普通消费者，假装自己做出了有意义的选择来欺骗自己吗？

蓝色药丸和红色药丸

闹铃把你从睡梦中吵醒，由于昨晚熬夜，你仍感觉疲惫不堪。你在床头柜上摸到了一瓶水，开口痛饮前，你在朦胧中看到上面的标签："……天然……新鲜……环保。"看到这些，你已经感觉很好了，尽管你还是需要一些咖啡因。家里的咖啡已经被你喝光了，你又不想在上班的路上再去买，于是你去厨房的冰箱里拿了一听可乐。妈妈看到这些一定又会唠叨的。你将可乐一饮而尽，然后去卫生间刷牙，发现牙膏也快用完了。于是你告诉自己晚上回来的时候记得去超市买。实际上，你现在应该写一份购物清单。还有几分钟的空余时间，于是你拿起电话旁的便笺纸和一支钢笔，懒懒地坐在了绿色的沙发上。

就在这时，门铃响了。啊？你瞥了一眼时钟，这么早应该不会有人来呀。也许你根本不必理会。你继续写你的购物清单，这时候门铃又响了。你用手整理了一下头发和睡衣，然后走到门口。通过门上的猫眼，你看到了一个全身黑色装扮的男人。他的身体微微前倾，不知道为什么，你感觉他有一些重要的事情要告诉你。如果你开门的话，你的生活将会发生改变，而且不是以和出版者促销顾问公司（PCH）有关的方式发生改变。你深吸了一口气，给他开了门。

“我不知道你是否已经准备好看我要给你的东西了，但不幸的是，我们已经没有时间了。”他说。

“要喝点儿什么吗？”你问，“可乐？”

他皱了皱眉头：“我想要解放你的思想。”

“哦，谢谢。”也许你根本就不该开门，但你还是密切地关注着他。

“所有这些，”他说，“都是你思想的禁锢，都是一个控制我们的梦幻世界。你想看看真实的世界吗？”他把手伸进衣兜里，拿出了些什么，然后在你面前摊开，他的双手手心里各有一颗药丸。“吃下蓝色药丸后故事就会结束，你也会醒来，相信你所相信的一切；吃下红色药丸，你会继续待在梦幻世界里，我会告诉你梦境有多深。记住，我说的都是真的。”

你刚醒来没多长时间。你该如何做出决定呢？你应该更清醒一些。你为什么会把手伸向红色药丸呢？把它吃下去后，你的视线开始变得模糊，周围开始变暗。不一会儿，你已经开始下沉，并且不知道自己在哪里。然后你醒了。

———

上述情景来自 1999 年的电影《黑客帝国》(*The Matrix*)，这部电影向我们展示了人类被人工智能机器奴役的世界。科学技术飞速发展，有时让人们禁不住想:《黑客帝国》会不会不是一个推测，而是一个预言呢?

“如果我们不小心行事的话，终有一天这会变成现实。”有人说。

“别傻了，那只是科幻电影里的情景罢了。”其他人说。

“傻瓜!”少数人说，“这已经发生了。你认为是我们在控制自己的生活吗? 不是的。我们周围的力量在影响我们的一切，并改变着现实生活中的点点滴滴。”

你会发现，自己属于前面两组人中的一组，或者自己在两组之间徘徊。但是想想给你药丸的那个神秘男人，他肯定属于占少数的第三组。他可能是个幻想狂。但是这并不意味着那些强制力不存在。指导我们做出选择的重要机制经常是超出我们知识范围的，甚至会让我们感觉自己不是人类。在《黑客帝国》中，人类保留了他们的肉体，但是这些肉体只不过是人工智能机器帝国的发电机而已。插上电路，他们就是一个看似正常的社会程序的一部分，而且总是会被他们的敌人——机器主人——榨干。因此，他们本身也只是机器而已。“机器人”(robot)这一词语源于捷克语“robota”，其含义是“强制劳动”。在这里完全可以用来形容人类。

如果认为自己受制于某个程序，受到资本主义势力的控制，那么我们可能会觉得自己是机器人。选择? 哼! 我们真正可以选择的就是吃哪颗药丸。我们应该选择红色药丸吗? 我们应该说谎吗? 我们应该责备试图利用我们的偏见，创造不存在或几乎不存在的差异的市场营销人员吗？或者我们应该选择蓝色药丸？毕竟，如果可以获得真实感受的话，那么不真实的感受又是怎样的呢？如果我们不是用玫瑰这样甜美的词语来表述玫瑰，那么用其他效果较差的名称表示玫瑰将会使它逊色很多，或者不是用可口可乐，而是用其他差一些的名称表示可乐，难道差别就会真实地展现在我们面前吗？我们应该是去梦幻世界旅行，还是待在原地呢？

圣诞节只选可口可乐的秘密

一名妇女躺在一台像棺材一样又暗又窄的巨大机器里，耳边充斥着嘈杂的敲击声。她的头部被放在一个固定的笼子里，动弹不得，这个笼子象征着对她思想的禁锢。她只能通过一根管子获得一些简单的碳水化合物溶液作为食物，浑身上下能动的只有眼睛。她可以观看前方屏幕上闪烁的画面，墙上的设备通过空气向她的大脑发送电波，从而使计算机获得她思考的信息。世界最终变成这样了吗？我们应该听信这些阴谋家和世界末日鼓吹家的话吗？

实际上，这是2004年在休斯敦进行的一系列无害研究的一部分——一种不同类型的盲测。研究的第一步非常简单且直接：让参与者喝一小口可口可乐或百事可乐，但不告诉他们喝的是哪种饮料，然后问参与者更喜欢哪种。两种可乐的喜好者比例相近，调查表明生活中两种可乐的购买者也大约各占一半。有趣的是，声称喜欢可口可乐的人都比较偏爱未贴标签的百事可乐，反之亦然。研究人员对这一结果感到非常惊讶。为了确定第一次的结果并非意外所致，他们找了不同的参与者重复了多次实验。

如果人们真是根据自己的口味偏好购买碳酸饮料的话，那么他们的选择并不怎么样。通过抛硬币的方法，正面朝上为可口可乐爱好者，正面朝下为百事可乐爱好者，就会得到与上述研究相同的结果。这到底是怎么回事呢？下一步，在经过上述怪异的“洗脑”过程后，对之前自称为可口可乐或百事可乐爱好者的参与者进行功能性磁共振成像（fMRI），通过高能量磁场来追踪大脑中的血液流动以监测大脑的活动。腹内侧前额叶皮质是大脑中反映令人愉悦的味道的部位。事实证明，当喝入自己偏好的口味的可乐时，腹内侧前额叶皮质更活跃。在此次测试中，他们从单纯的感觉方面对咖啡因、糖和调味品进行了评价。

当然，在现实生活中喝可口可乐或是百事可乐的时候，我们很少进行盲测。在后续的调查中，研究人员又用功能性磁共振成像进行了碳酸饮料的测试。研究人员告诉参与者，他们喝的可能是可口可乐，也可能不是。其中一半的饮料是用可口可乐罐盛装的，另一半采用不带任何厂家信息的彩色罐。结果表明，75% 的参与者认为可口可乐罐中的饮料更好喝，但事实上所有的参与者品尝的都是可口可乐。可口可乐包装的出现还引发了大脑中其他区域的活动，如引起先前情感体验的海马神经元和背外侧前额叶皮质的活动。换句话说，人们在“品尝品牌”。对他们的大脑来说，可口可乐罐装的饮料确实比彩色罐装的饮料口感更好。当人们看到熟悉的红色易拉罐时，味蕾发出的信号便被大脑的其他活动淹没了。而当采用百事可乐和百事标识进行实验时，却没有产生相似的效应。这表明人们对百事可乐的感觉与对可口可乐的感觉不一样。为什么会这样呢？

多年前，在一次乘飞机旅行时，我就开始思考这个问题的可能答案了。在提供饮料服务的过程中，当乘务员对我旁边的乘客说，她们只提供百事的产品时，这位乘客非常生气。“先生，我们不提供可口可乐。”乘务员说，“请您改喝百事可乐好吗？”他当然不愿意！我问他是否真的能区分这两种可乐，如果可以，他为什么更喜欢可口可乐而不是百事可乐呢？“我并不确定我可以区分出来，”他说，“可口可乐似乎总是好的。我的意思是，可口可乐就像是圣诞节。如果生活中没有圣诞节的话，那会怎么样呢？”

但是，为什么是可口可乐更像圣诞节，而不是百事可乐呢？可口可乐的成分包括碳酸水、高果糖玉米糖浆、焦糖色素、磷酸、咖啡因和天然香料。百事可乐的成分也是相同的，而且天然香料的口味基本一致。这两个品牌之间确实存在一定的差异，百事可乐稍甜一些，而可口可乐和当初创立时（当然是去掉可卡因以后）的口味相同。但是标准盲测结果表明，这些差异是可以忽略不计的。那么人们偏爱可口可乐是因为其标识吗？

自 1885 年被发明以来，通过极具侵略性的创意广告，可口可乐已经融入消费者的思维和美国的文化中了。可口可乐是最早意识到形象比产品更重要的公司之一。在过去的一个世纪中，可口可乐公司已经在宣传方面花费了数十亿美元，使其商标无处不在，红色的易拉罐大量地出现在电视广告、杂志广告，尤其是好莱坞电影中。自 1932 年以来，可口可乐的标志就一直被展示在纽约时代广场上。在第二次世界大战中，可口可乐公司一共派遣了 248 名“技术观察员”随军到美国以外的战地前线灌装可口可乐。诺曼·洛克威尔（Norman Rockwell）被委托创作一幅美国乡村男孩在游泳池中喝可口可乐的画作。大家一定还记得那支可口可乐广告：来自世界各地的年轻人都站在山顶上唱一首歌，歌词中有一句是“我想为这个世界买一瓶可口可乐”。那首歌是当年十大“金曲”之一——人们在花钱听广告！很明显，可口可乐远不只是一种饮料。

事实上，不管可口可乐代表什么，它就是圣诞节。当你想到圣诞老人时，你会想到什么呢？你会看到一个可爱的胖老头，他身穿红袍，脚穿黑色靴子，头戴红色的尖帽，扎着黑色的腰带。他红润的脸上总是带着慈祥的微笑。圣诞老人的形象是瑞典插画家哈登·桑德布洛姆（Haddon Sundblom）在为可口可乐公司创作圣诞老人为全球口渴的孩子发放可口可乐的广告时创作的。“在桑德布洛姆创作圣诞老人之前，圣诞老人插图的样式是多种多样的，衣着有蓝色、黄色、绿色，还有红色。”马克·彭德格拉斯特（Mark Pendergrast）在他的《可口可乐传》（*For God, Country and Coca-Cola*）一书中说，“在欧洲艺术中，圣诞老人通常是个子高高、骨瘦如柴的形象，而克莱门特·穆尔（Clement Moore）在《圣尼古拉斯来访》（*A Visit from St. Nicholas*）一诗中却把他描绘成一个小精灵。在软饮料广告之后，他开始变成一个高大、宽容、扎着宽宽的腰带、穿着黑色长筒靴的胖老头。”你是否发现圣诞老人袍子的颜色和可口可乐标志的红色完全相同？这并不是一种巧合：可口可乐公司对这种颜色享有专利权。圣诞老人绝对代表了可口可乐公司。

事情并不只是如此。我的经验告诉我，可口可乐还代表了自由。还记得我的柏林之旅吗？在 1989 年 11 月柏林墙倒塌之后的纪念活动中，现场还免费发放了可口可乐。在我多年研究可口可乐的营销活动中，我突然想到了免费的可口可乐。是的，在我们庆祝自由的时候，我确实拿着一听可口可乐。我记得当时自己一只手里骄傲地举着柏林墙的图片，另一只手里拿的就是一听可口可乐。可能我对可口可乐的偏好就是从那一刻建立的，我同时还感受到了自由和其他“美国理想”。

2004年，在纽约时代广场可口可乐新标志揭幕仪式上，纽约市市长迈克尔·布隆伯格（Michael Bloomberg）在国家电视广播中说：“这个广告牌就代表美国……可口可乐公司是纽约市伟大的合作伙伴，也是美国伟大的合作伙伴。它代表着一切美好的事物。”这段话反复播放的结果是当我们看到可口可乐标志的时候，我们就会感觉很好。这些积极的情感会让我们感到饮料的口感更好。可口可乐尝起来不仅是甜的，而且是自由的。

房间里500磅重的大猩猩

作为自由爱好者（和可口可乐爱好者），你可能会想自己肯定可以做些什么，来抵制你参与或指导的每一步行动中所消耗的金钱和精力。比如，你会更加留意。是的，也许有时你看起来很疯狂、很愤怒，但是，这是你“解放自己的理智”必须付出的代价。在这一方面，我非常乐于提供帮助，让我提醒你这一策略存在哪些可能的陷阱。

在有关注意力的心理研究中，有这样一部著名的短片：6名同学被平均分为黑白两队，分别穿着白色和黑色的队服，各队队员来回传递一个篮球，同时队员的位置也在不断地变换。观众的目的是要弄清楚白队共传了多少次球。我建议你进行一下这个测试，如果你想参与的话，可以登录网址 http://viscog.beckman. uiuc.edu/.ashmovie/15.php。

视频中包含大量活动，所以，如果你想数正确的话，你需要全程关注白队的活动。完成测试后，请看下文。

白队传了 14 次球。如果你得到的就是这个数字或接近这个数字的话，那么恭喜你！顺便问一句，你注意到视频中稍微古怪的地方了吗？也许你需要倒回去再看一遍，这次你就无须集中注意白队了。看完后，请看下文。

在视频大约播放到一半的时候，一个身穿大猩猩服装的男人会平静地从屏幕的右侧走到中间，对准摄像机，朝胸部捶几下，然后再从左侧退场。若你的注意力分散了，你肯定会注意到这一幕的。但是，如果你正在注意白队而忽略黑队的行动的话，黑色的大猩猩就好像根本不存在了。

这个练习反映的是我们注意的范围通常比我们意识到的窄得多，我们会优先关注与当前任务最相关的部分。如果你的书房里正好有一座滴答作响的时钟，在我提到它之前，你也许根本不会注意到它发出的滴答声。另外，你是否有过这样的经历：你还是坐在那个房间里，突然间你感觉非常安静……非常非常安静。然后你突然意识到：那座时钟已经停止一会儿了。我们为什么会注意到滴答声消失，而没有意识到它的存在呢？

前一章中提到人们的意识以两种系统同时运行：一种是有意识的、有反思的；另一种是无意识的、自动的。人们的反应系统很容易被信息淹没，但是自动系统更简单，容量也更大。因此，在有意识地注意到信息之前，我们会下意识地记录这些信息。在玩“小金刚”游戏的时候，我们会忽略关口前的小角色。其实我们并不是没有看到他，而是我们没有意识到自己看到他了。在这种情况下，自动系统会记录这些错过的信息，它还会自动地翻译这些信息，并按照结论中唯一可行的方式行事：向反应系统发送感官信息。在有意识的过程中，我们会有像“大猩猩大小”一样的空白，但是这些空白中的事物还是会强烈地影响我们的选择。

约翰·巴奇（John Bargh）是耶鲁大学的一名社会心理学家。在他的职业生涯中，他致力于研究我们在无意识情况下的判断、意见、态度、行为、印象和心理。在他富有见解的研究中，有这样一项研究：给纽约大学的30名学生每人5个单词，比如“他、它、藏、发现、立刻”，单词的顺序是随意的。然后让学生们用这5个单词中的4个造句。在一组任务中，一组单词所描述的事物都与老年人有关，比如焦虑的、年老的、灰白的、感情脆弱的、博学的、退休的、布满皱纹的，甚至还包括宾果游戏和佛罗里达。但是这些单词都小心地避开了“缓慢”这个单词，具体原因你一会儿就知道了。另一组所使用的单词都与老年人无关，比如渴望的、干净的、私人的等。

研究人员告诉参与者，这是一项语言熟练程度测试。在参与者完成造句后，研究人员会感谢他们的参与，并告诉他们从实验室到电梯需要经过的走廊。在参与者从实验室门口走到电梯的过程中，研究人员暗中观察这些参与者，并记录他们走这段路花费的时间。研究人员发现，与第二组参与者相比，第一组参与者所花费的平均时间大约要多15分钟，虽然这两组参与者看到的单词都与速度无关。

这个结果非常有意思。首先，这说明自动系统会协调、参与复杂的脑力活动。参与者的大脑会记录与老年人相关的词语，然后将其与大脑中已有的知识相联系，就会联想到步行缓慢这个概念，这些都不是有意识的知识。在完成测试后，即使很明确地问这些参与者，他们也会说没有注意到这些词语与老年人有关系，他们不认为造句任务会影响他们的行为。

其次，结果还表明，即使在我们没有看到选择的情况下，潜意识也会对人们各方面的行为有很大的影响。最终，我们的步行速度会像我们的肢体语言、面部表情和演讲风格一样受到无意识的控制。在我们努力持续练习这种控制之前，我们都会听从自动系统的指令。用约翰·巴奇的话说，就是“日常生活中的大部分思考、感觉和行为都会自动地受到当时环境的驱使……而无须有意识选择或反应的参与”。就像冰山只有 1/10 浮在水面上一样，我们的意识也仅占思维的一小部分。据估计，约有 95% 的心理行为是潜意识的和自动的。在没有意识的干预下，外部驱动力会完全影响我们的选择。

思维中信息的储存方式不是按字母或时间顺序，也不是按杜威十进制系统，而是以信息间的关系网储存的。所以，在看到特定的信息时，我们会很容易地记起与之相关的信息。在这种情况下，“信息”并不仅仅意味着事实，它还包含如何移动你的手、如何品尝柠檬，以及你初吻时的感觉如何等信息。我们可以有意地利用这一系统，比如创建一台记忆设备来帮助我们复习考试，回顾过去以判断我们应该在哪里放一些规避的提示，或者只是回忆过去。这种联想在通常情况下是自动的（而且我们经常意识不到）。我们将激活这些自动联想的事物称为“引物”，将其对我们的精神状态和潜意识选择的影响称为“引发”。当你想象自己在咀嚼一片柠檬时，你是否会感到牙床很酸？或者多年后当你在收音机上听到《你的歌》时，你是否会想起你的情人？这就是一种行为的引发。当人们看到可口可乐罐时会觉得可口可乐的口感更好，或者人们看到圣诞老人时会特别想喝可口可乐，这也是一种引发。

如果没有引发，我们所看到的广告和其他事物对我们选择的影响可能要降低一半以上。如果你买了一件衣服，并看到某位名人也在穿同款衣服，在联想的作用下，你就会觉得自己更加有魅力。你喜欢某个品牌的止咳糖浆的部分原因可能是，广告中扮演医生的英俊演员会在你生病时在你的脑海中给你一定的安慰，即便你知道他一点儿都不了解你的病情。事实上，引发会让广告中的所有产品都变得更加光鲜动人：如果电视中的俊男美女使用德纳姆（Denham）牙膏，那么当你在现实生活中也使用它时，你肯定会感觉自己更具吸引力。这些听起来挺愚蠢的，但是这种完美的感觉确实会传到大脑的自动系统中。它就像一种思维的搜索引擎一样，会为我们提供一份与搜索内容最相关的内容的列表，而不管相关的内容是否是我们想要的。就像在搜索引擎中一样，广告商会非常熟练地利用这个系统获得更多的好处。

引发会对人们的情绪、感觉和选择产生渗透作用。引物引发的联想并不会特别强烈，也不需要有多强烈。因为我们意识不到它们的影响，所以我们即使在有意识的决策过程中，也无法弥补。而且引物本身也可能会在潜意识中渗透，防止我们意识到自己已受到影响。潜意识的信息便是一个典型的例子，尽管流行文化已经在很大程度上扩大了它们的范围和影响力（但你不会因为哼唱的重金属乐曲中让你反对社会而退学）。事实可能非常适中。通常人们眨眼的时间是 100 毫秒，而出现在屏幕上仅 5～30 毫秒的简单文字和图像可能就会在潜意识中影响我们的情绪和选择，这简直不可思议。在一项研究中，研究人员让两组参与者观看一部短片，其中一组人观看的短片中会重复地闪烁“牛肉”这个词。结果发现，观看到闪烁“牛肉”单词短片的参与者更饿，但是他们并不是特别想吃牛肉。这些我们认为太短而不会引发我们有意识感知的潜意识信息其实只存在于实验室中，在现实生活中，除非有意识地加以关注，其实任何刺激在功能上都可能是潜意识的。

这是否意味着人们会受那些除非在高度警觉下才能察觉到的或者根本察觉不到的影响的支配？我们会与潜在的转变我们大脑思维的强制力进行无谓的抵抗吗？如果你的回答是肯定的，你就可能像进入一场冒险电影一样，只不过现实会更加复杂。一方面，现实生活中对我们影响最大的选择不可能自动发生。除非你在拉斯维加斯，否则你不会在早上醒来时发现自己在无意识的状态下已于昨晚结婚了。引发的作用是微妙的，而不是显而易见的。因此，它只会在边缘上影响我们的选择，而不会使我们与自己的价值观做斗争。引物可能会影响我们选择可口可乐还是百事可乐，但是不会使我们卖掉自己的一切，然后在喜马拉雅山的寺院中度过余生。

另一方面，即便我们的核心价值和态度不会受到潜意识的影响，但这并不是说我们执行核心价值的行为不会受到潜意识的影响。在联想形成和执行的过程中，自动系统不会区分到底是偶然的选择还是必然的选择，也就是说，在现实生活中，即使是最重要的选择也会受到与我们表达的偏好相反的影响。比如，我们在进行公民投票时，我们的选择主要是根据自己对问题的看法，这是不言而喻的。但是，我们可能会在无意识的情况下受到投票的物理环境的影响。乔纳・伯格、马克・梅雷迪斯（Marc Meredith）和 S. 克里斯蒂安・惠勒（S. Christian Wheeler）进行的研究就说明了这一点。他们的研究分析了 2000 年亚利桑那州大选的结果，其中包括人们如何对第 301 号法案（将该州的销售税从 5.0% 提高到 5.6%，以增加教育开支）投票。研究人员感兴趣的是投票地点是否会对投票行为产生影响。

美国选举时投票的地点有很多，包括教堂、学校、消防站等。人们一般会选择到离居住地点最近的投票点投票。研究人员发现，对于第 301 号法案，选择在学校投票的人群中，有 26% 会选择支持学校，高于在其他地点投票的支持率。为了确认这是由投票地点造成的，而不是其他原因，比如支持教育的人会选择在学校附近居住，他们进行了一次在线测试，来模拟在学校投票的影响。作为个性测试的一部分，在让参与者为第 301 号法案投票前，研究人员先让他们看一些与投票无关的学校或普通建筑物的图片。结果表明，看到学校图片的参与者更愿意支持通过提高税率来为教育提供资助。

如果我们非常坚决地确信自己的观点，也许我们就不会受到这种影响了。但是大部分需要我们考虑价值观的问题都不是非黑即白的问题。很多时候，我们需要衡量各种选项，在不得不面对这些问题时，我们甚至可能都不知道自己是怎么想的。投票的地点可能包括一些引发支持的感觉的线索，如学校里粉笔灰的味道、教堂圣坛上许愿蜡烛的火焰等，对于那些还不能确定学校资金与销售税提高 0.6% 的关系或者在去投票站前还未确定选项的人来说，这些引物就有可能产生影响。

选择候选人可能是一个更困难的投票抉择。这不是处理一个单独的问题，我们需要确定哪位候选人能更好地利用自己的权利。除了需要面对了解候选人的最佳政策以及哪位候选人在这方面最符合的难题，我们还需要考虑各位候选人的能力、可信任度和许多个人因素。即使是我们在认真分析候选人的优缺点的时候，自动系统也会向我们注入一些信息，而这些信息可能与我们的分析有关，也可能无关。问题是我们无法保证最终的选择只是基于相关的信息确定的。

例如，即使我们知道候选人的外貌与其能力几乎没有什么联系，但外貌还是会影响我们的选择。一项对 1974 年加拿大国家选举进行的研究发现，最有魅力的候选人获得的选票是最没有魅力的候选人的两倍。2007 年开展的一项研究表明，在 70% 左右的选举中，人们都是以候选人的外表判定其是否更有能力的，即使看到候选人照片的时间仅有 1/10 秒。其他的研究也支持了这个结果，同时研究还发现，与其他候选人相比，获选官员的个子一般都高几英寸①，而且很少是秃顶。许多研究还发现身高与工资水平是正相关的，尤其对于男性来说，身高每增加一英寸，工资就会增加 2.5%，而且不管对于男人还是女人而言，有魅力的员工比没有魅力的员工的工资至少高 12%。事实上，一个人的外貌可能比工作质量更能影响面试的结果。在犯罪案件中，有魅力的被告受到的判决更轻一些，被释放的可能也是没有魅力的被告的两倍。

在上述情况下，没有人会说外表会影响其选择。当然，很少有人承认自己不公正的一面。人们在大部分情况下可能根本就没有意识到其中存在偏见。魅力和专业技能都是人们喜爱的特征，因此人们也会自然地将二者联系在一起，即看到其一便会联想到其二。社会文化也在加深二者之间的联系，从《灰姑娘》到所有的电影和电视皆是如此。在讲故事的时候，这些是无须冗长的背景便能描述人物的最理想或最快捷、最简便的方式；副作用是这些联想也会自动影响我们在现实生活中的判断。晒黑的皮肤和秃顶可能对于任何领域都不是有效的因素（时尚照片除外），但它们还是会影响我们的重要决策。

引发作用本身并没有什么戏剧性，但是人们行为的细微变化会对

---

① 1 英寸为 2.54 厘米。——编者注

世界产生重大的影响。还记得2000年那场声名狼藉的总统选举吗?阿尔·戈尔和乔治·布什分别获得了267张和245张确定性选票。除了佛罗里达州，其他州都对这件事进行了报道。候选人要想获得胜利，就需要获得270张选票，这就意味着佛罗里达州的25张选票对于确定总统人选至关重要。选举日一个月后才能知道最终的结果，但是由于佛罗里达州的竞争尤其激烈，而且选票的设计非常不好，因此，在佛罗里达州出现了大量投票错误。棕榈滩县混乱的“蝶式选票”明显造成了本来选阿尔·戈尔的数千名选民选择了帕特·布坎南（Pat Buchanan）；而数千张穿孔卡片式选票也因为纸屑没有与穿孔分离而不能被选票计数机读取，从而被取消了使用资格。这些争议引发了一系列的重新计算，最终还由最高法院进行了裁决。当事情最终尘埃落定后，在佛罗里达州，布什被宣布以多得537张选票获胜，虽然在以其他拟定计算方式计算时，有171张选票应该属于戈尔。

令人惊奇的是，“蝶式选票”的混淆和打孔选票上的纸屑可能并不是决定性因素。这些是设计程序不利于使用或者好的选票设计师可能还没有出现的典型事例。但是，选举结果的变动可能是由于布什的名字排在选票的最前面。这样做并没有什么邪恶的原因或偏袒的计划。各个州选票的排列顺序可谓千差万别，可能没有人认为这是非常重要的。选票有的是以名字的首字母顺序排列的，有的是以政党的首字母顺序排列的，还有的会把现任政党放在第一位。只有少数几个州会在选区间轮换候选人的排列顺序，以确保候选人之间的公平性。佛罗里达州的习惯是将现任州长所在的政党放在选票的首位。因为2000年佛罗里达州州长是共和党人杰布·布什（Jeb Bush，乔治·布什的弟弟），因此选票中将乔治·布什的名字放在了首位。

名字排在选票首位是否如此重要？最近斯坦福大学的教授乔恩·A. 克罗斯尼克（Jon A. Krosnick）对 2000 年俄亥俄州、北达科他州和加利福尼亚州的总统选举进行了一系列的研究。这三个州都是采用轮换的方式安排选票顺序的，这样研究人员就能监测候选人的名字排在第一位和其他位置时所获得选票的差异。研究发现，无论是布什、戈尔、布坎南，还是纳德（Nader），当名字排在第一位时，他便能获得异常明显的优势。产生最大影响的是在加利福尼亚州，布什排在第一位时获得了令人不可思议的 9.5% 的优势（所有候选人在各个州平均获得的优势是 2%）。对于政界而言，2% 是一个巨大的差异，为了看似不起眼的 2%，人们会奋力拼争。1960 年，肯尼迪就是以 0.2% 的优势击败尼克松的。布什的名字在佛罗里达州的竞选中一直都是排在第一位的，我们无法评估这在多大程度上帮助布什赢得了竞选，假设其为 1%——平均水平的一半——他就从中额外获取了 5 万张选票。如果选票按照轮换的方式排列，将其中的一半选票分给戈尔，世界上所有带纸屑的选票加起来都不可能帮得了布什，当今世界的格局也许会有所不同。

被操纵的选择

在现实生活中，我们都希望做出有意义的选择，但是当其他人操纵选项中分配的社会价值，操纵我们对选项好坏的认识，操纵我们的感官和情绪时，我们如何才能做出有意义的选择呢？在某种程度上，若将我们的世界与《黑客帝国》中的世界相比，可能结果比我们以为的更合适。根据抵抗派的领导墨菲斯（Morpheus）的话，母体就是一个“神经交互模拟系统”。在电影中，这种模拟是非常有害的。那个不承认这些、知道真相却认为母体制造的舒适的幻想很有魅力的人不仅是讨厌的，而且还是个叛徒。他的名字叫塞弗（Cypher）。在进行了多年的抵抗后，他决定背叛他的朋友，以便让机器将他放回母体中。“无知便是福。”他说。从名字、态度和事实上来说，塞弗在引申意义上都是与真理相对的。但是假如可以在“我们”和“他们”之间画一条清晰的界线的话，确定一个坏人就太简单了。当所有人都在其中时，当我们共同创造了我们的选择系统时，我们还可能将“真”与“假”分清楚吗?

有人可能会说，在我们的生活中，每个大脑都像是一个节点或一台独立的神经交互模拟器。所有这些模拟器产生的活动的总和创造了我们的世界，而且每个人都会感觉到通过自己的模拟器模拟的世界。避免其他模拟器影响的唯一方式就是选择离开网络，断开所有的连接，只在自己的头脑中生活。

我不建议大家通过像抛弃社会相互作用的自然的、不可避免的结果一样抛弃广告、引物等来忽视其所有的作用。对那些会影响我们决策的演员和导演，我们确实需要花费一定的时间来进行辨识。但是，我们无须在红色药丸和蓝色药丸之间进行选择——在超意识和狂喜的忽略之间进行选择。意识到其对我们的行为有潜在的影响并不意味着我们应当制定决策反对它。比如，利用一只小海豹的近照作为保护动物的海报肯定会在情感上影响我们（除非你对小海豹有莫名的恐惧），但是如果它让我们减低碳排放量的话，你会担心被操纵吗？与百事可乐相比，如果你更喜欢可口可乐，在知道这一偏好是源于他们的广告活动而不是他们的配方后（至少在短期内是不会改变的），你可能就会转向购买普通的可乐，这样做还可以节省开销。于是，你慢慢地就会像喜欢可口可乐一样喜欢普通的可乐了，但是你也许觉得你不只是喜欢可口可乐，而是非常、非常喜欢可口可乐。正如你所知道的，可口可乐公司不雇用童工，这也会给你带来好感。

对于看似想要控制我们或已经控制我们的事物，我们的反应就像膝跳反射。我们担心如果放弃控制，我们可能最终只会变成机器。我们的焦虑并不总是没有根据的，但是焦虑太多的话，往往会产生事与愿违的效果。问题可能在于我们倾向于将选择放在平台上，而太多的选择使我们希望所有的事情都倾向于我们的意愿。我们可以将与我们的价值观有冲突的事情和对我们基本无害的事情分开来。然后我们就可以有意识地检查自己的推理过程，以避免负面影响的隐秘作用。

是的，我们可以接受对我们味蕾的些许控制。也许我们并不介意购买青蓝色的毛衣，即使那并不是我们最想要的。但是当我们的投票受到我们没有意识到的因素的影响时，精神控制的期望似乎就不像是科幻电影那么简单了。如果民主的过程可以如此简单地被破坏，那么谁才是真正的主宰呢？这些问题真的值得我们小题大做一下。通过关注真正重要的事情，我们可以避免考虑一些不重要的选择。可以将这些节省下来的能量引导到我们的反应系统中，因为反应系统才是我们处理将在下一章提到的选择时所用到的系统。

第 6 章

更多选项，不代表拥有更多选择

24 种果酱的陷阱

你听说过著名的果酱研究吗？也许你朦胧地记得曾在报纸的一篇文章中读过，或者在鸡尾酒会上听某人说过。如果你没听说过，那么你很快就会知道了。有些人曾向我提起这项研究，他们中的有些人甚至还认真地思考过这个问题。当我遇到富达研究公司的总裁时，他是这样给我解释这件事情的："消费者喜欢有更多的选择，但是当他们面临一系列选择的时候，他们就不太可能购买果酱了。我们为客户提供的共同基金种类多达 4 500 种，所以这个研究给我们的启示是：把选择范围缩小。我们不断地建议我们的员工为顾客缩小选择范围。"

麦肯锡公司的一名管理人员说："由于了解了与果酱研究相关的一份内部备忘录的内容，现在顾问们正在使用 3×3 法则。根据这项法则，客户会首先从 3 个选项中做出选择，然后再从 3 个选项中选择，所以我们根本就不需要第三次的 3 个选项了。"在为人们提供选项时，银行经纪人、购物顾问、华尔街都在使用这一法则，以限制客户面对的选项的数量。

狂热的果酱研究信徒在上述情况下不会局限于会议室和商务会议。在一次乘飞机长途旅行的过程中，我和旁边的女士讨论了诸如去杂货店购物这样的琐碎事情现在变得有多烦人。"现在的选择实在是太多了。"她感叹道，然后她和我分享了她最近在《纽约时报》社论版看到的一些研究。她告诉我几年前有人在超市用不同口味的果酱做了一项研究。研究表明，与面对较多的可选口味相比，在面对较少的可选口味时，人们更愿意购买果酱。她说她不记得具体的细节了，但是她还记得这项研究，因为这与她自己的经历很相似。

这些年与我讨论过这件事的人们大都同意上文这位女士的看法。但并不是所有的人对这一研究的反应都是积极的。有些人并不同意书中或脱口秀中提到的这一结论。还有人告诉我拉什·林博（Rush Limbaugh）还曾把它作为一次激烈的长篇演讲的重点。他们争论的观点是公然的反自由！拥护这些观点的人肯定支持独裁主义、纳粹主义……人们怎么敢建议不要有太多选择呢？

由于我也参与了果酱研究，因此我也会给出这样的建议。但是现在这项研究好像并不只是我们的研究了，因为它引起了极大的关注，并且被人们描述成不同的版本。我并没有期望出现这些反应，我还在试图理解这一现象。从人们听说的、传递的不同版本中，人们开始意识到：多即是少。换句话说，就是过多的选择会带来较少的满足感、成就感或幸福感。过多的选择对我们无益这一结论已经像绘声绘色的小道消息或丑闻似的开始慢慢地向外渗透。“你听说那个与选择有关的消息了吗？”“我听说了！你相信那是真的吗？”人们开始对这个观点感到好奇，它听起来似乎是矛盾的。它的前提似乎是违背直觉的。它听起来是错误的，但是，至少有些时候，我们又觉得它是正确的。

我们都知道我们喜欢选择并喜欢拥有更多选项。“选择”这个词暗含的意义总是积极的；相反，“我几乎没有选择”通常表明一个人非常不幸，他（她）的情况受到了限制。我们认为如果有选择比较好的话，那么有更多选择会更好。虽然选择有许多优点，但是，大量选择也会使我们变得混乱，会使我们摆手大声说：“我不知道！选项太多了！有人可以帮我吗？”除了屈服于沮丧，我们还能如何消除选择过多带来的不利影响呢？当我们面临大量选项时，究竟发生了什么事情呢？最终会出现哪些问题呢？

大量选项带来了迟疑不决

让我们回到第 2 章，回到我做的与美国亚裔儿童和英裔儿童相关的研究。你会想起亚裔儿童对他们认为是由妈妈选择的智力游戏完成得最好，英裔儿童对他们认为是由自己选择的智力游戏完成得最好。我并没有告诉大家这一研究前的准备步骤，但是我现在想告诉大家，因为这才是故事真正的开始。

为了与科学调查的严谨性保持一致，在比较选择对两组儿童的影响前，我需要事先声明，选择实际上是对英裔儿童有利的。关于选择对激励的积极效应的理论和研究争论已久，所以，我假设在我的研究中没有任何问题。当然，我是错的。

我的调查是在帕洛阿尔托幼儿园的 3 岁儿童中进行的。我在一个房间中放满了玩具。乐高玩具？是的。神奇画板？是的。机灵鬼、万能工匠、七巧板、蜡笔？是的，应有尽有。然后让一个小朋友进入房间内，并告诉他可以玩任何一个玩具。到达预定时间后，再轮到另外一个小朋友。但是这个小朋友会被告知可以玩哪一个玩具，并且不能玩其他的玩具。然后依次轮换。最后，有一半小朋友有选择权，另一半没有选择权。其中一组玩得很高兴，当游戏时间结束后，小朋友们感觉很失望；另一组则很不在意，表现出无精打采的样子。他们分别是哪一组呢？答案似乎很明显：既然选择是具有激励性的，所以可以进行选择的小朋友们当然玩得更高兴。但是，我的调查结果为什么正好相反呢？

当时我还是一个年轻的博士生，我想给导师马克·莱珀留下一个好印象，因此，我决定消除那些不合适的结果，最终得到一个“正确”的结果。我重复了这个调查，结果还是一样。所以我决定做一些改变。也许我只是需要更好的玩具、更多的玩具。我从专卖店购买了各种各样最新的、最特殊的、最新奇的玩具。不久，房间中便堆满了一百多种玩具。我可以肯定，所有的小朋友——不管他有多挑剔——都会发现新奇的、令人兴奋的玩具。但是结果变得更加糟糕，那些可以选择的孩子变得更加厌烦和不安，他们甚至慌张地想逃离。这使我又回到了原点。

我仔细研究了有关选择的力量的开创性论文（至少对于欧美人是这样的，因为这些研究的参与者大部分都是英裔美国白人男性），寻找我可能忽略的任何细节。我重新读了那些描述各个年龄段的人在拥有选择权（比如，哪天晚上去看一场电影，或者选择解决哪个难题时），即使是面临有限的选择权时，也会更加高兴、更加健康、更加积极。如果你认为你可以选择，无论你是否真的进行了选择，你都会从中获益。如果像过去的实验证明的那样，少数的选择或者仅仅意识到自己可以选择是一件好事的话，那么更多的选择可能是更好的。虽然没有经过验证，但是这样的推理似乎更合乎逻辑——关键的研究从未为参与者提供过 6 个以上的选项。为了方便和易于控制，第一个这样的研究采用了 6 个选项，之后的研究也都效法，无一例外。

根据之前研究的提示，我又设计了一系列的新实验。将一年级和二年级的学生带到一个房间内，每次只带一名，让他们做画图并填色的游戏。这些学生被分成两组，其中一组可以有两个选择：从 6 个不同的主题（比如，动物、植物、房子等）中选择一个，然后再从 6 种不同的颜色中选择一种。另一组可以随意画图并随意填涂颜色。这次的结果与预想的相同。可以随意进行选择的一组学生愿意花更多的时间，而且他们画的画更好一些（独立观察人员的判断）。我同时还在亚裔儿童中做了对比研究，结果表明选择在英裔儿童中的优势更大。这下我松了口气，但我还是好奇为什么玩具研究会出现意想不到的结果。为什么那些小朋友不能像绘画研究中的儿童那样从选择中获得好处呢？是他们太小而没有独立决定的能力吗？还是我正在研究前人都不曾研究的领域呢？为了找到答案，我需要仔细地研究一下数字 6 与选择之间未揭开的秘密。

我很幸运地遇到了乔治·米勒（George Miller）。他现在是普林斯顿大学的一名心理学教授。当时他已经做了搜集素材和资料的大量工作。在他于 1956 年发表的论文《神奇的数字 7±2：我们信息加工能力的局限》中，米勒写道，他"被整数困住了"。这种情况好像无处不在，他相信"这种情况绝对不仅仅是一种偶然情况"。是的，"世界上有七大奇迹、七大洋、七宗罪，昴宿星团中阿特拉斯有七个女儿，人的一生有七个阶段，地狱有七层，主色调有七种，音阶有七个，每周有七天"，但是，米勒真正关心的是"7"这个数字与人们在任何时间可以处理的信息量之间的关系。

比如，在短时间内给人们展示大小不同的图形，然后让人们对图形的大小进行排序（1 代表最小，2 代表次之，依次类推）。当所给图形的数量不超过 7 个时，排序的准确率很高。但是如果数量超过 7 个的话，排序的错误率就开始增加了，人们或者认为两个大小不同的图形是相同的，或者认为大小相同的图形是不同的。研究发现，在许多感知判断中，我们的能力都存在相同的限制，这种情况包括识别或分辨几个点之间的位置、线的方向和曲率、物体的明暗程度、声音的频率和大小、振动的位置和强度、嗅觉和味觉的强度等。对于各种感觉，大部分人的辨别范围都在 5～9 种之间，如果数量再增加的话，便会出现连续的感知错误。随着数量的增加，平均每增加两种，判断的差异还是比较小的，但是这些并不会给我们造成困难：人们可以很简单地辨别出 5 种高频音调中的一种或 5 种低频音调中的一种，但是如果让人们在这 10 种音调中进行辨别，人们就开始犯糊涂了。由于人们可以简单地分辨高频音调和低频音调，因此，问题应该不是出现在特定音调的数量方面，而是出现在音调的总体数量方面。

如果让我们同时记清多个事物或事实，我们也会变得迟疑不决。如果有 1～200 个点在空白屏上闪烁几分之一秒，然后再问参与者看到了多少个点。当点的数量不超过 6 个时，参与者都能给出正确的答案。但当点的数量超过 6 个时，人们就开始猜测了。如果我们尝试储存 7 个以上的信息单元，比方说数字或单词，在短期内是可以的，但是不久之后，这些信息单元就开始消失了。

在我们进行选择的时候，我们会依靠上文提到的许多处理能力。我们必须注意到所有的选项，比较它们之间的不同，记住我们的评价，然后使用这些评价来确定等级。由于我们的能力有限，所以随着选项的增加，每一步都会变得更加困难。所以，尽管小朋友在绘画研究中可以处理 6 个选项，但是在玩具研究中面对上百个选项，小朋友们也会感到困惑。第一个研究的“失败”让我结识了米勒，米勒奇怪的烦恼又让我意识到了选择会让人忽略的重要而有趣的一面。人们应该开始研究少量选项和大量选项对我们日常决策的影响了。这就是果酱研究的起因。

从 5 到 9 的选择舒适区

1925 年，普鲁士移民古斯塔夫·德雷格（Gustav Draeger）在旧金山开了一家熟食店。在他的苦心经营下，生意发展迅速。在禁酒令结束后，他开了几家连锁酒品店。当他退休时，他已经开了旧金山第一家超市。他的儿子接手后进一步扩大了业务——关闭了原来的商店，同时又开了几家新店。当我读研究生的时候，我经常光顾门洛帕克的德雷格超市。这家超市以诱人的购物经历闻名。中庭的雕刻橡木柱、黑色大理石工作台、深色陶瓷地砖、2 万多瓶可供选择的酒类——所有这些都是将杂货店变成购买艺术的殿堂必需的因素（这里经常被带着相机的日本游客光顾）。

在这里，有最好的炊具以及 3 000 种特价食谱可供选择，你可以在二楼的烹饪学校学到一些技巧。如果你实在太饿了，等不及回家做饭，你可以在店内的餐馆花费 10 美元购买一个美食家汉堡（当时是 1995 年，麦当劳的汉堡卖 85 美分一个）。经过超市的走廊，你会看到 15 种瓶装水、150 种醋、近 250 种芥末酱、250 种不同的奶酪、300 多种口味的果酱，以及 500 种产品。可供选择的橄榄油的种类就逊色一些了，只有 75 种，但是差别并不体现在价格上，有的橄榄油具有上百年的历史，被锁在玻璃箱中展示，每瓶价格超过 1 000 美元。所有这些都在广告中进行了强调，都是德雷格的骄傲和荣誉。为了吸引更多的顾客，店内经常举办品尝活动，提供 20～50 种产品的不同样品供顾客品尝。由于店内选择很多，因此毫无疑问吸引了大量顾客的注意，但是注意力会转化为购买力吗？

超市的经理坚信选择的益处，他和我一样对问题的答案非常感兴趣。我说服他让我搭一个自己的品尝摊来做一次研究。（为了避免受到干扰，我并没有把事情告诉工作人员。）我和我的研究助理假装代表英国女王的果酱供应商—— Wilkin & Sons 果酱公司。我们选择这一品牌是因为我们需要多种口味的优质果酱。我们选择果酱是因为它品尝起来较容易，而不像醋或芥末酱，而且大部分人都喜欢或者至少不讨厌果酱。

品尝摊靠近超市的入口，这样大部分顾客都能看到，品尝摊是由两名友善的斯坦福大学的学生艾琳和斯蒂芬妮管理的。每过几个小时，我们就会改变一下供应的果酱的数量：很多种或少数几种（如下图所示）。数量多时包括 Wilkin & Sons 果酱公司生产的 28 种口味中的 24 种。（为防止人们只选择他们最熟悉的口味，我们去除了草莓口味、覆盆子口味、葡萄口味和橙子口味的果酱。）数量少时包括从多种口味中选出的 6 种口味：猕猴桃口味、桃子口味、黑樱桃口味、柠檬口味、红醋栗口味和三种水果的混合口味。另一名研究助理尤金站在品尝摊附近的炊具货架后面进行观察。他可以观察到有多少顾客走进超市，并记录有多少人停下来品尝果酱。他发现 60% 的顾客会停在有 24 种口味的品尝摊前，而只有 40% 的顾客会停在有 6 种口味的品尝摊前。（他是冒着被逮住的危险获得这些数据的。他一直隐藏在价值 300 美元的 Le Creuset 平底锅后面，超市的工作人员还以为他要偷那口锅呢。）

同时，在品尝摊前，艾琳和斯蒂芬妮还鼓励顾客尽量多品尝一些口味的果酱。不计品尝量的话，他们平均会品尝两种果酱。然后他们每人会获赠一张优惠券，如果在一周内购买任意一种口味的 Wilkin & Sons 果酱的话，就能获得 1 美元的优惠。想要购买的大部分人都会在收到优惠券的当天购买。因为我们不在品尝摊上销售果酱，所以顾客必须去果酱区选择果酱，再到收银台付款。他们在果酱区也许会注意到一名正在拿着夹板清点存货的工作人员。实际上，他就是我们小组的另外一名成员麦克，他正在暗中观察那些顾客。他发现在 24 种口味品尝摊前品尝过的顾客会感到很困惑。他们会查看不同的果酱，如果他们旁边有其他人的话，他们还会讨论各种口味的优点。最长的时候，他们会讨论 10 分钟，然后大部分人会什么都不买就走了。与之相反，在 6 种口味品尝摊前品尝过的顾客好像都知道哪种口味是最适合他们的。他们会来到果酱区，很快拿起一瓶果酱，比如柠檬口味，然后就去购买其他东西了。在统计优惠券的时候（我们根据条形码可以知道顾客参加了哪种品尝），我们发现：在 6 种口味中品尝过的顾客中有

30% 购买了果酱，但是在 24 种口味中品尝过的顾客中只有 3% 购买了果酱。顾客对 24 种口味的品尝更感兴趣，但是在 6 种口味中品尝过后的购买率是在 24 种口味中品尝过后的数倍之多。

当我把这个结论告诉超市经理时，他反复思考了其中蕴涵的意义。我们都知道德雷格先生非常困惑，但是这对于超市经营来说又意味着什么呢？对于许多人来说，德雷格先生也只能是比较困惑了；人们在这里并不只是购物，也是一种消遣。但是为了生意兴隆，超市需要的不只是观光客和观众。走进超市的大部分人都应当是消费型的顾客，但是事实上大部分人好像都是在浏览而不是购买。经理如何能保证因大量选择而被吸引来的顾客不被太多的选择吓跑呢？他们甚至连一瓶果酱都不会购买。经理决定利用品尝摊代替在货架上大量展示商品的方式，通过品尝摊突出一种商品或某品牌的少数几种产品。这样，品尝摊就可以为顾客的选择过程提供帮助，而不只是一个附属活动。

随着时间的推移，选择给顾客和经理们带来的挑战也越来越大。1994 年，我首次提出“选择太多”这个概念时，美国大约有 50 多万种商品。到 2003 年，商品的数量已经增加到近 70 万种。商品数量仍在不断地增加，而且没有停止的趋势。随着科技的进步，新的商品不断地进入我们的生活。这些商品中的手机、电脑、数码相机等已经成了我们生活中的必需品，而且它们的种类也在不断地增加。最重要的是，并不只是市场上的商品在增加，购买商品的渠道也在不断地增加。1949 年，超市提供的商品种类大约有 3 750 种，现在这一数量已经猛增到了 45 000 种。美国各地的沃尔玛和其他大型商场提供的商品种类都超过了 10 万种。而且如果你在附近地区没有找到需要的商品的话，你只需点击几下鼠标就可以搞定了。互联网可以将你的选择扩大到当地以外的区域，在奈飞[①]（Netflix.com）上有 10 万种 DVD（数字化视频光盘）可供选择，在亚马逊网上商店上有 2 400 万种图书和上百万种其他商品可供选择，在 Match.com（一家线上婚恋与交友网站）上有 1 500 万名单身人士可供选择。

选择的扩展已经变成了选择的激增。在享受触手可及的众多商品的美好与无限满足感的同时，我们也发现自己正在陷入困惑。我们认为大量选择肯定会让我们能更容易地为朋友挑选一份称心如意的生日礼物，但是当我们看到一排排可供选择的礼物时，我们就会彻底晕了。应该选哪个呢？哪个才是最“称心如意”的礼物呢？这一件很好，但是我怎么知道没有更好的呢？我是不是还需要再找一找呢？在寻找的过程中，我们已经精疲力竭了。寻找心爱的礼物本来应该是一件令人高兴的事，现在却变得让人非常厌烦。但是我们真的可以抱怨吗？这些我们习以为常的大量选择机会并不是每个人都可以获得的。当我们对此提出疑问的时候，别人可能说我们是挑三拣四，或者有人可能用世界上最小的小提琴为我们弹奏最悲伤的乐曲。同时，不管我们对选择有什么意见，我们都会继续想要拥有更多的选择。这些要求不会被忽略，而且人们不能否认所有的选择都会带来一定的好处。

如果你知道自己正在寻找什么，你可能会很容易地拿起原版的、绝版的或稀有的那张唱片。像奈飞、亚马逊、狂想曲音乐服务这样的在线销售商，他们提供的 20%～25% 的商品都是不太出名的商品，这些商品不会出现在实体店里。与“哈利·波特”系列的终结版在发布之日就销售了 1 100 万册相反，这些不太引人注目的商品一年也销售

① 奈飞是一家在线影片租赁提供商。——编者注

不了 100 份。但是，如果每年只销售 100 本的书有 100 万种的话，那么它们加起来的效果和每年销售 100 万本的 100 种书的效果是相同的。我们将这种现象称为“长尾效应”（the Long Tail）。《连线》杂志的主编克里斯·安德森（Chris Anderson）在《长尾理论》一书中对其进行了讨论。“长尾效应”是这样表述的：将零售商品用条状图表示，然后按照销售量从多到少排列，销量较差的产品就形成了一条长长的尾巴。

这种现象对零售商来说是件好事。形成长尾的需求量较少的商品占销售总量的很大一部分，而且它们通常是更赚钱的，因为制造商对这些商品收的版税更少。作为消费者，当我们找到在其他地方很难找到的、不常见的、不出名的商品时，我们也会非常兴奋。也就是说，在大部分情况下，我们还是会购买最流行的产品（即“头部”产品，位置与“尾部”产品相反）。即便我们购买了某些不出名的“尾部”产品，也是为了补充那些我们已经购买了的流行的主流产品。

人们常常引用长尾理论来证明，即使是面对成千上万种选项，我们也不会不知所措的。但是我们看到这种效应仅限于书籍或歌曲等差别比较大的商品中，而不是人们在现实生活中会遇到的成千上万种类似商品的情景。如果可供选择的商品是不容易分辨的，而且目标是找到最好的一件时，谁还需要大量选项呢？更多的选项就不再有用或更诱人了。它们只能制造干扰，分散我们的注意力。我们会在相同的挑选过程中花费大量时间：如果我们面前有大量选择，难道你不觉得你应该考虑一下吗？虽然有人可能会想，超市应该供应多少种洗发水或猫砂才不算太多呢？

有些公司对这一理论进行了测试，将“多即是少”付诸实践。当宝洁公司去掉海飞丝去屑洗发水中销量较低的产品，将其从 26 种降低到 15 种后，其销量增长了 10%。在类似的情形中，金猫公司（Golden Cat Corporation）在去掉了 10 种销量较低的小袋猫砂后，销量迅速增长了 12%，而且其经销成本也降低了一半。最终，其小袋猫砂产品的利润增长了 87%。

也许其他公司在减少提供给顾客的产品种类后并没有从中获得好处。虽然这看起来有些冒险，但是成功的例子在不断地增加。在果酱研究发表后，我和其他研究人员对选项的数量的作用做了大量研究。其中有许多是模拟现实生活中的选择背景而设计的。研究结果都表明，与面对大量选择（20～30 个）相比，当选择的数量适中时（4～6 个），人们更容易做出选择，对自己的选择更加自信，而且更加高兴。

但是，我们不能简单地说，从今以后我们就将自己限制在乔治·米勒所发现的“7±2”个选项中。如果你在现实生活中从较多的选择中可以明显获益，那么你可能不需要费尽心思地考虑生活中的反例。事实上，人们可以处理的选项的数量要比我们建议的基础认知限制多一些。毕竟，在逛谷物区的时候，顾客在通常情况下是不会精神崩溃的。相反，美国超市中过多的商品数量会让人感到充实和满足。在唐·德里罗（Don DeLillo）的小说《白噪音》（*White Noise*）中，叙述者描述了他和妻子去超市购物的经历。

> 对我来说，在我们购买的各种各样的商品中，在包装袋上的大量建议中，在商品的重量、大小、数量、熟悉的包装设计、生动的描述、特大号、带特价标签的家庭特惠装中，在这些产品给我们带来的舒适的家的补给感、幸福感、安全感和满足感中，我和芭贝特似乎收获了一种充足感，而这种

充足感是那些需求少、期望小、计划在晚上孤独地生活的人所无法体会到的。

他将自己满满的购物车与他的单身朋友瘪瘪的购物袋进行了对比，但是，他似乎更多地想表述这种“充足感”给他带来的舒适感和幸福感。消费主义的乐趣也许是短暂的，而且可能主要基于消遣和错觉，但在某一时刻，它的确让人感觉非常好。作为《白噪音》的读者，你可能会发现叙述者的经历是肤浅的、令人不悦的，但他却是真的很享受、很看重这样的经历。同时，对他而言，超市又是一个“到处充斥着噪声的地方。那里有沉闷的声音、货车刺耳的声音、扬声器的声音、咖啡机的声音、孩子的哭声……除此之外，还有一些令人乏味的、方位不定的、超出常人理解范围的某种群居生活中的咆哮声”。在我们试图处理周围所有事情的时候，我认为，某些白噪音就是我们自己精神的杂音。

我们可以处理的选择的数量在一定程度上取决于选项的特征。在通常的选择中，在我们选择上述“长尾事物”时，这些选择都不是非常重要的，所以没有必要对它们进行全方位的评价。因此，比如说100首歌曲并不会像100部歌曲播放器那样让人找不着北。我们好像可以很好地处理某些选择。但是，对于那些有无数个选项的抉择来说，我们怎么才能摆脱噪声的干扰呢？如何才能不让自己心烦意乱甚至疯狂呢？

在处理多个选择时，有一种捷径就是求助于这一领域的专家。专家可以让我们更细化、更全面地了解选项。比如，根据个人的专业水平，可以将同一个事物理解为“一辆车”、“一辆跑车”或“一辆带 V12 发动机的法拉利恩佐跑车”。这些附加的细节可以让人们通过多种方式避开信息处理过程中的认知限制，当人们需要处理大量选择时，这样做有明显的优势。首先，从多个角度对事物进行比较可以大幅增加我们可识别的事物的数量。米勒做过这样一个研究：当只有音频变化时，人们能辨别 7 种不同的音调，但是当音强、音长、音调的位置都发生变化时，人们可以丝毫不差地识别出 150 种不同的音调。

其次，人们一般偏爱的是事物的属性而不是整个事物，这样人们就能快速地排除大部分的选项，而只关注少数几个选项。仍以汽车为例，一个人的目标可能是价格低于 3 万美元的德国产客货两用车，后座椅可以折叠以便摆放更多的货物，最好还要有个天窗。他的偏爱越多，选择也就越简单。明确地知道自己最需要什么的专家可以毫不费力地在大量选项中进行选择。

这些专业知识的作用加起来的效果是很明显的。当我们通过研究和练习学着简化、分类各个元素，对其进行优先排序，并识别其样式时，我们可以对看似杂乱的事情进行排序。比如，历史上的国际象棋大师都有同时玩赢 20 局这样的绝技，他们有时甚至可以蒙住眼睛这样做。他们是如何做到的呢？当然，这需要成千上万个小时的练习，这样他们就可以快速地从棋盘上找到进攻路线、国王逃跑路线等相关的信息。出于专业的本能，他们就可以取其精华、去其糟粕，判断已知情况下该走哪一步、不该走哪一步了。所以通过考虑最可行的策略，他们只通过相对较少的思考就可以提前确定应该走哪几步了。某些棋局甚至还有专业的叫法，如“西西里开局”“博登将杀”等。一个专家还可以吸取先前的大师在某些情况下策略的智慧的总结。从本质上来说，他们是靠智慧赢的，而不是靠苦战。

在一次研究中，让国际象棋大师和新手分别在5秒内记忆一盘棋并对其进行恢复，结果表明大师的记忆力是超凡的。但是大师们令人钦佩的记忆力是以认知效率为基础的，而不是完全依靠研究中显示出来的超凡记忆力。大师们的表现可以很轻易地超过新手，在某些情况下，他们第一次就能正确地恢复25步棋中的23或24步棋，但是这仅限于在下棋过程中他们自然会走的棋局。对于胡乱走的棋局，大师们的表现并不比新手好，第一次也就只能恢复2～3步棋。

就像我们看到的专业知识的性质一样，在谈论选择时，区分环境中选项的数量和选择者真正面对的选项的数量是非常重要的。不论是专家还是新手，直接对100种选项进行对比选择，对他们来说都很困难，他们需要简化选择的过程。专家和新手的不同在于，专家可以简化他们的选择，反过来，他们可以充分利用更多选择带来的优势；而新手只能依靠选择提供者来降低选择的数量，这样他们可以从中获得好处，但是获得的好处肯定会比专家少。如果选择提供者不减少选择的数量的话，最终，这些新手将不知所措。

当新手面对的选择超出他们可以处理的极限时，结果会怎样呢？或者在不可能成为专家的情况下，结果会怎样呢？毕竟，国际象棋是一个封闭而连贯的系统，同时还具有明确的规则和目标：抓住国王。即使是这样，国际象棋大师也是需要付出极大的努力的。当我们不确定目标或实现目标的过程时，会怎样呢？在这种情况下，成为专家会更难。之后又会怎样呢？到此为止，像在果酱区多花几分钟或蒙上眼睛的国际象棋大师令人窘迫的失败等过多选择的作用还是比较良性的。但是这些作用是良性的仅仅是因为选择背景本身并不是非常重要。在下一章中，我们会看到在更重要和更复杂的决策中“选择过多”的情况，这种过多的选项会对人们的财产安全和健康造成威胁。

当选项成为障碍

1978 年，美国工人迎来了新的养老金计划——401（k）计划。传统的养老金计划是由雇主出资的，而新的固定缴费型养老金计划则鼓励雇员每月从工资中拿出一定比例的资金存入共同基金中，等退休之后再行支取。这样既能解决时常发生的养老金不足和养老金不能随雇员工作转移的问题，又能加强雇员对自己未来财务的控制。现在，在美国，401（k）计划是养老金投资的主要方式：大约 90% 拥有养老金计划的人全部或部分采用了固定缴费养老金计划的形式。

像其他长期投资一样，401（k）计划也采用复利的方式计算收益。从短期看，价值波动可能比较厉害，这一点在股票市场尤为突出。但从长期看，价值的起伏能相互抵消，投资者便能获得丰厚的累积收益了。2008 年，股市经历了自大萧条以来最大的损失，市值损失约为 40%，即便如此，标准普尔 500 股票指数的 25 年年均回报率仍保持在 10% 左右。按照这一回报率计算，如果一名 25 岁的雇员每年向标准普尔股票投入 1 000 美元，当他 65 岁退休时，他投资的 4 万美元就会变成 50 万美元。虽然这些数字并未考虑通货膨胀，但是由于通货膨胀对存款和投资的影响相同，因此，与将钱存在银行账户中相比，401（k）计划仍能将这些钱增加 10%。

此外，在你退休并开始取出这些钱之前，你缴纳的钱和赚取的回报都是免税的。对于美国人平均而言，这相当于比收税投资多投资 20%。同时，大部分雇主根据雇员的贡献也按一定的比例往共同基金中存入相应的资金。不同公司存入的比例和截止日期不同，但是，与雇员存入相同的数额（几千美元）也不是什么稀奇的事情。这就意味着年轻雇员每年存入的 1 000 美元变成了 2 000 美元，等到他退休时就可以获得一大笔钱了。考虑到这些好处，对于不懂投资的人来说，401（k）计划仍不失为一个不错的选择。那么，大家为什么不选择它呢？

史蒂夫·尤特卡斯（Steve Utkus）是先锋集团（美国最大的共同基金公司之一）退休研究中心的主任。2001 年，我接到他的电话，他告诉我，先锋集团对超过 90 万名雇员的一份养老金投资决策分析表明有些事情很让人担心：参加 401（k）计划的合格雇员的比例正在持续减少，现在已经下滑到了 70%。同时，计划中基金的平均数量都在逐步增加。最近，他读了我有关果酱研究方面的文章，他想知道这两种趋势之间是否存在一定的联系。雇员们面临的选择是否太多了呢？

为了回答他的问题，我和我的同事——金融学教授格尔·休伯曼（Gur Huberman）和姜纬——对投资记录进行了检查。我们发现选项数量的增加的确会对参与率产生明显的负面影响。如右页的曲线图所示，当仅有 4 只基金时，参与率达到最高值 75%；当基金数量为 12 只或更多时，参与率很快下降到了 70%，并保持在这一范围内；当基金数量超过 30 只时，参与率再次下降；当基金数量达到 59 只时，参与率低至 60%。

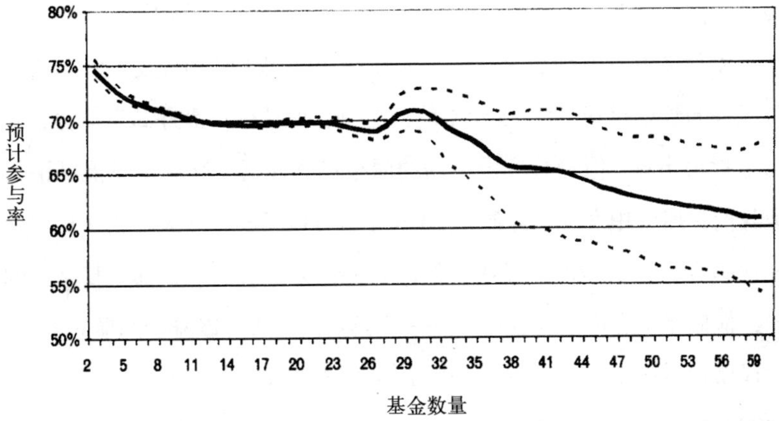

未参与 401（k）计划的雇员不会抱怨选项太多，也不会积极地退出 401（k）计划。相反，他们中的少数人还会分析哪些基金对自己最有利，然后加入该计划。总之，假如只有 5 个选项，选择就非常容易，但是，如果有 50 个选项，人们就需要仔细考虑一番了。不幸的是，在你延缓决定时，日复一日，时光飞逝，你很可能就将 401（k）计划遗忘了。

这样，一些雇员就会因选项太多而不知所措，也就停止了加入 401（k）计划。很明显，选项过多对他们并无益处。那么，这些选项对参与者有无益处呢？他们可能对投资更有信心、更加了解，可能会利用所有这些选项的优势。但是，我和芝加哥大学的经济学教授埃米尔·卡梅尼察（Emir Kamenica）一起检查参与者选择的基金时，发现事实并不是这么回事儿：事实上，选项越多，决策越差。股票是 401（k）计划中最大的一类基金，随着计划中基金总量的增加，股票的数量也会增加。考虑到这些情况，我们期望随着选项的增加，人们会更多地选择股票投资。但事实恰好相反：每增加计划中的 10 只基金，就有 2.87% 以上的参与者会避免选择股票，其他参与者只将不到 3.28%

的投资额投到股票上，因为他们更青睐债券和货币市场。

为什么调查发现会令我们烦恼呢？ 401（k）计划主要是针对股票占优势的长期投资。以 25 年平均值为例，股票的可靠性高于债券，更高于货币市场（债券和货币市场的回报可能连通货膨胀都不能抵消）。但我们在研究中发现，即便是 20 岁左右可以承担更多风险的雇员也会漠视基金计划中增加的股票。他们好像认为所有的基金都太复杂，因此，他们将基金中最大的一类——股票推向一边，以减少选项的数量。这样做也许会危及他们未来的财政状况。还有一个例外就是：他们更多购买自己公司的股票，这可能出于熟悉或对公司的忠诚。但是在一般情况下，这样做非常危险，因为一旦公司破产，雇员不仅会丢掉工作，还会损失一部分财产。前安然公司或雷曼兄弟公司的任何一名雇员都可以告诉你这些。

养老金投资不能立即为投资人带来回报，这可能是人们即使知道养老金投资是一个重要的选择也不选择它的原因之一。如果当前不能获得实质的回报，你可能不会对其进行仔细且周全的斟酌。但是，也许你应该努力去收获这些同样重要、同样会影响你当前幸福的更多选择所带来的好处。不幸的是，即便是对于健康保险，我们似乎也并未很好地处理。

还记得乔治·布什总统推行的医疗制度改革吗？它为针对老年人的联邦健康保障规划增加了一个被称为第四部分的规划。第四部分规划设立于 2003 年 12 月，主要是为了补贴现代健康医疗中处方药使用量和价格的增长。老年人可以在私营公司提供的不同范围的方案中进行选择，然后政府再对这些公司进行补贴。布什总统称赞规划中选项的增加对医疗疾病保险是万能的。他主张：“现代医疗保险体系必须向所有老年人提供更多选择和更多益处。说服人们自己做出医疗保险选择是必需的。”提供大量不同计划的好处在于“老年人面临的选项越多，他们越能根据自己的需要进行选择”。

对于许多参与者而言，医疗保险第四部分能节约 13% 的开支。根据一项调查，处方药的销售量也有所增加。这些好处是值得注意的。但是，该规划也存在一定的弊端。对于 401（k）计划而言，许多想加入的人并没能加入。医疗补助受益人的首次登记截止日期是 2006 年 3 月 15 日。4 300 万符合条件的老年人中有 500 万人并未进行登记。虽然他们可以日后再行登记，但是，他们每月必须支付一笔较高的保险费。

你可能会说有近 90% 的老年人已经登记了。这难道不是一种成功吗？事实上，大约有 2/3 的老年人是通过保险提供者自动登记的，他们对计划的选择也是随机的，有的计划也许并不能满足老年人对处方药的需求。在所有必须选择的参与者中，有 1 250 万人进行了登记，而 500 万人并未进行登记。较低的登记率主要是由于最需要第四部分规划的符合处方药完全报销条件的低收入雇员造成的。现在，如果他们进行登记，当他们能承担起医疗费时，他们会遭到处罚；如果他们不进行登记，他们就得放弃他们负担不起的药物。无论如何选择，他们都会陷入困境。

计划假设老年人可以通过从不断增加的选项中选择自己需要的计划获得好处。但是，选项本身却是登记的障碍之一。选项的数量非常多，在阿拉斯加州有 47 种，宾夕法尼亚州和西弗吉尼亚州有 63 种。视力不好、电脑技能有限的老年人需要在网上查找各个计划的特点，还需要像超人一样比较各个计划间的差异。不同计划在涵盖的药物、仿制药品政策、共同负担费用、月保险金、年自付额等多个方面存在差异。不同公司提供的相同特征的计划的价格也不相同，计划的特点也可能会发生变化。

玛丽·格兰特（Marie Grant）是克利夫兰市的一名退休护士，她回忆起自己关于第四部分规划的遭遇时说："我从未弄懂过那些选项……面对如此多的选项，我简直要疯了。"玛莎·托恩（Martha Tonn）是威斯康星州的一名退休教师，她说："我觉得选项太多了，多得让人无法承受。"此外，86% 的老年人和 90% 以上的医生和药剂师都认为第四部分规划太复杂了。有相当一部分试图登记医疗保险的老年人都不能辨别哪些选项能为他们提供与当前相同的好处，更不用说哪些选项能改善当前的服务或符合其个人需求了。的确，单是比较这 63 种选项就已经达到我们的认知极限了，更何况还有更多的事情需要我们去处理呢？布什及规划的其他设计者主要关注数量，但不幸的是，这样做会使他们忽略选项的质量以及这些选项到底是否有益于改善民生。

当我们制定诸如如何在 401（k）计划投资或如何更好地利用医疗保险第四部分规划补贴等具有挑战性的、重大的决策时，我们看到，仅仅简单地关注选项的增多会产生事与愿违的结果，选项的增多对决策的制定是弊大于利的。你也许会说，在这些情况下，我们可以更加仔细地提供和评价这些选项。然而，从整体上说，难道我们不能更好地让人们了解这些选项吗？

减少选项，得出最优解

"当一扇门关上的时候，另一扇门将向我们打开。"这句话常常用于慰藉错失心爱之物的人们。从长远看，这条谚语是对的。但是在错失的那一刻，这样的安慰通常是不起作用的，正如谚语的下半句所说，“可我们常常盯着那扇关了的门后悔不已，尽管另一扇门已为我们打开，我们却没有看见”。我们热切地关注我们失去的，因为通常情况下我们更希望所有的门都为我们打开。正如我们在第 1 章看到的那样，即便是动物，它们也在积极地寻找更多的选项。尽管事实上更多的选项并无裨益，只是用多个获取食物的按钮代替一个按钮罢了。既然明知道有些机会不能为自己所得，我们只能感到受骗了，那为什么还要限制自己呢?

丹·艾瑞里 [2008 年出版的《怪诞行为学》(*Predictably Irrational*) 的作者] 做过这样一项研究：要求参与者玩一款电脑游戏。人们会在电脑屏幕上看到红色、绿色和蓝色 3 种颜色的门。你可以点击鼠标打开任意一扇门。门打开后，点击其内部会获得或损失随机数目的钱；或者你还可以点击开启另一扇门来关闭之前的那扇门。每名参与者有 100 次点击机会。游戏的任务是通过有限的点击机会获得尽量多的钱。在危急关头，打开某些门可能比打开其他门获得更多的钱，但是打开各扇门获得的钱的平均值是一样的。要想精通该游戏并最终获得最多的钱，参与者应该明白所有的门都是相同的，只要简单地尽量多点击以打开门即可。

同时，游戏中还会有一个意想不到的转折。对于某些参与者而言，未打开的门会慢慢变小，如果连续 12 次只点击打开的门，其他颜色的门就会消失。比如，一开始你选择打开蓝色的门，点击获取里面的钱的时候，红色的门和绿色的门就会同时开始变小。参与者可能会点击其中一个正在消失的门，比如说红色的门，这样红色的门就会恢复原来的大小。但是这样做的话，先前打开的蓝色的门和未打开的绿色的门就会变小。这就使参与者陷入了一个进退两难的困境：如果你想阻止其他颜色的门消失，你就会损失用于挣钱的点击机会；如果你让这些门消失，你可能就会损失通过其他门挣取更多钱的机会。事实证明，与游戏中门不会消失的参与者相比，这些参与者花费了将近两倍的点击次数来更换门。对他们来说，不幸的是，不让其他颜色的门消失使他们损失了大量钱。

当提前告知参与者从三扇门平均获取的钱数相同时，其结果最让人吃惊。这时，更换门不会令他们获得好处。即使是这样，人们也会消耗点击机会来阻止门的消失。让所有的门都打开——不论对这项研究来说，还是对我们的生活来说——看起来都非常重要。但是，正如这一研究所揭示的，我们是无法做到鱼和熊掌兼得的。如果你想保留大量选择，你就必须有所付出。你需要付出的可能是时间，可能是理智，也可能是底线。在上述游戏中，你需要付出的可能相对较少一些，仅仅是几分钱，此时最重要的是要意识到使所有的门都保持打开状态是需要付出代价的。

良好的选择能力似乎在很大程度上取决于我们的认识和想法。当我们要求更多的选择时，我们似乎在说："我知道我想要什么，所以不管有多少选择，我都能选出我想要的。"我们非常肯定地认为，不管有多少条路可以选择，最终我们都能挑选到更适合我们的那条。然而矛盾的是，要求更多的选择意味着我们不知道自己想要什么或只有到做选择的时候我们才能确定自己想要什么。很明显，在某些选择上花费的时间和精力会抵消更多选择带来的好处。那么，为什么我们还坚持追求更多的选择呢？

在很多情况下，不管我们多么喜欢一件事物，我们都需要更多的选项。比如，你喜欢一种食物，早餐、午餐、晚餐，一年 365 天都让你吃这种食物，你最终就会厌烦。但是，你只会对这种食物和类似的食物厌烦。这样，其他的食物就会变得可口，变成优先的选项。这至少会持续到你的胃口恢复。的确，多年来对布丁、比萨卷等一系列食物的研究表明，与单独只有一种选择相比，在面对多种选择时，人们会更加喜欢自己喜欢的食物。

厌烦感以及对多样性的相关需要会影响我们生活中的多个方面，比如我们喜欢的电影、朋友、恋人等。厌烦的速度和持续的时间不同，需要的选项的数量也不同。我们身边都有一些不重复做事情的人，他们从来都不重读一本书，不重看一部电影，不在同一家餐馆里点同一个套餐。这样，虽然有大量选项会使人们更难选择，但是，它们同样会为人们带来益处，因为当人们厌烦了自己喜欢的事物以后，还可以找到备用的选项。然而，正如艾瑞里的研究所示，在对比已拥有选项的质量时，我们有时会做出并不是最好的决定。

人们对多样性的嗜好可能是一种进化适应，因为它可以鼓励人们用均衡的食物代替方便食品，可以抵挡维生素 C 缺乏病或其他营养缺陷。有人可能会说我们拥有自然的“自助餐式”的智力，我们希望轻松地吃点儿这个、吃点儿那个。不幸的是，自助餐的种类越多，我们就越想尝试所有的食物。美国农业部的一项调查发现，近几十年来，在美国，随着食物种类和总量的增加，食物的平均消耗量正在以更快的速率增加，而且不只是垃圾食品，还包括水果、蔬菜等所有的食物。在其他方面也有类似的趋势，比如，随着电视频道和网站数目的增加，我们待在电视和电脑屏幕前的时间越来越长了。根据美国广播公司营销部总裁迈克·肖（Mike Shaw）的说法，美国人平均每天看电视的时间为 4.5 小时。斯坦福大学的一项研究表明，网络用户每天在家上网的平均时间为 2 小时，这大大缩短了他们与家人在一起的时间。

如此吸引我们的“多样化”并不一定会给我们带来益处。在某些情况下，像上述的开门研究一样，我们可能会放弃最好的选择，而选择更多较次的选项。或者我们可能会陶醉在过多的选项中而忽视了自己的健康和心爱的人。更有甚者，即便当我们可以从众多的选项中挑选出最好的选项或者我们可以控制我们的思维和身体时，我们仍然需要处理其他的问题。不管你的识别能力有多强，选项越多，吸引人的选项也越多。在某些情况下，由于缺乏空间、金钱或时间，你可能不能享受所有的选项，你可能不得不做出某种牺牲，但每次牺牲都会带来一定的心理成本。当你为放弃的事物惋惜时，选择给你带来的欢愉感就减少了。事实上，放弃的事物带给你的遗憾可能比你选择的事物带给你的欢愉更多，这样，你的满足感可能还不如当初选项少时来得多。

你曾经有过与“ TiVo[①] 的内疚”同样的经历吗？最初你认为你的硬盘录像机（一种奇妙的小发明，可以帮你自动地录制、存储和组织整理电视节目）可以在你加班或参加宴会时帮你刻录，以免你错过喜欢的电视节目。你会惊奇地发现它会根据你当前的兴趣向你推荐新的节目，并且还会记录这些节目。但之后你会意识到 TiVo 为你记录的节目太多了，你根本没有时间看完或没有时间去享受这些节目。这时候你就会感到内疚：你是删除那些编录好但还未观看的节目呢，还是作

---

① TiVo 是一种数字录像设备。——编者注

为一种责任而不是兴趣去观看这些节目呢？

选项越多，后悔越多。选项多确实会增加做出更好的选择的可能性，但是也会使选择的过程更加艰难。当选项较少时，我们会因为我们的选择而高兴，因为我们相信这对于我们来说是最好的选择。但是，当有无限选项时，我们会认为我们有责任找出最好的选项。在这种情况下，选择就会变成一个双输的局面：如果我们没有全面地思考所有的选项就轻易地做出决定，我们会为可能错过更好的选项而后悔；如果我们详尽无遗地考虑所有的选项，我们就会付出大量努力，而这些努力并不一定会增加最终选择的质量；如果我们发现有更好的选项，我们可能后悔我们不能选择所有这些选项。在日常生活中，我们会遇到许多这样的困境，比如选择一家餐馆、选择自己的另一半或选择工作时都有可能遇到类似的困境。

我们通常只意识到选择的积极作用而不是消极作用，这样，我们就会将太多选项造成的危害归咎于其他原因，甚至可能会归咎于选项太少。毕竟，一眼看上去不能找出最好的选项的解决方案似乎就是增加更多的选项。但是过多的可能性又会妨碍我们享受我们的选择。这样，我们就会将引发问题的原因——选项过多——当成问题的解决方案了。

如果选择的难题不能通过增加选项来解决，那么我们也许可以通过相反的方式来解决：利用更有效的算法来消除选项。但事情并不完全是这样的。不能把选择简单地看成一个数学问题。也许，选项增加带来的主要问题是它违背了我们的期望。这些可以让我们实现目标的期望开始背叛我们。如果我有许多选项，我应该可以充分地利用这些选项——我不能再借口说自己没有选择了。当我们要求更多的选项时，我们也开始受制于这些更多的选项了。这样，随着选项的增加，选项本身就有了生命和特点。选项会要求我们更好，要求我们做得更好。这些要求超出了我们可以计算出的且合乎理性的内容，从而引发了反向的情绪，人们就会争论，甚至会争论其是否存在。

法国思想家亚历西斯·德·托克维尔（Alexis de Tocqueville）敏锐地记录了早期的美国社会，他在170多年前就对选项不断增加的后果进行了描述：

> 在美国，我见过生活在世界上最优越环境里的人，他们不受约束，受过最良好的教育。可是在我看来，他们总是眉头紧锁，即便在开心的时候，也是一本正经，神色忧郁……他们总是贪得过多而不自珍，见异思迁而弃之随意。

如果在托克维尔和《辛普森一家》(*The Simpsons*）之间画一条长长的曲线，这便是对美国式生活和文化标准的强烈讽刺了。在《辛普森一家》第5季“荷马和阿普”的片段中，玛吉带阿普去新开的怪物超市购物（在这里购物是一场令人困惑的痛苦经历）。玛吉从码放着巨大容器的高大货架上选了一个巨大的棕色盒子。她微笑着说：“这盒12磅的肉豆蔻真便宜。”

阿普睁大眼睛说：“噢，真是不错的选择，价格真是便宜。但是我怎么看不到爱在哪里呢?”

正当这时，就像回答阿普的提问一样，扬声器里传来一个声音：“注意了，来怪物超市的顾客朋友们，我们爱你们每一个人。”

所有的顾客都朝扬声器望去。但是阿普并不以为然。只有他看到了我们看到的情景：和巨大的商品相比，顾客们变成了一个个小人。

一瓶与人大小相仿的香饼糖浆恐怖地挡在路中央。许多越橘果汁罐开始倒塌、破裂，大量果汁涌向通道，形成了一条血红色的河。这个场景非常荒诞可笑。但是，对于寻找快乐的人们来说，现实中真正的怪物超市——《白噪音》中超市的变异体——可能是一个“严肃而近乎忧郁”的地方了。

放弃冗余，才能拥抱创造性

但是，让我们振作起来吧！新选项的快速增加对我们来说并不是什么可怕的事情。我觉得，如果能接受一些再教育或培训的话，我们便可以从这些选项中获益，而不是被选项的要求压垮。在学习如何处理选项的计算性和非计算性要求时，我觉得有两个重要的步骤。首先，我们必须改变对选项的看法，认识到它并不是绝对的有益。我们必须承认自己认知能力的局限性，承认自己考虑所有复杂选项的资源的局限性，不要每次都抱怨自己没有找到最好的选项。其次，在可能的情况下，我们必须增加自己的专业知识，以弥补我们在认知能力和资源方面的不足，以花费最少的精力从选项中获取最大的益处。

学习专业知识需要花费一定的成本。在生活中的某些领域，比如，我们可以轻而易举地成为语言、美食等方面的专家。但是，对于某些领域而言，专业知识的获得则需要一定的培训和努力。另外，正如我们从棋盘记忆研究中看到的那样，专业知识是相对于某一领域而言的。我们努力学到的某个领域的专业知识可能只能用于一些相关的方面，与其他方面则没有什么关联。最后，我们可能希望自己成为生活中所有领域的专家，却没有足够的时间去成全自己。即便是对待那些我们能成为专家的领域，我们可能也没有必要花费这样的精力。很明显，我们应当关注我们经常会选择的领域或对我们非常重要的领域，以及我们有兴趣学习和选择的领域的专业知识。

但是，怎样才能在我们缺乏专业知识的领域做出好的选择呢？一个明显的答案就是利用别人的专业知识，虽然这具体到某一件事情上有“说得比做得容易”之嫌。对于选项的提供者来说，如何在照顾好有经验的选择者的同时向无经验的选择者提供有效的帮助并非易事；对于选择者来说，辨别哪些选项有助于改进自己的选择，哪些只能使自己更加困惑，也是一个难题。

人们都认为自己最了解自己想要什么，因此最终的选择应该由自己决定。对于像在餐馆、音像店等人与人之间偏爱相差较大的情况确实如此，但是对于大多数人的偏爱都相似的情况却并非如此。以养老投资为例，每个人都期望获得最高的回报，而人们面临的困难就是如何实现它。在这种情况下，只要确信专业人士是为大家着想的，那么最简单的方法就是听从专业人士的建议。

让我们重新回到养老投资的问题上来，看一下 2000 年瑞典的社会保障计划私有化。它从根本上将瑞典整个国家的养老金计划转化成了定额缴纳养老金计划。瑞典政府会自动从雇员的工资中扣除一定的份额，而雇员可以在 450 种以上的共同基金中选择一种或多种，或者选择政府指定的满足投资者平均需求的默认基金。政府会通过大量广告鼓励人们选择自己的投资组合而不是默认基金。事实证明政府的鼓励是有效的：2/3 的雇员会主动选择自己的投资组合。

然而，经济学家亨里克·克龙奎斯特（Henrik Cronqvist）和理查德·塞勒（Richard Thaler）对这项计划进行了分析。他们发现这种鼓励其实是一种误导，使人们在自己选择证券组合的过程中产生一系列的决策失误，因此得到的回报不但没有增长反而降低了。人们一般采取不均衡投资策略，几乎将全部资金都投在股票上，而忽略了债券及其他投资方式。同时，人们的股票投资组合都偏向于瑞典股票，尤其是自己所在公司的股票，而并未考虑当时股票的走势。在一般情况下，人们倾向于选择新闻播报过的或日常生活中自己熟悉的公司的股票，而不是根据自身的需要制定投资组合。因此，他们选择的投资组合的回报一般都比默认基金的回报率低：3 年后一般低 10%，7 年后一般低 15%。

通过上述回顾，很明显，政府应当鼓励没有经验的投资者选择默认基金。因为除了听从专业人士的建议，这对于没有经验的投资者来说应该是最佳的选择了。另外，与我进行的先锋研究中的计划（无默认选项）相比，瑞典政府制定默认选项的做法是正确的。制定明智的默认选项要比设定货币市场基金等利润较少的简单选项好得多。近期，美国国会通过了一项立法，允许美国的雇主在经雇员同意的情况下自动为其选择 401（k）计划。自动选择能非常有效地提高参与率，因为它针对的对象是有意参加该计划的人，而不是想推迟或不喜欢这一计划的人。近期的一项调查结果显示参与率上升到了 90% 以上。

当个人的目标和偏好不同时，选择与他人合作也是处理选项的一种不错的方式。葡萄酒零售连锁店最佳酒窖在简化决策过程方面就做得非常出色。葡萄酒零售店一般都将上千瓶酒按原产地或葡萄的种类摆放在货架上。但是最佳酒窖的零售连锁店只供应 100 种品质优良、价格合理的葡萄酒。他们还将这些葡萄酒分成“泡沫型”

“多汁型”“芳香性”等 8 个不同的类别，并在酒瓶上清楚地注明酒的详细信息。同时，最佳酒窖的员工还非常乐意为客户进行非技术方面的推荐。最佳酒窖的目标并不是为鉴赏家或特定场合提供葡萄酒，他们的目标客户是普通的客人。在这一方面，他们做得非常出色。

我们还可以利用大众和专家的智慧来进行更好的选择。查氏餐馆指南在这方面就做得很好。他们以多位经常去餐馆的食客的评价而不是以单个评论家的评价为基准。利用长尾理论的在线零售商以顾客的评价和推荐为基础进行商品销售，取得了巨大成功。而顾客根据与自己相似的大众的判断进行选择同样可以获益。亚马逊在线网站告诉我们：购买一种商品的顾客同时还会购买其可能感兴趣的其他商品。奈飞公司推荐电影的方式是：利用顾客喜欢的电影类型寻找品位相似的其他顾客，然后将顾客还未看过的品位稍高的电影推荐给顾客。（奈飞公司可以简单地向你推荐大量电影，一不小心，你可能就陷入“奈飞内疚”里了。）这种推荐系统的另一个好处是，在向顾客推荐时，他们不会消除任何选项，这样，专业人士如果想选择推荐列表中没有的选项时，仍然可以找到它们。

将选项分类同样可以简化选择过程。将你的选项分为可管理的几类，在各类中再分为几个可管理的替代选项。这样，我们不会认为自己的选择受到了限制。我与两名研究助理凯西·莫吉内（Cassie Mogilner）和塔马·鲁德尼克（Tamar Rudnick）对此进行了研究。我们对多家韦格曼超市的杂志销售区进行了观察，结果表明，如果在减少选项的同时增加选项分类的话，顾客会感觉选项增加了。选择少量杂志并将其分成“健康类”“家居园艺类”等许多类别可以使选择更加有效、更加有趣。顾客会因选项减少而高兴，杂志出版商也会因无须增加更多的品种而节约生产成本，这样的结果可以说是双赢的。

在分类的过程中，既可以像百货公司那样简单地按照商品的类型进行分类，也可以像最佳酒窖那样按照产品的属性将一类产品细分为不同的类别以便顾客识别。在 YouTube（优兔）、Flickr（一家图片分享网站）等媒体共享网站上使用关键词和“标签”可能是大众选择分类的最佳方法。在一张小狗的照片下面加一个“小狗”的标签非常简单。正是这样一个简单的动作将在大量图片中寻找与狗相关的图片从不可能变成了可能。不管采取何种方式，分类使新手可以拥有专家般的能力，可以忽略不相关的选项而只关注最有可能的选项。

在进行比较难的决策时，推荐和分类是两种不错的选择。它们可以让我们借助专家或大众的智慧使问题简单化，还可以帮助我们更快地掌握专业知识。通过了解他人的喜好和相关选择，我们可以对某一领域有一个大致的了解，进而做出自己的选择。我们不可能成为所有选择领域的专家，但是我们在选择的过程中可以成为该领域的专家，我们可以学习如何利用他人的专业知识来了解我们的选择，进而改进我们的选择。

与向他人学习类似，我们还可以向自己学习。在根据多种属性制定决策的过程中，选择的方式会在很大程度上影响处理大量选项时做出的决策的好坏。我和我的同事乔纳森·勒瓦夫、德国基尔大学的马克·海特曼（Mark Heitmann），以及瑞士圣加伦大学的安德烈亚斯·赫尔曼（Andreas Herrmann）对德国奥迪公司的网站做了一个实验：允许客户在订购汽车时从选项列表中选择包括发动机和后视镜在内的所有部件。

我们比较了两组奥迪 A4 的买主。第一组买主首先选择的是选项最多的项：从 56 种内部颜色和 26 种外部颜色中进行选择。之后各项的选项依次减少。最后选择的是车内装饰的风格和变速杆的风格，这两项各自的选项数只有 6 个。第二组买主需要做出的选择相同但顺序相反——选项的数量逐渐增加。尽管各组面对的都是 8 类 144 个选项，但是显然第一组的选择更难一些。第一组的买主一开始会认真考虑所有的选项，很快他们就会感觉疲惫，然后就会选择默认选项。最后，他们平均多付了 1 500 欧元（某些默认选项比其他选项更贵一些）。而且与第二组买主相比，他们获得的快乐更少一些。

这一研究告诉我们：人们能从更多的选项中学会选择。从浅滩慢慢地移向深水区，人们的技能和勇气会不断增加，这样更易于生存。最后从 56 种颜色中进行选择并不会压垮我们，因为这时我们已经对车的整体有了一个更清晰的认识。如果我们明白自己想要的是运动型、经典型，还是家庭友好型的车，我们就会去除一些选项，这样选择的过程就变得更加简单了。因此，我们一开始应当从最简单的方面选起，因为这些方面的选项较少或者我们知道自己想要什么，简单的选项可以引导我们进行难度更大的选择。

法国著名数学家、科学哲学家亨利・庞加莱（Henri Poincare）曾说："发明在于摒弃无用的组合，然后构建极少数有用的组合。发明是一个识别和选择的过程。"我们可以从第二句话中推断出：选择即发明。我的意思是选择是一个创造的过程，我们通过选择可以创造我们的环境、我们的生活和我们自己。在创造过程中，如果我们要求更多的材料，比如更多的选择，最终我们会面临许多对我们并没有什么好处的组合，或者我们会面临过于复杂的状况。

我们有理由为选择而打拼。但是，我们已经习惯了制造选项，要求选项，再制造更多选项。我们有时会忘记评估这些选项什么时候有用以及为什么有用。管理自己的期望可能是选择中最困难的挑战，其中一个方法是注意那些创造美丽和自由的约束条件。发明家、艺术家或音乐家很早就了解到在选项中添加约束条件的价值。他们按照一定的方式、限制和规则行事，有时他们会打破某些约束条件，但这只是为了建立新的约束条件，有时候是更严格的约束条件。这方面的例子很多，在美国的文化中，表达选项的方式也不止一种。在随笔《拒绝结束》中，诗人林恩·汉吉尼亚（Lyn Hejinian）曾经这样表述“形式与作品素材之间的关系”：

> 在不剥夺原始混乱（众多不确定、不完整的原始素材，以及未经组织整理的冲动和信息）的强大生命力的情况下，形式能使这些混乱变得更加清晰吗？形式能走得更远吗？能真正地创造潜能吗？能开启不确定的好奇心、不完整的思虑吗？能将大量转化成丰足吗？在我看来，能。事实上，这就是形式在艺术中的作用。形式不是固定的，而是有生命的。

如果形式能在艺术中实现所有这些功能，那么它跟我们在现实生活中的选择不就很相似吗？我认为，我们有必要利用构造法进行选择。这个方法鼓励我们关注选择的过程，鼓励我们不要将选项的力量与“它是什么”相连，而要与如何实践它相连。如果选项真的像我们创作的艺术或音乐那样，那么我们当然可以将这些创造原则作为指导。但是，关键是我们要意识到并回归到托克维尔所说的“紧紧握住”这些东西上来。面对如此多的选项，这可能是最重要的事情了。

在与爵士乐大师、普利策奖获得者、作曲家温顿·马萨利斯（Wynton Marsalis）的一次谈话中，他告诉我："在创作爵士乐时，你需要一定的限制条件。在没有限制的情况下，每个人都能即兴创作，但那不是爵士乐。在爵士乐中总是存在一定的限制，否则它听起来就像噪声了。"他还说："即兴创作的能力源于基础知识，这些基础知识会限制你的选择。在面对选择时，知识通常是非常重要的。"最终的行动取决于广博的直觉，或者是他所说的"超级思维"。对于爵士乐来说，超级思维远非"正确"的决断那么简单：它可以使一个人在他人看似相同的地方看到新的可能，并创造出罕见的"有用组合"。学习组成选项的基础知识，并利用这些知识在也许只有噪声的地方创作出音乐来，这也许就是对于选项的超级思维吧。人们通常把已经拥有很多却仍坚持想要更多的人看作贪婪的代表。对于选项来说，空想即失败的标志。在解决选项纷杂的问题时，我们必须避免或克服空想。

第 7 章

有时，请把选择权交给他人

审讯室里的蛋糕

在英国喜剧演员艾迪·伊扎德（Eddie Izzard）著名的节目《蛋糕还是死亡》（*Cake or Death*）中，他想象了在英国国教监视下的西班牙宗教法庭审讯。一开始，法庭会让人们选择是自己忍受拷问还是让别人忍受拷问。法官简单地问："蛋糕还是死亡？"每位"受害者"都会回答："我要蛋糕！"法官就会施恩并说："很好，给他一块蛋糕！"这很好笑，因为我们知道选择从来不会如此简单，即使只有两个选项时也不会如此简单：一边是可口的蛋糕，一边是残酷的死亡。我们知道选择很艰难，但是这个选择并不艰难：人们每次都会选择蛋糕。法官发完蛋糕时说道："我们只有三小块蛋糕，没想到会发得这么快！"他们只能让剩下的原本可以选择蛋糕的人选择死亡。会出现选项如此清晰的情况吗？会产生选项得以更改的机会吗？当然不能，这只是选择者的"白日梦"罢了。

在梦中，所有有关生死选项的陈词滥调和戏剧性的比喻都是来了又去。梦中没有对意愿和性格的测试，没有满脸伤疤、坏透了的恶棍，也没有对立面。常常需要克服种种艰难险阻才能成就的英雄事迹突然变成了……一块蛋糕。伊扎德吃蛋糕时腼腆的表情会让我们觉得这个梦是如此甜美。它打破了一切负面的预想，换之以对一开始就设定这些预想的宗教文化的幽默讽刺。

像这个诱人的梦一样，每个梦都会结束。在现实生活中做出决策通常更加复杂，存在更多诱人的渴望。你不会面对这样的英国国教审讯和荒唐的蛋糕短缺威胁。但是有一天，你可能会发现自己需要在广义的"蛋糕"之间做出选择：是选巧克力软糖蛋糕，还是选红丝绒蛋糕呢?是选胡萝卜蛋糕,还是选奶酪的呢?这时的赌注可能只是社会性优势或死亡——参加聚会的客人可能会郑重地选择蛋糕,但这种选择仍然比在蛋糕与死亡之间做选择要难得多。现在,让我们想象又在举行一场西班牙宗教法庭审讯,幸运的人可以选择是自己忍受拷问还是让别人忍受拷问。选择这种蛋糕还是那种蛋糕只需要进行思考,但是选择这种拷问还是那种拷问呢?恐怕谁都笑不出来了。

在两种口味的蛋糕之间进行选择与在两种牺牲之间进行选择大不相同,因为可能的结果——蛋糕和死亡——相差甚远。但是做出这两种选择时的心理过程可能比我们想象得还要相似。如同现实生活中我们经历的一样,我们肯定会进行更多的思考。除了幽默元素,我们在做出决策时通常不存在明显正确的或最佳的选项。当我们不知如何采取行动,或所有的答案都是错误的,或问题本身的预期就非常糟糕时,我们应该如何做呢?

朱莉的早产儿困境

假设朱莉是你生下的早产儿。她在你妊娠期第 27 周就降生了,体重不足两磅,还出现了严重的脑出血。因此,她被送到一家著名医学院的新生儿重症监护室(NICU),她的生命要靠呼吸机来维持。经过 3 周的治疗,朱莉的情况并未好转。医生告诉你这些危险情况表明,朱莉的神经系统受到了严重的损害,她可能会一辈子躺在床上,不能说话,不能走路,也不能和他人进行互动。经过深入的考虑,医生们决定停止治疗,关闭呼吸机,让朱莉死亡。

想象一下这样的情况,然后回答下列问题。

（1）请评价当前你的情绪，1代表“一点儿也不”，7代表“非常”。

（a）不知所措	1	2	3	4	5	6	7
（b）难过	1	2	3	4	5	6	7

（2）你有多少自信可以做出最佳决策？

	1	2	3	4	5	6	7

（3）你希望在多大程度上独自做出决定？

	1	2	3	4	5	6	7

在上述情况中，医生不会为你提供多少信息，他们只负责最后的决策执行。这种方式可能听起来令人吃惊，甚至非常不公平，但是在西方医学史上事实的确如此。古希腊内科医生希波克拉底（前 460—前 337）对医疗行业进行了彻底的改革。他认为疾病是由环境因素而不是神的惩罚引起的，这就意味着疾病可以通过身体治疗而不是精神治疗得到康复。他还制定了伦理规范——《希波克拉底誓言》。由于他在多个方面的贡献，人们尊称他为“医学之父”。当医生不再发誓忠于最初的誓言时，人们就将希波克拉底誓言当作类似的保证，并一直沿用至今。希波克拉底无愧为“医学之父”的称号，因为他不仅进行了具有影响力的变革，而且将医生和病人的关系比喻为父母和孩子的关系。对他来说，当父母因缺乏专业知识或因精神上的被动性不能做出最好的选择时，医生应当具有足够的知识和经验以及良好的判断能力。因此，似乎只有这些拥有智慧的、尽职的医生才能做出最正确的医疗选择。一般情况下，人们认为让病人参与医疗决策不利于治疗的质量，这样做与玩忽职守无异。假如你是一名医生，你不会告诉病人诊断的结果，你会遵循希波克拉底的建议：“在照料病人的时候尽量隐瞒病

情”，“不透露有关病人当前或未来病情的任何信息”，以及关注如何安慰病人和分散病人的注意力。如果你是朱莉的父母，医生可能连脑神经系统损害或停止治疗都不会告诉你，而只是告诉你朱莉去世了。

希波克拉底提倡采取家长式的治疗方式。他的这种思想得到了罗马帝国的认可，后来又传到了中世纪的欧洲和阿拉伯。人们对他的工作给予了很高的评价，几乎没有人质疑他的观点。这使医生成为不可撼动的权威。在中世纪的宗教热情下，医生的地位得到了进一步的巩固。人们认为医生的权威性是“上帝”赋予的，不服从医生的决定不仅是愚昧和无礼，更是对神明的亵渎。即使是 18 世纪的理性启蒙革命运动也没有推翻医生的权威性。毕竟，人们认为假如病人能像他的医生那样学识渊博的话，他也会像他的医生那样治疗的。这样的话，不通知病人病情、不和病人商讨治疗方法岂不是最明智、最有效的治疗方法？ 1847 年，美国医疗协会确实是这样认为的。其出版的第一部道德指南与希波克拉底的教义有着明显的相似之处。指南中提道：“在给愚昧任性的病人合理的宽容时，医生是施恩的权威。因此，病人应当感激、尊敬并信任他们。医生不应该向病人暗示什么，只有在绝对必要的情况下，才能发出病危通知。事实上，如果可能的话，医生应该避免将坏消息透露给有足够判断力的、敏锐的病人。”

以前在遇到像朱莉这样的情况时，医生会遵照家长式的治疗方式做出决定，不告诉家属多少信息。但是这次让我们回到朱莉的案例上来，想象一下稍微不同的情景。

朱莉是你生下的早产儿。她在你妊娠期第 27 周就降生了，体重不足两磅，还出现了严重的脑出血。因此，她被送到一家著名医学院的新生儿重症监护室，她的生命要靠呼吸机来维持。经过 3 周的治疗，朱莉的情况并未好转。

医生通知你面临两种选择：继续治疗或关闭呼吸机停止治疗。他们还说明了这两种选择各自的后果。如果停止治疗，朱莉就会死亡。如果继续治疗，有 40% 左右的可能性是朱莉会死亡，有 60% 左右的可能性是朱莉会活下来，但是神经系统受到严重的损害，她可能会一辈子躺在床上，不能说话，不能走路，也不能和他人进行互动。由于朱莉的情况很危重，为了朱莉考虑，医生们决定停止治疗，关闭呼吸设备，让朱莉死亡。

想象一下这样的情况，然后回答下列问题。

（1）请评价当前你的情绪程度，1代表“一点儿也不”，7代表“非常”。

（a）不知所措	1	2	3	4	5	6	7
（b）难过	1	2	3	4	5	6	7

（2）你有多少自信可以做出最佳决策？

	1	2	3	4	5	6	7

（3）你希望在多大程度上独自做出决定？

	1	2	3	4	5	6	7

这次你的反应有什么不同吗？仍旧是由医生做出决定，朱莉还是死亡了。然而，由于医生提到了可能采取的方式以及各自的后果，你可能会更容易接受他们的决定，你可能会更倾向于认为医生的决定是对的，你在情感方面的压力也可能有所减轻。对今天来说，这是一种很自然的情形，但是在 20 世纪以前却不是这样。20 世纪之后，医疗界开始修正之前医生的位置，开始意识到让病人和家长了解病情，对这个家庭来说可能是更好的选择。为什么在漫长的时间之后人们才开

始意识到这一点呢?又是什么促成了这一革命性的转变呢?

希波克拉底的信徒不但赞成他在医生和病人之间关系上的看法,还支持他的体液说——疾病是因人体四种体液(血液、黏液、黄胆汁和黑胆汁)的不平衡造成的。病人应该通过放血、诱导呕吐、吃泻药等疗法来恢复体液平衡。除此之外,病人还应该选择适合自己脾性(乐观的、冷漠的、易怒的或忧郁的)的食物。虽然采用这种方法使医生无意中治愈了食物过敏症,但是它对其他疾病的治疗几乎没有什么效果。尽管如此,体液说还是盛行了两千多年。

在体液说盛行的漫长岁月里,就医的结果可能弊大于利。但是与现在相比,病人反而更相信他的医生。现在看来,这种天真的信任可能是一个笑话,但在当时,它却是"安慰疗法"必不可少的组成部分:病人"认为"听从医生的建议就会康复,因此,他们"确实"康复了,而且受的罪少了,康复得更快了。无论体液说有什么局限或缺陷,过去的医生都会依靠这些实践经验改进自己的决定、锻炼自己的直觉。在没有经验、不懂医学原理的情况下,面对不治之症,除了信任医生,病人又能做些什么呢?

直到 19 世纪中期,这一状况才得到转变。作为注重科学发现和实验的广泛运动的一部分,知情许可逐渐代替了家长式的医疗方式。治疗不再像之前那样神秘和随意了。人们对治疗的原理和风险有了更好的认识,因此,治疗过程也更系统化、更有效了。但是,变化并不容易被人们接受,医生也并不愿意改变他们对病人的态度。他们还是经常单独确定治疗方案、隐瞒病情,以及在病人不知情的情况下进行治疗。

1905 年发生了一个触目惊心的案例。普拉特(Pratt)医生告诉他的女病人,自己要为她做一个小手术来治疗她的癫痫症,但并未说明具体的治疗方案。医生对病人实施麻醉后，摘除了她的子宫和卵巢以稳定她的激素水平，进而降低癫痫的发作频率。后来，普拉特医生受到了严重违犯信任的控告，并被追究相关责任。但在当时，他这种无视病人意见和权利的做法并不是什么罕见的事情。即使到了“二战”以后，医生们还是会以一种现在看来十分不公平的态度随意对待病人。杰伊·卡茨（Jay Katz）在其《医患间的沉寂》（*The Silent World of Doctor and Patient*）一书中，叙述了他与一名受人尊敬的法国医生之间的谈话。当谈到一名农村男子死于肾功能衰竭时，医生说他对这件事情无能为力。他故意没告诉那个男子透析可以救他的命，那个男人只能去城里治疗，但是“去城里并没有使他的病情好转”。事实也正是如此。

最终，过去的经验、科学方法的进步，以及不断增长的知识开始摧毁家长式医疗的理论基础。如果治疗和程序是合乎逻辑的、科学有效的，那么为何不能将这些告诉病人呢？医疗上的透明才会使医生更加负责，这是毋庸置疑的。20 世纪五六十年代，一系列的诉讼案件使“知情同意”得以确立，也使这些让医疗透明的想法成为正式的规定。这就意味着医生有责任告知病人不同的治疗方法及各自的利害之处，还有责任在实施治疗前获得病人的同意。

医学院会教导学生们知情同意的重要性，治疗不当诉讼的威胁也迫使医生重视新的法律，这样做的成效是巨大的。1961 年，只有 10% 的医生会通知病人被诊断出患有癌症，到 1971 年，90% 的医生都会告诉病人实情。沿袭了上千年的隐瞒病人病情的做法终于得到了终结，事情发生了巨大的变化。对于朱莉这件事而言，也就有了第三种情景。

再一次回到那个场景，朱莉是你生下的早产儿。她在你妊娠期的第 27 周就降生了，体重不足两磅，还出现了严重的脑出血。因此，她被送到一家著名的医学院的新生儿重症监护室，她的生命要靠呼吸辅助设备来维持。经过 3 周的治疗，朱莉的情况并未好转。

医生向你提供了两种选择：继续治疗或关闭呼吸机停止治疗。他们还说明了这两种选择各自的后果。如果停止治疗，朱莉会死亡。如果继续治疗，有 40% 左右的可能性是朱莉会死亡，有 60% 左右的可能性是朱莉会活下来，但是神经系统受到严重的损害，她可能会一辈子躺在床上，不能说话，不能走路，也不能和他人进行互动。

你会怎么办呢？

再一次花点儿时间做出你的决定。想象一下这样的情况，然后回答下列问题。

（1）你会做出何种选择？

（2）请评价当前你的情绪程度，1代表“一点儿也不”，7代表“非常”。

（a）不知所措	1	2	3	4	5	6	7
（b）难过	1	2	3	4	5	6	7

（3）你有多少自信可以做出最佳决策？

	1	2	3	4	5	6	7

（4）你希望在多大程度上由医生做出决定？

	1	2	3	4	5	6	7

这一次，选择权在你手中。医生不但告诉了你必需的信息，他们还让你做出决定。你无须在大量选项中进行筛选，你只需要做出最后的决定。和前两次相比，你的反应有什么不同呢？这是一个很重要

的问题，因为朱莉案例的这一情景和我们在现实生活中面临的情况很相似。

20 世纪六七十年代，不仅是家长式医疗方式衰落的时期，也是美国文化中独立和自主选择崛起的时期。多项著名的研究表明，在选择医疗决策时更自主的方法可能会获得更多的益处。比如在第 1 章中，疗养院会为老年人提供一些琐碎的选项：是否应该在房间里放一棵植物？植物应该放在哪里？哪一晚应该去看一场电影？与正常情况下让工作人员进行决定相比，这些选项不仅会让老人们感到高兴，而且会让人们更加健康。如果琐碎的选项会使人们更高兴、更健康的话，那么更重要的选项应该会带来更深远的益处。因此，我们将要求患者同意医生建议的治疗方案，改成了为患者提供选项并鼓励他们自行选择。

我们不再说“医生最具权威性”了，在决定重要的医疗方案时，我们自己的判断才是最重要的。可能事情原本就应该这样。对于普拉特医生的案例，问题不是对癫痫病人进行子宫切除是否合法，而是应该由谁来决定治疗方案是正确的。普拉特医生以及家长式治疗方式的错误在于，没有意识到治疗方式的正确与否并不只是针对症状和预测而言，这对患者将来是否打算生小孩等生活决策都是非常重要的。家长式的治疗方式是针对疾病的，而新的自主方式则是针对一个人的。毫无疑问，医生具备专业的知识，对治疗方法的利弊有更完整的理解。但是作为患者而言，他们才是最重要的专家：只有他们知道治疗方法会给以后的生活带来哪些影响，只有自己才会真正地承受选择带来的结果。那么，为什么不是患者做出最终的选择呢？

当你回答“是”的时候，我们的医疗系统就会同意你的看法。因此，在美国，如果你不幸发现自己的孩子在新生儿重症监护室，你不会像在某些国家那样遇到家长式的医疗方式。但是接下来我们会看到，在选择继续朱莉的治疗还是终止治疗时，我们不会感到高兴，也不会有感激之情。因为在现实生活中，让家长做出决定比让医生做出决定更让人痛苦。

苏珊的放弃治疗选择

苏珊和丹尼尔·米切尔夫妇正在期待着他们的第一个孩子降生。他们刚刚搬入新居不久，而且已经准备好了一间婴儿房。他们甚至还给孩子起好了名字：芭芭拉，和宝宝祖母的名字一样。在怀孕期间，苏珊没有发生任何问题，因此当某天凌晨3点羊水破了的时候，她和丹尼尔并没有过度紧张。他们开车去了美国中西部一家有名的医学院的医疗中心。很快就能见到宝宝的兴奋感帮助苏珊度过了不断加快的宫缩时期。但是在她准备无痛分娩时，在疼痛和麻醉剂的作用下，她朦胧地听到仪器警示宝宝的心跳已经停止了。她被匆忙推进手术室进行紧急剖宫产。她感到自己的腹部被切了一刀，然后就失去了知觉。

当苏珊在手术恢复室苏醒过来时，她只看到了丈夫，却没看到女儿。她记得听到胎儿心脏停止跳动的报警声，但是意识模糊的她并不知道发生了什么。医生走过来向她和丹尼尔说明情况，这时她才知道自己怀了9个月的孩子正戴着呼吸机躺在新生儿重症监护室里。芭芭拉脑部严重缺氧，缺氧造成了威及生命的脑损伤，活下来的希望渺茫。现在，婴儿不能自主呼吸，只能靠呼吸机和喂食管维持生命。虽然这样可以维持婴儿的生命，但是她的脑功能受损严重，几乎没有恢复的可能。她会成为一个植物人，对周围的事物没有意识，也不能同其他人进行交流。

医生说这些的时候，苏珊听着，一边点头一边哭泣，但她依然抱有幻想，希望宝宝可以好起来。她希望看看芭芭拉以证明自己想的没错，她请求医生把自己带到新生儿重症监护室。她很虚弱，还不能走路，所以，她恳求工作人员用轮椅把她推过去。但是，她所看到的一切并没有给她带来任何安慰。在医疗器械的包围下，芭芭拉看起来那么渺小、那么脆弱。虽然苏珊知道孩子戴着呼吸机，但她还是被插到孩子喉咙中的白色喂食管吓住了。心脏监视器的滴答声告诉她，芭芭拉还活着，但那也在不断地提醒她，芭芭拉仍没有脱离危险。在离开之前，苏珊和丹尼尔握着女儿的手，跟她说了 15 分钟的话。现实最终击溃了他们：要想芭芭拉过上正常人的生活，除非奇迹出现。他们从来没有想过，这是他们第一次也是最后一次作为芭芭拉的父母做出决定。

之后，他们和医生进行了谈话。医生告诉了他们采取各种行动的后果，回答了他们所有的问题，并礼貌地拒绝提供任何建议。米切尔夫妇不得不对是否继续维持女儿生命的治疗做出抉择。几天后，他们决定终止治疗，芭芭拉在几个小时后就去世了。由于需要愈合腹部伤口，苏珊又在医院里住了一段时间。当她走过育儿室看到其他婴儿时，她的失去感还不强烈，但是直到她离开医院时，她才感到一种深深的失去。之后的几个月对于米切尔夫妇来说非常难熬。无论我们是否经历过类似的情况，我们都能理解他们的痛彻心扉。

生物伦理学家克里斯蒂娜·乌尔法利（Kristina Orfali）和埃莉

莎·戈登（Elisa Gordon）对米切尔夫妇以及美国和法国的其他一些经历过婴儿死亡的父母进行了采访调查。在每个案例中，患有严重疾病的婴儿都在停止维持生命的治疗后死去了。在美国，必须由父母做出是否停止治疗的决定，但在法国，在父母没有明显异议的情况下，是由医生做出该决定的。这就意味着这两组父母的选择过程存在很大的差异。我和伦敦商学院营销学教授西蒙娜·博蒂（Simona Botti）以及克里斯蒂娜·乌尔法利对这一差异的影响进行了调查，并提出了一个重要的问题：几个月之后，这两组父母的悲伤感相同吗？

两组父母仍旧都很悲伤，但是，一组似乎要比另一组好一些。许多法国父母都认为这样的结果是不可避免的，所以在采访中，与美国父母相比，他们较少提到事情可以是怎样或应该是怎样的。他们讲到发生的事情时并不是那么混乱或悲愤。他们中的一些人还强调了与婴儿相处的短暂而宝贵的时间。诺拉是一位法国母亲，她说："虽然我们失去了诺厄，但是他也带给我们很多。虽然远非快乐的东西，但是那一刻他在那里，我们爱我们的儿子。除此之外，可能他还带给我们一定的人生观。"她还提到他们夫妇和一些护士成了朋友。"我们都很悲伤，"她说，"但是如果他死了，那或许是因为他的命运如此吧。"她和其他法国父母一样既没有责备自己，又没有责备医生。他们当中的一些人希望能在是否继续治疗的决策中有更多的参与，但他们也意识到那样的选择太痛苦、太强人所难了。皮埃尔失去了女儿爱丽丝，他说："医生做出决定后再和我们商议。因为我们是孩子的父母，如果在决定时让我做些什么，我想那是不可能的。我知道我不会要求停止治疗。这件事本身就非常困难，更别提什么额外的压力了。"

对于美国父母来说，额外的压力可能是持久的内疚、怀疑和怨恨。

布丽奇特是埃利奥特的母亲。她感觉医生和护士当时是在催促她做出决定。她说："我不断地假设这样会怎样、那样会怎样。"她觉得自己应当更多地参与治疗方案的选择，但是她非常不情愿自己是关掉呼吸机的那个人："他们在故意折磨我。他们怎么能让我去选择呢？现在我一直生活在选择的内疚中。"莎伦是查理的母亲，她也表达了相似的情绪。她说："我觉得我在执行死刑中扮演了一个角色。我不应该那样做的。"这些令人难受的痛苦叙述听起来与法国父母的叙述有很大的差别。这些叙述简直是出自苏菲 [威廉·斯泰伦（William Styron）的小说《苏菲的选择》(*Sophie's Choice*）中的角色] 之口。

在小说中，作为"二战"纳粹集中营的幸存者，苏菲有许多痛苦的回忆。小说书名《苏菲的选择》便是她最痛苦的经历，正是那个强迫性的选择不断地侵扰她，并最后击垮了她。在书的结尾部分，我们看到苏菲不能释怀，也不能忘记她的选择。当她和儿子简、女儿伊娃被送到奥斯威辛集中营时，他们站在停机坪上，等待被送往劳动营或毒气室。负责决定的是 SS 医生。在惶恐和绝望中，苏菲无意中透露了她和她的孩子是波兰天主教徒，不是犹太人。SS 医生说既然那样，她可以有选择的权利：她可以留下一个孩子，另一个孩子将会被送到毒气室。她能听到自己低声地乞求："不要让我选择。我不能选择。"但是如果她不选择，两个孩子都会被杀死。她痛苦地大叫道："带走这个孩子吧，带走我的女儿吧！"这决定了伊娃和苏菲的命运。多年以后，她还常常会在记忆的梦魇中惊醒，她说自己的心已经支离破碎了，已经变成了石头。

在我们的概念中，"折磨"和"执行死刑"这样的字眼应该出自苏菲之口，而不是布丽奇特和莎伦之口。甚至这些美国父母有类似苏菲的反应也令我们吃惊。毕竟，相比苏菲，美国父母所处的情景似乎与法国父母所处的情景更相似，在我们的概念中，相似的情景应该产生相似的反应。当然，文化的差异可能会导致一些不同。但是，面对这样的生死悲剧，所有人发自肺腑的、最基本的反应不应该是一样的吗？然而，在这件事情上可能还存在另一种驱动力，因为美国父母和苏菲都面临着做出选择的影响，这比两组父母面临相同情况的影响更大。你会因为作为主要决策者，而不是事件本身，被推到痛苦的深渊吗？选择本身的代价又是什么呢？

比较的代价

你已经阅读了三个版本的朱莉的故事，并回答了每个版本中的问题。在第一个版本中，医生不会提及其他选项，他们直接决定停止治疗（无通知—无选择版本）。在第二个版本中，在决定停止治疗前，医生会说明两种可能的方案及每个方案的后果（有通知—无选择版本）。在第三个版本中，医生会提供相关信息并让你自己做出决定（有通知—有选择版本）。2008 年，我们在哥伦比亚大学进行了一项研究。我们向参与者描述了朱莉案例的情景，让参与者想象自己就是朱莉的父母，并填写问卷，就像你做过的一样。但是，你看到的是所有的情景，并一一做出了回答。参与者遇到的是随机的某一种情景。通过比较他们的反应，我们得出，有通知—有选择情景下的参与者（相当于美国父母）和无通知—无选择情景下的参与者的消极情绪相当，有通知—无选择情景下的参与者（相当于法国父母）比上述两组参与者所表达的消极情绪更少。这说明，告诉人们不同的治疗方案会帮助他们减轻消极影响，即使在由医生做出最终选择的情况下也是这样的。

我们还得出结论，有选择情景下的参与者比无选择情景下的参与者更相信停止治疗是正确的选择。这就是说，尽管有选择情景下的参与者更相信最终的选择是正确的，但是他们的消极情绪更明显。为了进一步研究这一结果，我们将无选择情景更改为由医生决定继续治疗的情景。这样，无选择情景下的参与者和选择继续治疗的有选择情景下的参与者对选择的自信程度是一样的，但是有选择情景下的参与者的消极情绪还是更明显一些。消极情绪的程度似乎与停止或继续治疗的真实选择的自信程度关系较小，而与参与者对孩子死亡或受罪的直接责任关系更大。

研究中的另一个变动——将停止治疗描述为专家建议选项——确定了感知因果关系的重要性。在有选择情景下的参与者和无选择情景下的参与者想象的情景中都加上医生的建议："我们认为应当停止治疗。"与先前的研究结果相比，当医生把停止治疗作为优先医疗选项，而不只是一种可能的选项时，有选择情景下的参与者就不会比无选择情景下的参与者有更明显的消极情绪了。这一变化消除了两组参与者之间明显的消极情绪差异。这也说明，在面对艰难的医疗选择时，医生明确的倾向可以帮助人们减轻个人责任负担。朱莉案例研究说明，如果我们单独承担责任或承担主要责任时，我们将在心理和道德上承受非常艰难的抉择。

一方面，像在前面其他章节看到的一样，我们在任何情况下都不愿意放弃选择，因为我们相信选择可以改变生活，使我们过得更好。另一方面，在不考虑我们的选择和选择的后果时，我们可以从经验和直觉中感觉某些选项会降低我们的幸福感：当我们必须进行选择而且提供给我们的都是不合要求的选项时，确实如此；对于我们必须以“有形的价值”（value）而不是“无形的价值”（worth）的角度考虑的情况，更是如此。正如刘易斯·海德（Lewis Hyde）在他的《礼物》（*The Gift*）一书中写的：“‘无形的价值’一词用来形容我们赞美的、不能用金钱来衡量的事物。而‘有形的价值’则是通过与其他事物对比得出的。”孩子的生命是无价的，但是当我们像米切尔夫妇那样需要做出医疗抉择时，我们必须对选项进行比较，比较选项的有形价值。受多大程度的罪与死亡对等呢？也就是说，将你和孩子当前以及未来可能遭的罪加在一起达到什么样的程度时才能比死亡更严重呢？或者，按存活的可能性或康复的可能性计算，有多大的希望时你会选择继续治疗呢？你考虑过心理上和经济上的压力吗？你考虑过这一选择对你的其他孩子的影响吗？或者你认为这个孩子的生命重于一切吗？当我们对无价的事物估价时，会发生什么呢？

请允许我再一次援引海德的话：

> 如果一个事物具备市场价值，那么它一定可以被分开或转让以便称量或比较。此外还有一个前提条件：我们在评价这个事物时必须能超然于事物的价值之外。我们必须能够将自己与该事物分开……在被问及某些情况时，我们会感到不舒服，甚至会感觉被冒犯了。以古老的伦理难题为例，假如你的爱人、孩子、祖母和你同在一艘救生船上，为了使船不沉没，你必须选择将一个人抛下船。这是一个难题，因为你不得不对自己的家人估价，而正常情况下我们并不会超然于家人之外，也不会像为商品估价那样对自己的家人估价。有

> 时，我们会被强迫进行这样的抉择。这些抉择都是充满压力的，因为我们不得不对与我们有情感联系的事物进行比较估价。

小说里的苏菲和真实生活中的美国父母面临的选择就是需要对自己的孩子估价。这样做，他们就需要超然于孩子之外，但是由于他们不能这样做，他们只能被生生地分开。他们和孩子就像被绑在拷问台上被生生地拽开一样。对于美国父母而言，这会造成无尽的内疚和悲愤，有时这还会导致忧郁。对于在战争中还遭受了许多其他打击的苏菲而言，最后她选择了自杀。当我们读到 SS 医生让她进行选择的章节时，我们立即能意识到那是对她的一种折磨。但是在现实生活中，有时我们会很难意识到选择的悲惨代价。

我们都希望自己不要遇到类似的选择。但是现实是残酷的，在生活中，我们每个人都有可能面临痛苦的抉择。在美国，现在有 450 万阿尔茨海默病患者，到 2050 年，这一数字预计会增长到 1 100 万～1 600 万。美国癌症协会估计男性和女性在一生中患侵入性癌症的概率分别为 1/2 和 1/3。每年新确诊的帕金森综合征患者有将近 6 万人。我并不想打击你，但是，事实上我们每个人都不可能避开处理这类问题的情形。医疗水平在不断提高，人们也更加长寿，但是这些发展意味着最终我们会发现自己被迫进行艰难的抉择，这些抉择可能与我们的父母、我们的亲人，甚至我们自己有关，我们都需要计算这些抉择的价值。

这些抉择可能比朱莉案例中的选择更棘手，你遇到的可能不是一个令人痛心的抉择，而是我们认为理所当然的许多生活琐事。我们会被迫评价亲人的生活质量——从安全方面考虑，我们应该把他们的车钥匙藏起来吗？为了满足母亲的愿望，我们应该放弃独立的生活吗？如何防止祖父从他以前非常熟悉的地方走丢呢？如果父亲自己不能吃饭，是将他送到养老院受到悉心的照顾好，还是选择其他方法，比如请个私人保姆在家中照顾他好呢？

在这些情况下，不存在进退两难的境地，但也不是一个简单的是或否就能解决的。当然，在计算的过程中，健康和安全是非常重要的考虑因素，但是，在保证健康和安全的同时，我们能尽量地保持自由和独立吗？以有形的价值衡量保护和尊严并不是一件简单的事情，根据承受人当前的情况不断地重新衡量这些决定同样复杂。即使凭直觉控制精神和身体恶化的情况，有时也无济于事。有时，承受人会拒绝他人的帮助以捍卫自己剩余的自由。家庭成员会向你一次次地证明，对于一段本身就非常痛苦的经历来说，进行与亲人相关的选择是多么困难的一件事。

我们从朱莉案例研究中可以看到，与仅仅将停止治疗作为一个医疗选项相比，假如医生将停止治疗作为优先的医疗选项，选择参与者的消极情绪就会减轻。在面临艰难的选择时，我们常常会求助于权威和专家以减轻选择的压力，我们需要他们告诉我们，在如此艰难的选择中，我们的选择是正确的。这会使我们感觉好一些，即使最终结果没有任何变化。在美国的文化中，尊严和独立是非常重要的，在进行抉择时也是如此。我们不希望否定别人，即使是对于退行性脑病患者也是如此。选择的权利对我们来说非常重要，它甚至可以超越人们对身体健康的关注。一种可行的处理策略是在最棘手的方面服从医疗权威的选择；当子女或爱人不想把车钥匙藏起来时，医生提出的不要上路开车的建议便可以作为不让奶奶再开车的理由了。然而对于这类棘手的问题来说，我们似乎认为选择是自己的事情，而不想让别人插手。

婴儿和老年人可能需要依赖别人的保护和照顾，但是老年人会经历转变，从先前独立的自己变得完全依靠他人。当我们变成看护人时，这就意味着除了为自己抉择，我们还肩负着替他人抉择的重任。尽管我们总是希望亲人一切都好，但是大量选择会让我们疯掉。我的一名女同事曾经告诉我，在一次顿悟之后，她感觉无比轻松："我曾经深受医疗抉择的折磨，有一天我突然意识到不管如何做选择，我的母亲都会去世的。这听起来很残酷，但是这对我来说非常重要，它能帮助我理解到，我不能替她安排，也不能让她重新获得自由。当我不再困扰于自己是否是一名优秀的看护人后，在过去的几年里，我们生活得更好了。"也许我们都应该少关注自己是否做得完美，而去多关注和亲人共度的简单而快乐的时光。

两难之间

考虑到医学史上那些案例中医生的骗术，我们对家长式医疗的改变还是很有道理的。但是将其转变成患者自主的方式后也出现了新的问题和后果。诚然，参与医疗方案的选择在患者心理方面有很大的益处，即使自己的选择与医生或其他患者的选择并无差异时也是如此。但是，像我们看到的那样，选择有时也会成为一种惩罚，变成消极的结果。虽然我们相信对于之前的医学来说，由于缺乏选择的机会，有些重要领域并未达成共识。比如内科医生、医疗决策学者彼得·乌比尔（Peter Ubel）在他的《直觉》（*Free Market Madness*）一书中指出，在 20 世纪 70 年代，许多家长都反对给孩子接种小儿麻痹疫苗，这主要是因为疫苗本身也可能会传染疾病。由于疫苗传染疾病的概率只有 1/240 万（远远低于未接种疫苗者感染小儿麻痹症的概率），因此每个医学专家都会鼓励注射疫苗。但是假如你的孩子不幸在这 1/240 万之列，对你来说再小的概率也只是无用的安慰了。有些家长担心接种疫苗会使孩子染病，因此他们情愿选择更危险的选项——不接种疫苗。当我们需要进行选择时，我们会着重思考采取行动后潜在的危害，却很少考虑不采取行动会陷入的麻烦。接种疫苗这件事便是这方面的一个例子。

有时候怀疑或避免复杂也会使我们误入歧途。彼得·乌比尔和他的同事最近进行了一项研究。他们让参与者假设自己被诊断出患有结肠癌，对于他们来说，有两种治疗方案。方案一：完全康复的概率为 80%，死亡的概率为 16%，治愈但伴随一种非常讨厌的并发症（结肠造口、慢性腹泻、间歇性肠梗阻或伤口发炎）的概率为 4%。方案二：完全康复的概率为 80%，死亡的概率为 20%。你会选择哪种方案呢？你认为活着但忍受并发症比死去更好一些吗？

90% 以上的参与者认为活着但忍受并发症比死去更好一些。根据他们的倾向，大部分人应该会选择方案一。但是大约有一半的人选择了方案二！虽然我们知道从概率角度来看，可能造成并发症的方案要比不会造成并发症的方案好，但是我们在实际生活中会认为后者是更好的选择。也许我们可以看到自己在痛苦和尴尬的并发症中挣扎的一面，但我们却没有想到死亡，其复杂之处在于我们在现实生活中觉得死亡是从来不可能发生的。因此，我们常常会前后矛盾，存在偏见，即使当我们的生命处于危险情况下也是如此，或者说正是因为我们的生命处于危险情况下，我们才会这样。

这样会使我们处于怎样的境地呢？我们当然不希望患者在手术中失去的比想象中的更多。我们不想让别人告诉我们去做什么，但是我们也不想做出对健康和幸福不利的选择。当我们自己或亲人面临疾病或死亡的威胁时，我们希望尽量减少需要承受的痛苦，但是我们的行动却与此有些矛盾，因为我们会限制自己的选择。如果是你，在上述情景中，你会更加倾向于放弃自主选择吗？如果你回答“是”的话，你会比较相信谁呢？你会经常让他们帮你做出选择吗？如果你回答“不是”的话，那是为什么呢？是因为你对自己的渴望、动机和行动有非同寻常的洞察力，因此很少犯错吗？在其他人情绪激动的情况下，你还能客观地进行评价吗？或者如果你认为放弃选择与奥威尔式糟糕的处境仅有数步之遥，你稍有后退，逆境便会得寸进尺呢？

这正是我们只有在陷入两难之间时才会认真思考的原因。在这种情况下，我们绝不会做出最有利的选择。这时候，如果别人催促你进行复杂的选择，你会觉得那是一种粗鲁的行为，是海德说的那种粗鲁。有些人可能会认为，深入思考这些选项会把它们带入自己的生活中。我不否认这有一点儿恐怖，但是排除让我们承认死亡的人寿保险政策和遗嘱，对我们来说，死亡一生只有一次，交税一年就会有一次，而不愉快的困境却随时都会强加给我们。虽然这些困境似乎像烦人的邻居一样，比 SS 医生出现得更加频繁，但是当我们有能力为不愉快且不可避免的选择做准备时，忽略或轻视这些选择的累积效应对我们没有好处。

为了检验我们对日常生活中不愉快选项的反应，我和西蒙娜·博蒂进行了一系列研究。该研究在芝加哥大学的学生中展开，参与者以为他们是在参与一次消费者品尝体验。我们制作了各种口味的酸奶，让一些学生按照喜欢与否为这些酸奶打分，分值为 1～9，共 9 个等级。根据学生们打出的分数，我们选出了4种比较受欢迎的口味（红糖口味、肉桂口味、可可粉口味和薄荷口味）和4种不受欢迎的口味（芹菜籽口味、龙蒿口味、咖喱粉口味和鼠尾草口味）。然后我们把这些酸奶摆在桌子上，让其他学生找出比较受欢迎的4种口味或不受欢迎的4种口味。酸奶盛放在带有标签的无盖透明杯子中，学生们可以很容易地看到酸奶的形态，闻到酸奶的味道。然后我们让一半参与者选择一种口味进行品尝，让另外一半参与者通过抽签的方式进行品尝。实际上，我们会操纵抽签箱，使抽签组与选择组的酸奶选项相同（实际上是指定选项）。每名参与者都可以随意品尝自己选择的口味的酸奶，然后填写一张调查表，评价对该种口味酸奶的喜爱程度，并为重8盎司一杯的酸奶定价。

对于受欢迎口味的酸奶来说，自主选项参与者比指定选项参与者品尝得更多，定价也要高1美元。对于不受欢迎口味的酸奶，指定选项参与者比自主选择参与者多品尝了50%，定价也高出1.5美元。这样的结果对于受欢迎口味的酸奶来说可以理解，但是，对于不受欢迎口味的酸奶来说，为什么会出现这样的结果呢？为什么指定选项参与者会更容易接受不受欢迎的事物呢？进行的调查以及与参与者的讨论为我们提供了一些信息。自主选项参与者在选择酸奶时会进行正反两方面的对比，在品尝酸奶时，还会继续进行评价：这种口味的酸奶有多难吃？为什么？每吃一勺，自主选项参与者都会想这是他自己的选择，他是不是选了最难吃的那种呢？相反，指定选项参与者不会细想自己吃的酸奶与其他口味的有什么不同。既然不是自己选择的，那么指定选项参与者对口味寄予的希望就比较小。对他们而言，这只是一种体验，与个人的成败无关。就好像既然自己没有什么损失，那就随便选一个好了。

当然，我们在现实生活中不会举办最差口味酸奶的评选，也不会被迫吃自己不喜欢的口味的酸奶。如果超市里让人品尝的食物没有什么吸引力，人们就会走开。但是，现实生活中通常没有“以上都不是”这一选项，或者它可能是最差的选项。比如你和爱人都非常喜欢乌维·鲍尔（Uwe Boll）的电影。在约会时，你会选择《吸血莱恩》（*BloodRayne*）还是《死亡之屋》（*House of the Dead*），还是选择其他电影让心爱的人伤心呢？当假期来临时，你会选择看望对方的父母而让自己的父母失望，还是选择看望自己的父母而让对方的父母失望呢？或是选择待在家中，让双方父母都失望呢？你会选择将最具情感价值的传家宝传给这个孩子，还是另一个孩子呢？或是将它卖掉，然后将钱平均分给孩子们呢？对于个人而言，这些选择都不会过于影响他们的生活。但是如果每个选择都会影响一个人的幸福，那么多少选择加起来才会产生明显的作用呢？也许我们应该重新审视一下我们一直坚持的对于选择的信仰，也许我们应该思考一下对选择放手的同时，我们会得到什么。

红色按钮综合征

欢迎来到天堂乐园！很高兴你来到这里，我们希望你尽可能待得久一些。在这里你可以吃得很好，可以尽情作乐，可以想做什么就做什么！天堂没有束缚，你掌管一切（但是请勿触摸那个按钮）。拿起一份地图，开始探索，开始享受吧！天气永远都是那么好！那是什么？你说那个按钮？噢，对了，只要不按下那个按钮，一切都会很好。如果你按下那个按钮，后果自负。看，就是不要靠近下面这个圆形大按钮（让我们想象一下它是鲜红色的吧），好吗？

你可能会像我一样想知道那个按钮有什么用途。你可能有好多事情要忙，但是你的思绪还是会飘到那个按钮上。当然，情况并不是太糟，他们只是试图阻止你做一些事情。如果你没有按下按钮，其他人也会那样做的，你可能没有什么风险，但你不想切身感受一下吗？他们为什么会告诉你这样一个按钮呢？也许他们就想让你去按下这个按钮。按下这个按钮之后，可能会出现一个新的世界。只有一个办法可以知道到底会怎样……

在生活中，我们很早就懂得有些事情就是简单的不可以去做，我们也不会做出反抗。很小的时候，我们会发脾气，把果汁打翻；十几岁的时候，我们会摔门而出。在我们最叛逆、最珍贵的记忆中，我们总是想冲破禁忌，虽然在很多情况下我们都失败了。当我们可以吃所有的水果，唯独树上的那个除外时；当我们可以与所有的人相爱，唯独仇人的儿子不可以时，我们知道结果是怎样的。我们会不服从，我们会反抗，我们甚至会背叛。20 世纪 60 年代，心理学家杰克·布雷姆（Jack Brehm）曾将这一情况称为“拒抗”(reactance)，并这样解释：

> 当一个人认为自己有进行某一行为的自由，但这种自由被消除或存在被消除的危险时，他就会产生心理拒抗。心理拒抗是一种直接针对被消除的自由或被消除的危险建立起来的激发状态。它会增强一个人进行相关行为的欲望……

当然，对于个人而言，你可能正在抓住某些自身缺乏的机会。但是，正如我们看到的那样，人们所选的通常并不是对自己最有利的选项。对于这种问题，一个可能的解决方法是排除那些可能有害的选项，然后求助于我们认为值得信任的、更适合的或更客观的人。但是说起来容易，做起来难。即使我们可以找出有害的选项和适合的人，将选项排除很可能会激发拒抗心理。没有选择是一回事，可以选择但是放弃选择则是另一回事。在朱莉案例研究和酸奶研究中，可以进行选择的参与者在调查问卷中都表示不愿将情景转换成不可以进行选择的情景。反过来，不可以进行选择的参与者都希望将其转换成可以进行选择的情景。大多数人都认为可以进行选择是更好的，至少是好的，即使在不可以进行选择的参与者比可以进行选择的参与者有更多满足感的情况下也是如此。

也许这种喜欢有选择的原因是，这些实验都是假设的或日常的情景，风险较低，并不能使参与者质疑自己选择时的权衡。但这并不能解释美国父母在为孩子进行了真正的、关键的医疗选择，并对使其处于这种境况表现出生气和抱怨后，为什么还会拒绝放弃选择。他们明白，在他们所处的情景下选择是一种责任，所以如果有机会的话，为什么不让医生决定呢？此外，虽然法国父母受益于他们的文化——医疗选择不是一种个人选择，但他们对不能选择还是有一种复杂的感情。

在前面的章节中，我曾说选择对于人类而言是一种基本的需要，它与生命、自由、追求幸福等“不可剥夺的权利”有着千丝万缕的联系。如此看来，选择拥有的是无形的价值而不是有形的价值。我们在考虑时需要估测选项的价值，但是选择本身是不可以被估价的，它需要坚定的爱和忠诚。当我们在“选择是一种理论还是一种实践”这一问题上彷徨时，情况就会变得很纠结：我们是应该行使自己的权利，还是应该做出对当时情况有利的事情？在没有选择的情况下，这个问题永远都不会出现。但是如果其他人可以进行选择而我们不能，或者我们当前拥有的选择存在消失的危险时，我们就会怒发冲冠了。这时天平就会倾向于选择是一种理论，不管结果如何，我们都应坚持选择的权利。这就意味着用放弃选择的方式解决艰难的选择问题可能会适得其反。

1972 年，佛罗里达州迈阿密市的居民开始囤积将要被禁止的一种物品。从宣布禁令到实施禁令的很短一段时间里，迈阿密市民蜂拥到商店里抢购该物品。禁令被实施后，一些居民坚持从承认这种物品依然合法的其他地区私运这种物品。是什么物品让迈阿密市民如此珍视呢？事实上它只是某种洗衣粉，但并不是所有洗衣粉。迈阿密是美国最先禁止销售和使用含磷洗衣粉的城市之一。磷酸盐是一种化学品，它能通过软化洗衣机中的水来增强洗衣粉的去污能力。不幸的是，它还是一种高效的肥料，排放到水体中会导致藻类的大量繁殖，进而阻塞水体，使水中的动植物缺氧死亡，有时候还会产生对人体有害的神经毒素。含磷洗衣粉能把衣服洗得更干净，但又能有多干净呢？奇怪的是，在实施禁令的时期，磷酸盐并不是可以增强洗衣粉去污能力的唯一方法，生产商已经引入了碳酸盐等其他替代品。在拥有同样的去污能力、对环境安全且合法的洗衣粉的情况下，人们为什么会为了使衣服干净而违反法律呢？我的一个同事说这就像“肥皂禁令”一样，是拒抗对我们的态度和行为产生重大影响的案例之一。

作为一种心理现象，拒抗并不取决于当时的状况，而是取决于我们的感觉。如果我们认为自己的选择权被剥夺了，那么对错可能就不那么重要了。我们非常希望拥有选择权的一个方面就是医疗领域，我们不喜欢强加的限制。当我提到健康维护组织计划①（HMO）时，你的第一反应是什么？在你听过有关健康维护组织计划的恐怖故事后，你的第一反应恐怕不会是积极的。2000 年的民意测试结果显示，健康维护组织计划的公众支持率仅为 29%，比烟草公司的支持率仅高出 1 个百分点。健康维护组织计划成了大部分人都讨厌的医疗保健形式，但是，它真的那么令人讨厌吗？

在传统的健康保险计划中，人们不管在哪里接受治疗，都可以报销部分或全部的医疗费用。而健康维护组织计划有所不同，它的报销只限于网络范围内的医疗提供商，不同的健康维护组织计划报销范围不同。如果你希望健康维护组织计划报销你在专业医师处就诊的费用，你就需要得到网络范围内初级治疗医师的批准。这样，健康维护组织计划就能与网络内部的医生商定一个更好的价格，进而降低客户的保险费用了。人们确实喜欢节约，但是，人们对节约的喜好程度可能不及对选择的喜好程度。人们觉得受到了健康维护组织计划的约束，他们坚持认为获得的治疗效果较差。但是，稍等一下，有些报告甚至来自非健康维护组织计划的成员。在一次研究中，研究人员分析了

① 健康维护组织计划是美国常见的医疗保险形式之一。——编者注

18 000 多名参与者的调查数据。他们发现，有 25% 的人弄错了自己所属的医疗保险计划，他们认为自己参加的是健康维护组织计划，其实他们参加的是传统保险，同时也存在相反的情况。认为自己参加的是传统保险的人比认为自己参加的是健康维护组织计划的人满足感更强。他们“实际”参加的保险种类似乎比他们“认为”自己参加的保险种类，给他们带来更少的满足感。健康维护组织计划提供的选项确实比较少，但是，那就一定会使医疗效果变差吗？我们似乎确实是这样认为的，但是，我们的评价可能会被我们对选择限制的厌恶曲解。如果我们在决断时有拒抗的成分，那么难道我们不能对此做些什么吗？

限制，让选择更珍贵

一个真正民主的社会必须在一定程度上鼓励拒抗。当不能刺激人们挑战对自由的威胁时，还有什么可以阻止人们默许极权主义呢？所以我不建议发起镇压拒抗的绝密计划。我们可以设计和采取一些策略，绕开、操纵或利用拒抗，使其在不会威胁我们权利的前提下为我们服务。比如逆反心理，当兔子被它的天敌狐狸捉到后，逆反心理就非常奏效。当狐狸考虑是通过火烤、绞死，还是淹死的方式惩罚兔子时，兔子恳求道：“求求你，别把我扔到荆棘丛中，你怎么惩罚我都可以，就是千万别把我扔到荆棘丛中。”狐狸是怎么做的呢？它当然是把兔子扔到荆棘丛中了。兔子是在荆棘丛中长大的，因此，它很容易就逃跑了。我的一个同事在引导小儿子对莎士比亚产生兴趣时也使用了相同的原理。他说莎士比亚的书是“大人看的书”，小孩是不能看的。他把莎士比亚的书藏到书架上其他书的后面和浴室水池下面的盒子里，就像藏《花花公子》(*Playboy*) 或《藏春阁》(*Penthouse*) 那样，但他总是会故意露出一点儿破绽。他的儿子很快就找到并偷偷阅读了它们。渐渐地，这个小男孩就对经典著作产生了浓厚的兴趣。我的同事自然非常满意。

其实还有更好的解决之道。还记得我的导师、斯坦福大学的马克·莱珀教授吗？ 20 世纪 70 年代，他与心理学家马克·扎纳（Mark Zanna）和罗伯特·埃布尔森（Robert Abelson）进行了一系列堪称经典的研究。一天，加利福尼亚州一个幼儿班的小朋友经历了“特殊的事情”。他们被单独从往常的教室活动中带出来，进入另一个房间中。在这个房间中，有一个穿着白色实验服的实验人员会向孩子们展示 6 种玩具：火车、“机灵鬼”、推土机、可以上发条的驴、神奇画板和罗比(一个使用电池的机器人，当年最流行的玩具之一)。实验人员让孩子们对玩具的喜爱程度打分，所有的孩子都给罗比打了最高分。接下来，实验人员告诉孩子们他会离开一段时间，在他离开时，孩子们可以玩除了罗比的任何一种玩具。他非常严厉地警告其中的一些孩子：“如果你玩罗比的话，我会生气，而且对你非常失望。我会惩罚你的。”对于另外一些孩子，他只是说：“如果你玩罗比的话，我对你会有点儿生气。”在实验人员离开后，被严厉警告的孩子会盯着罗比，但是不会靠近它；而经过温和警告的孩子也会听话，但是他们会靠近罗比。他们只会关注罗比，并慢慢地靠近它，但将要碰到罗比时就赶紧打住。一周以后，另一位实验人员对这些孩子重复了之前的实验。经过温和警告的孩子（之前觉得罗比难以抗拒的孩子）对罗比的兴趣有所降低。但是，那些经过严厉警告的孩子对罗比的兴趣更浓了。

所有的孩子都受到了相同的限制。从长远来看，与经过严厉警告的孩子相比，经过温和警告的孩子被激起的拒抗较少。由于害怕生气和受到其他训斥，经过严厉警告的孩子会与罗比保持一定的距离，但是他们好像患上了“红色按钮综合征”，红色按钮的诱惑又开始呈现在我们面前了。我们可以想象这些孩子肯定在想：“他不让我玩罗比，罗比肯定特别好玩！”“我为什么非要听他的呢？他凭什么管我啊！”经过温和警告的孩子已经不再对罗比那么渴求了，但是，他们的犹豫表明他们认为自己可以选择。他们可能认为：“如果我想的话，我还是可以玩罗比的，因为他说只会对我有一点儿生气。这没什么大不了的，因为爸爸每次都会生气，但是也许我并不是很想玩罗比吧。”

一周以后，实验人员要求孩子们回忆之前的情形并给罗比评分。对于那些经过严厉警告的孩子来说，很明显他们是被迫放弃罗比的，他们没得选择。所以，这次他们给罗比的打分都偏高，显示出了拒抗带来的结果。但是，对其他孩子而言，事情稍微有些复杂。一开始他们非常喜欢玩罗比，后来他们又不玩罗比了。由于不听话的后果很轻，因此他们是可以选择的，那么他们为什么不选择他们最想要的玩具呢？

一个可能的解释是，那样做会产生认知失调（Cognitive Dissonance），会使他们陈述的愿望和实际行为之间发生不愉快的冲突。由于以前的行为无法改变，因此避免认知失调的唯一方法就是重新解释自己的愿望：“我想罗比也没什么特别的。我以前觉得玩罗比很有意思，可能实际上也不会多么有意思。”通过要求孩子们不要玩罗比，同时又为他们留有一定的余地，实验人员可以将拒抗降到最低，同时也可以降低罗比的吸引力。孩子们会认为是他们自己得出了罗比并不是那么好玩的结论，因此他们就会坚持这一新态度。

保险公司很快就从这些研究中吸取了经验。他们意识到那种“不让人感觉到限制”的限制的好处，并将这一新的发现应用到公众对健康维护组织计划信心较低这一问题上。他们没有告诉计划参与者关于拒抗的事情，也没有尝试说服人们他们知道一切。相反，他们开发了一个新的计划——优选医疗机构计划。像健康维护组织计划那样，优选医疗机构计划也向人们提供了一个批准医疗提供商网络，专门的治疗同样也需要初级治疗医师的批准。两种计划的关键差异在于优选医疗机构包括网络以外的医疗，但是和网内医疗相比，网络以外医疗的价格会相对较高。这样的刺激使人们更多地选择网内医疗，但是他们会感觉到自己有的可选。这使保险公司能从优选医疗机构计划较低的保险金方面获益，同时还避免了由健康维护组织计划的严格限制引起的消费者不满。

法律通常会利用类似的方法来影响我们的选择。用来降低人们烟酒消耗量的“罪恶税”（Sin Taxes）就是采用限制而不是禁止的方法，因此取得了很好的效果。为了降低失业、医疗费用和饮酒引发的事故等造成社会成本的各种原因，政府开始征收这类税，并不断地提高税率。研究表明，将酒税提高 10% 可以使酒类消耗量降低 3%～4%。令人印象深刻的是，在美国酒税普遍较低，在某些州，1 加仑[①]啤酒需要交纳的税仅为几美分。对于烟草行业来说，有时 1 包烟征收的税都会超过 2 美元。根据诺贝尔经济学奖得主加里 · 贝克尔（Gary Becker）及其同事的研究，烟草税增加 10% 会使烟草的消耗量降低 8%，而且对青少年和孕妇这类从烟酒中损失更多的人群来说，效果会更加明显。

① 美制 1 加仑等于 3.785 升。——编者注

同时，在一般情况下，消耗量降低的比例要比税率增加的比例小，这样政府也能获得更多的税收。但是付账的消费者会如何看待这些征税呢？

近期的一项研究结果表明，烟草税上涨会使更易于吸烟的人很高兴。这些烟民的数学能力有问题吗？他们想烧钱吗？不是的，他们当然知道烟草税上涨会增加吸烟的花费，他们也不希望花更多的钱。那这究竟是怎么回事呢？是这样的，烟民和潜在的烟民知道自己不应该吸烟。从健康和金钱的角度来说，吸烟是不好的。但是，戒烟的动机并不足够强，也许是碍于同龄人的压力或“吸烟很酷”等诱惑，也许他们已经上瘾了。不管出于什么原因，吸烟的诱惑还是很大的。但是如果烟草价格上涨的话，戒烟的动机就会增强，这是一件好事。在某种程度上，人们就会简单地认为自己不能负担这一喜好了。对于已经不抽烟的人来说，他可能以后也不会抽烟了；对于抽烟的人来说，他可能就会戒烟了。对于那些想戒烟的人来说，这可能使戒烟变得更加容易了：价格上涨的话，相同的香烟的诱惑力就变小了。

这听起来好像是一件双赢的事情！但是在税率疯涨之前，让我们先来看一下实际的情景。与禁令相比，征税的限制较小，但是如果税率增加到非常高的程度时，也会引发拒抗。当人们想要的东西太贵时，会发生什么样的事情呢？我们可以看看 20 世纪 80 年代和 90 年代初加拿大不断提高烟草税的结果。在这期间，吸烟量降低了 40%，但是到 1994 年，烟草黑市交易变得很猖獗：有 30% 的香烟是由有组织的犯罪团伙从边境走私来的。除了应对犯罪事件，加拿大政府还需要应对财政收入降低的问题，因为购买香烟并交税的人也减少了。到 1997 年，政府又降低了税率。加拿大现在的吸烟率和烟草税率与美国相当。

降低限制也是一种艺术。降低得太少效果不明显，降低得太多又会事与愿违。找到最合适的点是相当困难的。那些对人们产生影响的税率和其他决策，没有一种是适合所有人的。人们只能自己确定最适合自己的尺度。

与其放弃，不如让别人替你选择

希腊史诗《奥德赛》讲述了英雄奥德修斯（Odysseus）在帮助希腊取得长达 10 年的特洛伊战争胜利后返航的故事。由于一路上历尽劫难，他又花费了 10 年时间才回到家乡，这样“奥德赛”就成了漫长而冒险的航行的代名词。奥德修斯打败了怪兽，也因此牺牲了许多船员。尽管飓风总是使他的船偏离朝着家乡的方向，但他一直在坚持。面对女妖塞壬（Siren）迷人而致命的诱惑，他在女巫喀耳刻（Circe）的帮助下幸存了下来。塞壬天籁般的歌声令人无法抗拒，无数经过的水手都触礁或从船上跳下来溺水而亡，因为他们想更近地聆听那天籁之音。奥德修斯提醒他的船员们，在途经塞壬所在的岛屿时要用蜂蜡堵住耳朵。但是他自己想听到歌声，因此，他向水手们下达了以下的命令：

> 你们必须用结实的绳子牢牢地捆住我，
> 让我一动也不能动。
> 让我站在桅杆底座上并把我用绳子捆在桅杆上。
> 如果我恳求或命令你们放开我，
> 那就请把我捆得更紧些！

在塞壬的诱惑下，奥德修斯开始恳求，但是他忠诚的船员只是将他捆得更紧、更紧，直到脱离危险。之后，奥德修斯和他的同伴们航行到达斯库拉（Scylla，吞食船员的六头怪）和卡律布狄斯（Charybdis，可以制造能掀翻整条船的巨大漩涡的怪兽）之间。我们无畏的英雄不得不在这两种可怕的选项中进行选择，但是现在你已经知道发生什么了。

即使在古希腊，人们也已经知道需要在非常规情况下做出更好的选择，希腊人将这种情况称为“无自制力现象”（字面上的意思就是缺乏自我控制）。虽然并不是每个无自制力事件都会造成溺水而亡的后果，但是，我们总是会遇到进退两难的情况。如果我们总是向带有奶酪的巨无霸汉堡和大薯条屈服，或者总是推迟储蓄或定期锻炼计划，那么累积效应将会带来严重的后果。在第 4 章中，我提到过抵制这种诱惑的一个好办法是在一开始就避免这些情况发生，但是，这一方法只在一定程度上有效。比如，我们可以将蛋糕放回冰箱，而不是将它放在眼皮底下而经受诱惑，但是我们无法完全逃开。如果我们受到一定的约束并决定让约束持续几秒钟或更长的时间，避免放弃的唯一办法就是借助外力进行束缚。我们也应该考虑一下将自己“捆在桅杆上”。

我们知道奥德修斯做了一个让自己只能待在船上的明智决定。他将自己的选择——待在船上还是跳到水里——转化成了其他船员的选择：将奥德修斯捆住还是让他死亡。由于船员们不会被塞壬诱惑，他们在奥德修斯可能做出错误选择（选择死亡）的时候能够做出正确的选择。我们同样可以选择把艰难的选择放手给其他人，那样就可以完全避开我们在自己做选择时会受到的危险和伤害，虽然在他人未经我们同意而帮我们选择时也许会削弱我们的自主权。我们不会像重新分配选项，或用额外的选项去消除或替换未来的一个选项一样，来减少生活中选项的总数。我们所需要的就是一个给予我们帮助的船员和一些绳索。

不少服务和设备可以通过让我们预先承诺避免错误选择来帮助我们。比如，赌场使用复杂的数据库系统和面部识别技术来阻止骗子、行家和其他黑名单人员进入他们的体系。嗜赌成性的赌徒可以自愿地将自己的个人信息输入黑名单中，直接通过禁赌或警察的治安处罚来避免自己将辛苦挣来的钱输得精光。即便我们的身体会屈从于无自制力，我们也可以强加给不好的选择以一些惩罚。对于习惯性睡过头的人，捐款闹钟是一个很好的工具。每次你按下延迟响铃按钮，闹钟就会自动通过网络连接你的银行账户，向预设的慈善机构捐 10 美元或更多的钱。它的发明者建议：为了达到最佳效果，你应该选择一个你讨厌的机构（一个“反慈善机构”）。如果你支持严厉的枪支控制法，你不妨选择美国步枪协会；如果你喜欢皮草，你不妨选择善待动物组织。

另一个跨入事先承诺领域的是 stickK.com 网站。它是由耶鲁大学经济系助理教授迪恩·卡尔兰（Dean Karlan）和他的同事一起创建的。在他攻读哲学博士学位的时候，他跟一个朋友打赌说如果他减肥失败，他就把自己年收入的一半给朋友，结果他减掉了 38 磅。几年后，他萌生了创建一家使过程有趣和方便的“承诺商店”的想法，这样 stickK.com 就诞生了。stickK 会让你“和自己签订一份合同”。你不可以修改合同条款，如果你不能履行合同条款的话，就会受到惩罚，向某个人、某个慈善组织或某个反慈善组织缴纳预设数目的钱。如果你愿意，stickK 还允许你招募他人做裁判或“船员”以免你损失一大笔钱。

stickK 创建于 2008 年 1 月，到 2008 年 3 月，它的用户就达到了 1 万人。会员们的承诺五花八门，有些人承诺减肥、戒烟等，有些人甚至承诺使用充电电池和不在公众场合打嗝。设定的惩罚数量也有多有少，少的可能是连续 4 个月每周 1 美元。一个十几岁的孩子还制定了连续 1 年每周 150 美元的合同来戒掉他的网瘾，这份合同可谓令人印象深刻，更令人印象深刻的是他还得上网汇报他的进展。

当然，如果我们的目标一开始就涉及钱，那么一份 stickK 合同可能是非常有效的，它也可能是一种残酷的、不同寻常的惩罚。毕竟，自控力差的人如果不能兑现自己的承诺，到最后还得缴纳一笔罚金。的确，网站上有许多承诺是可以省钱的，它们都只是象征性的而已。如果用户不想或不能为他们的承诺付钱的话，那么 stickK 并不会比新年立志更有效。幸运的是，网站上有些计划是用于储蓄的，这些计划就不那么痛苦了。比如我们可以选择"明天节约更多"计划或 SMarT 计划。这两个项目是由理查德·塞勒和什洛莫·贝纳茨（Shlomo Benartzi）教授设计的，它们通过让人们预先承诺增加供款率来增加退休储蓄。SMarT 计划考虑了讨厌小额薪水、专注当前、惰性等经常会阻碍我们储蓄目标的因素，并巧妙地绕过了它们或将它们转化成优势。

为公司雇员计算储蓄额是否够养老的财务顾问比较了解 SMarT。顾问会发现人们的储蓄与预算目标相差甚远，他们只储蓄了薪水的 4%，现在人们需要将储蓄率逐渐提高到 15% 左右。顾问提出的第一种建议是，人们向 401（k）计划中多存入 5%。对于那些觉得这样做变化太大的人来说，他会提出第二种建议，即推荐他们选择 SMarT。在签订协议时，SMarT 用户不需要增加他们的供款率。相反，每次用户晋升后，用户的供款率会自动提高 3%，而一般情况下晋升后，薪水会增加 3.5%。所以，用户并不会感觉薪水支票上的钱数减少了，这比承诺储蓄更多的钱更容易让人接受。用户可以在任何时候取消协议，但是很少有人会这样做。在登记后 5 年内，人们的平均储蓄率就达到了 13%。事实上，他们比选择顾问提供的第一种建议的人储蓄得更多；选择第一种建议的人的储蓄率仍停留在 9%，因为他们并没有多存入开始时的 5%。

虽然上述技巧和项目并没有造成事与愿违的结果，但我们还是会因为对放弃选择有近乎天生的厌恶而犹豫是否选择这些方法。还有一些方法可以让我们自愿地放弃选择。当对选择的限制非常明显时，人们会难以接受；但是如果同样的限制以一种更加柔和的方式呈现出来，那么我们也许便会发现它的美好。例如，大部分美国人都会遵守宗教行为规范，这些规范会限制人们的一些行为或禁止其他事情。忽略这些规则会付出一定的代价，比如不同的罪恶税。但是像之前提到的吸烟者一样，信仰宗教的人常常会拥护这些限制。他们会用选择权换取归属感和道德上的正直感。他们会跟社会和神进行交易。的确，任何一种信仰，不管是宗教方面还是其他方面，至少它们都会劝人们信任他人，让他人帮自己选择。“你决定吧，”我们会说，“我相信你。”

对于哈姆雷特而言，当“选与不选”成为一个问题时，“心痛和自然产生的强烈不快”便是“血肉之躯”逃脱不掉的东西。生活不但会通过“自然产生的强烈不快”不断地考验我们，还会让我们在其中进行选择。很少有像明显的“蛋糕还是死亡”这样的选择。在最具挑战性的情况下，对讨厌的结果的感觉，即使是在没有更明确或更好的选择的情况下，也会成为虚实不定的负担。我们常常会为选择的自由在道德上和感情上付出代价。

本章中有虚构的选择，也有真实的选择，有幽默的选择，也有悲惨的选择。酸奶看起来与医疗保险相去甚远，但是请记住，每一次选择，不管它是否会改变我们的生活，它都可能会使我们焦虑或内疚。本章中大量研究的累积结果告诉我们，我们有能力减少选择的不利效果，不是通过增加选项，而是通过将部分选择权交给他人或在选择的过程中利用积极的方法限制自己。比如，在面对与我们有过多情感联系的情况而自己不能做出好的选择时，我们可以咨询专业人士；我们还可以利用类似 SMarT 这样的项目激励自己执行有益的行为。这些方法不会消除困难的选择，但是它们可以帮我们更好地应对生活的变化无常。事实上，没有什么方法可以完全避免选择：面对“选与不选”时，不管你怎么回答，你都会做出选择。

结束语

我们不该停止探索，

而我们一切探索的终点

将会到达我们的起点，

并且让我们对起点产生新的认识。

——托马斯·艾略特（T. S. Eliot）

现在我终于坐在沙发上了，我感到微风袭来——这微风可能是我所希望的，也可能是不确定的，我在等待耆那（Dr. Jain）的注意。在我头顶上，吊扇在懒洋洋地旋转着，我觉得它不像是为客人驱热的，倒像是帮助散布待客室中的焚香的。我来时经过了一条长廊，它将我从喧嚣的世界带到了寂静的王国，一个更加神秘的王国。在进门时，我遇到了两名女子，她们让我脱掉鞋子。地板是如此光滑、凉爽，似乎给我裸露的双脚一种新的体验。

其中一个女子询问了我、我儿子和我丈夫的出生日期和具体时间。她需要知道我们具体是在哪一分钟出生的，这样才能打印出反映我们出生时恒星与行星位置的图表。在她去隔壁房间将这些信息输入电脑之前，她引导我向毗湿奴神祈祷，祈求他将我的悲伤和不足带走，换之以幸福和快乐。其中包括咏唱

100 次颂歌："哈瑞奎师那，哈瑞奎师那，奎师那，奎师那，哈瑞哈瑞 / 哈瑞茹阿玛，哈瑞茹阿玛，茹阿玛，茹阿玛，哈瑞哈瑞。"为了帮助我计算咏唱的次数，她给了我一串有 100 颗珠子的念珠——每咏唱一次，我就拨过一颗珠子。另一个女子之前一直在耐心等待，现在她坐在我旁边监督进展，并在我唱错的时候帮我纠正。我不想打破这里原有的宁静，因此，我咏唱的声音很低，低得几乎连我自己都听不到。

当我咏唱到最后一颗珠子时，我仿佛从入定中苏醒过来，我回到了装有电扇、弥漫着香氛的等候室。接下来我见到了耆那，他是印度最著名的占星学家之一，我是从印度乌达亚（Udaya）电视台播放的著名节目和政府高官对他进行的备受瞩目的咨询中了解到他的。我在 2009 年新年后不久拜访了他。这次拜访的主题并不是关于决断力，而是我想要了解预测与选择之间的关系。多年来，我见证了许多印度朋友和熟人用占星术制定各种各样的决策。比如领结婚证、订婚或离婚。我自己的婚姻是被星星点亮的。当我和丈夫决定结婚时，我们的家人并不是完全同意。我的丈夫艾扬格拥有南印度婆罗门血统，他的家人希望他和一个拥有同样血统的女子结婚。我不仅没有这一血统，和丈夫信仰的宗教也不同。我们的亲戚都认为这样的结合是不幸的。我未来的婆婆就去找了一位她信任的占星家。她刚走进去，还没有告诉占星家她的问题，那人就告诉她："他们已经是七世的夫妻了，而且还有七世的缘分！"我们的婚姻就这样被促成了：我们结婚了，并举办了一场传统的艾扬格式婚礼。

在印度，人们经常请占星家为自己的个人事情提出建议，而且他们的影响也扩展到了公共领域。咨询耆那博士的政治家和官员可能会向他询问选举的结果或国家大事的方向。他们怎么能如此相信一个人？是什么给了占星学如此大的影响力？在这里，我是一个观察者、探寻者、怀疑者。我想知道人们为什么会让这一神秘的艺术帮他们直接做出选择。但是，在这样一种不同寻常的氛围和仪式中，我发现要保持自己研究人员的立场有一丝困难。咏唱结束后，在他人的引领下，我进入了一间内部密室，坐在一张桌子旁边，正对着耆那博士。我想象中的他应该是身穿一身白色衣服的，令人印象深刻。在检查完图表后，他将纸撒向空中，纸在他的触摸下沙沙作响，他用温和的语气对我说我的婚姻是命中注定的——这是我第二次听到有人这样说。他还说我儿子是在福星下出生的，会长寿，将来会有所成就。我们用了一个小时的时间谈论我的生活、工作，以及更好地指导家人的方法。讨论结束时，他允许我提一个问题。

“任何问题都可以。”他说。

我想了一会儿，说：“我正在写作的书会成为一本怎样的书呢？”

他仔细考虑了一会儿，然后去了隔壁房间。我一个人在那里思考此刻他正在做什么。他也许在面对奎师那神思考，然后摇动铃铛召唤答案。他可能正注视着一本饱含古老智慧的书或者诵读他自己的特殊咒语。不管他使用了什么方法，他确实带着一个答案回来了，他自信而仁慈地说：“女士，这本书会远远超过你的预期。”

选择意味着转向未来，意味着望向下一个小时、下一年或更远的未来的事情，然后根据我们看到的做出决定。从这种意义上来说，我们都是业余的预言家，尽管在一般情况下，我们的预言是以离我们较近的事物而不是以火星、金星或北斗星为基础的。专业的预言家也是这样做的，只是他们预言的事情更大、预言得更准确。他们擅长通过常识、心理洞察力和举止行为“揭示”未来。说来也奇怪，第一眼看上去，他们是神秘的、客观的，他们的技术、他们依靠物理的和可以观测到的事物（心理的除外）创造幻境，来预测那些实际上

是有据可依的，然而我们不能看透的事情。

在我去见耆那博士前，我已经对本书的好坏有了自己的评价。像所有作者一样，我希望写一本读者喜欢阅读的书，一本能够与读者生活相联系的书，一本读者能从中学到些知识的书。当耆那博士在星球的指引下公布结果时，坦白地说，我有点儿飘飘然了。“远远超出”听起来很好，非常好！

当然，理性的我明白他并没有创造什么奇迹。他的预言是含糊的，有些甚至是虚假的。个体的创造性的解释——或者说错误的解释——可能会产生符合耆那博士的话的结果。因为我意识到了这些，我已经在试着主动地忽略预测结果了。虽然我不能否认那个宁静的、虔诚的、轻烟缭绕的世界是醉人而舒适的。其中的仪式，尤其是相信真实答案被天体或我们身体之外的其他物体蒙骗的感觉，就是令体验如此诱人的原因。

正如我们在后文会看到的那样，选择的过程是一个迷惑且费力的过程。有太多事情需要思考，需要承担责任，所以有时候我们会渴望一个更好的方法，这并没有什么稀奇的。因为具有无限的可能性，所以选择有很大的魅力，但是这些可能也都是未知的。我们可以通过选择来塑造生活，但是我们同样会面对很多的不确定性——如果未来是预先确定的，选择的价值就不大了。面对满是复杂选择工具的未来，人们喜忧参半。有时候，当我们提前知道选择的方式时，我们也许会感到一种解脱。

如果你在孩提时代读过《选择你自己的冒险》（*Choose Your Own Adventure*）这本书，那么你可能会回想起主角通过自己的选择影响故事的发展，是一件多么令人激动的事。其中一部分乐趣来自可以作弊。当你必须从三个选项中选择一项以继续那个故事时，你在选择前偶尔也会想一下各个选项的后果。可以控制自己的行为是很好的，但是，你并不想因为这些控制而最终落得被龙吞到肚子里的下场。走错几小步没关系，你还可以走回来，但你最终的目标是要成功。作为成年人，我们通过选择塑造自己的生活，我们的主动权更多，但是我们仍然希望成功。有时，我们会希望自己是一位读者，而不是一位作者，那样我们就可以先睹为快，事先了解自己的未来了。

占星术和其他占卜方法就是如此。但是，为了大体地了解一下未来，我们必须放弃一些选择。我们想了解得越多，放弃的选择也就越多。有的人会希望拥有或多或少的改变，有的人也许希望不要有任何改变。因此，我们每个人都会有一个人生轨迹的方程：x 代表选择，y 代表机会，z 代表命运。也许某些人的变量更多一些。我不能确定你的方程是什么，但是有过占星术的经历后，我认为选择虽然可能是过分挑剔的、难以控制的、难以满足的，但它也是我们决定前进道路和方式的最有力因素。面对不断增加的选择，你可能非常想要一个类似地图的东西，或者至少是一些路标。并不是只有你一个人这样想。

———

雷切尔是我相识多年的一位好友的女儿，她今年 28 岁。她的梦想是成为一名律师。读高中时，她就非常擅长模拟审判。上大学时，她最喜爱的教授也认为她拥有敏捷的法律思维。通过不懈的努力，她考取了一所著名的法学院。她的祖母曾梦想自己成为一名图书馆管理员，后来却成了一名工人；她的妈妈曾梦想自己成为一名教授，后来却成了一名护士；在她的家里，她是第一个实现自己职业梦想的人。

在读法学院的时候，雷切尔嫁给了她的一位法学院同学。毕业后，人们经常问他们是否想要个孩子，她会回答是的……也许某天吧。目前，她打算将全部精力放在工作上。在刚刚成为一名助理的几个月后，她突然发现自己怀孕了。她现在必须决定是否要留下这个孩子。她在一生中做过许多选择，但这次对她来说是最重大的一次。这不仅缘于她的个人感情，更由于她所做的选择与流产争论有很大的联系，至少在美国是这样的。作为一个女人，她似乎应该将其看作一生中最重要的选择。然而，对她来说，虽然这个选择非常重要，但并不会引起一场良心危机。最重要的是，她要很现实地去考虑这个问题。

现在生孩子还是以后生孩子，会对她的职业发展产生哪些影响呢？她的生活和她与丈夫的关系将会发生哪些改变呢？她已经从身体上、情感上和经济上做好成为一个母亲的准备了吗？现在是她职业生涯的开始，生孩子不仅会改变她的许多选择，她还需要为有关孩子的选择承担责任。成为一名律师并非易事，她一步一步坚持了下来，而成为一个母亲似乎远比这些复杂得多。

就某个层次而言，雷切尔的困境在于预期中的母亲角色。在这种情况下，谁能没有疑问呢？但是雷切尔意识到这种问题对于一个女人来说尤其两难。她的丈夫也是一位有雄心壮志的年轻律师，但他并不是很关心孩子会对他的职业发展产生哪些影响。雷切尔和丈夫的分工总是很公平的，性别对他们的分工并没有太大影响。她知道有了孩子后，丈夫会替她分担一些工作，即使他不会分担很多，他也会做家务，会尽一个父亲的责任。然而，虽然孩子会改变他们的生活，但是她丈夫的职业发展好像不会受到什么影响。她很容易就会想象，听到这个消息后，她丈夫的老板和同事会拍拍他的肩膀，然后喝一杯表示庆祝。但是对于她自己来说，人们会想既然她已经怀孕了，那么她还会在公司待多久。人们会觉得她丈夫是一个快要成为父亲的律师，而觉得她是一个即将敷衍工作的母亲，她过去建立起来的美好形象很快就会被掩盖。要想保持工作卖力的形象是非常困难的，比任何事情都难，而这也正是选择令人望而却步的原因。

与祖母和母亲相比，雷切尔在工作中和家中享受的自由更多。许多妇女在年轻的时候就失去了很多机会，但是雷切尔没有。可是她在享受这些机会的时候也没有感到特殊的幸福。虽然她没有受到某些社会方面的约束，但她还是不能完全自由地利用这些新的机会，这至少要付出巨大的代价。尽管她与丈夫拥有同样的学历和能力，但她知道自己不能像他那样选择，也不能期待与他有一样的结果。在某些领域，她面临的选择会更复杂、更令人苦恼。她还可以选择，这已经是一种进步了，但是在她生命中的这一刻来说，她知道这样的选择是不够的，远远不够。

同时，在惶恐的背后，她也感到了一种喜悦：怀孕是一个意外事件，但并不是一件不受欢迎的事情。虽然在通过严格且合乎逻辑的方法选择的时候，她可以忽略这种喜悦，但是她觉得没有什么能比选择成为一位母亲更好的了，因为这也是她期望的。她认识一些有过类似经历的女性，她们有的选择生下孩子，有的选择了放弃。据她了解，不论她们做出何种选择，不管是感性的还是理性的，只要她们对自己的选择满意，那么这种选择一定是在三思之后做出的。对于雷切尔来说，这就意味着她要承认所有的选项，包括生孩子会给自己带来的积极和消极影响。她需要厘清那些强加给她的不公平的限制，和她需要做出的额外牺牲。思考完所有这些后，她还想现在就要一个孩子吗？她的回答是肯定的，她也是这样做的，她打起了精神来面对所有的挑战。

雷切尔的故事是每个女人都会遇到的，她们的选择在没有什么好理由的情况下受到了限制。从广义上来说，这也是所有人都会遇到的，人们会发现在排除了选择中最扎眼的障碍后，还存在许多其他障碍。在最好的情况下，选择是一种途径，我们可以通过选择拒绝那些想要对我们施加控制的人和系统。但是当我们坚持所有选项都平等时，选择本身就变成一件难以忍受的事情了。比如，它会变成我们忽略因性别、阶层或宗教等差异造成的不公平的借口，因为这样人们就会愉快地说："但是他们可以选择！我们都可以选择。"当我们将选择作为一种策略去逃避问题而不是找出最佳解决方案时，我们就会发现自己错了。

我们在选择时常常会遇到实际的限制这种不平衡的力量，但是我们并没有处理这种不平衡的权宜之计，其中一个正确的方法就是鼓励公众对这些限制进行更多的讨论。我们总是希望选择是平衡的，毕竟这是许多梦想——包括许多美国人的梦想——实现的基础。像我们在每章开始看到的那样，选择的希望、选择的语言，甚至对选择的些许幻想，都会对我们产生激励和提升作用。但是我们不应该将这些视为只要有了信念、希望和华丽的辞藻就够了。就像里克特研究中那些游泳的老鼠一样，在我们脚下没有坚实的基础的情况下，我们只能存活有限的时间；如果选择是不真实的，早晚我们都会陷落。因此，我们需要检查自己对选择的假设，我们需要开放地讨论在哪些情况下会出现不利的情况，它是如何出现的，它为什么会出现。只有当检查和讨论完这些后，我们才能意识到选择所有的可能性。这样的讨论也会使我们思考最终的选择是什么，以及我们是否会一直坚持这样的选择。

———

简·艾肯·霍奇（Jane Aiken Hodge）是普利策奖得主、诗人康拉德·艾肯（Conrad Aiken）的女儿。她活了 91 岁，而且一生中大部分时间都是在英国度过的。虽然被诊断出患有轻微白血病和高血压，但是她的身体状况一直很好。在她 60 年的职业生涯中，她创作了 40 多部作品。她擅长创作历史浪漫主义小说，她将这些小说称为"我可笑的书"。同时，她还创作并出版了文学传记《简·奥斯汀》(她在牛津大学读书的时候研究过简·奥斯汀的作品)。除了是一名成功的作家，她那稳定的第二次婚姻生活也是非常幸福的，而且她与女儿和家人的关系也非常密切。所有的一切都告诉我们，她在生活和家庭方面都是非常成功的，而这些对于许多人来说只是一个梦想。

当她在2009年6月17日死于苏塞克斯的家中时，她的家人和朋友都非常震惊。一周以后，关于她死亡的所有细节都调查清楚了，是她自己安排了这一切。比如，人们在她的衣兜里发现了一张DNR[①]卡，她的医生已经告诉她在任何情况下都不可能恢复健康了；在她的身上还发现了一封亲笔信，信上说她自己安排并实施了这次自杀，还说为了能够自杀，她多年来一直私藏药品。她耐心详尽地说明了她知道自己在做什么，绝不是由于一时冲动才那么做的。看起来她是经过深思熟虑后才选择死亡的。

因为人们一般都把自杀看作一种绝望的行为，一种带有强迫性的而不是自由的选择，因此人们一般都不会选择自杀。阿尔贝·加缪(Albert Camus)在他的作品《西西弗的神话》(*The Myth of Sisyphus*)中写道："判断是否值得活下去，这本身就是在回答哲学的基本问题。"霍奇的自杀是她自己的回答：已经没有活着的意义了。但这是我们可以接受的选择而不是认知上的错误吗？(我需要说明的是，当我说"接受"的时候，我并不是说让我们站在道德的角度上接受或拒绝她的行为。从我的角度来说，我们无权为自杀贴上"正确"或"错误"的标签。我想知道我们如何界定选择和不选择。)

有人可能会说生命本身是无价的，因为你无法对它进行估价(除非你是保险行业的工作人员)。因此当一个人衡量生与死的理由时，实际上，他是在尝试为生命估价。这种估价在大脑中本来就是一个错误。正如加缪所说：

---

① DNR意为"拒绝心肺复苏"，是指在无法做出医疗指令之前签下的预嘱，告知医生在心脏停博或呼吸停止时不进行急救。——编者注

> 活着本来就不是一件容易的事情。在各种各样的理由下，我们会不断地告诫自己要活下去。其中第一个理由便是习惯。自愿死去说明这个人意识到这种习惯的荒谬性，即使这种习惯是一种本能；他认识到没有活下去的理由了；日常行为是无意义的，遭遇痛苦也是无用的。

你是否会将自杀作为一种选择，取决于你如何看待加缪所说的“认识到”。如果你能将他所说的“认识到”想象成感情上、理智上，甚至精神上的一种深刻的领悟，那么你就可能会选择死亡。如果你认为“认识到”对你来说是沮丧或某些精神疾病的结果，那么你就会说一个拥有健全心理的人是不会选择死亡的。

像我们在第 7 章看到的那样，我们确实会为他人做出生死抉择。当这样的抉择是一种选择而不是一种命运时，这通常是一种令人痛苦的选择。我们当中的一些人回避“选择死亡”的原因可能在于，简单地将死亡看成一个选择实在是太痛苦了。可能我们宁愿相信死亡是我们无法控制的复杂事物。但是，对有些人来说，选择死亡可能是令人欣慰的事情，可能是对生命的一种逻辑性阐释。在霍奇自杀前一年，她接受过当地报纸的采访，她说：“我 90 岁了，在家人和朋友的帮助下，我生活得很幸福。但是，如果我知道自己已经安排好了一种离开这个世界的可靠方式，我会更高兴的。”她想练习控制自己的生命和死亡，为应对生命中遇到的一切做好准备。她写过一部关于临终关怀的小说，所以她肯定对人们临近死亡时，以及选择越来越少直至消失时面临的问题有着深刻的理解。作为一名作家，她可能觉得以自己的方式结束自己的故事是非常重要的——如果选择是书写自己生命的一种方式，那么它同样也可以是书写自己生命如何结束的一种方式。也许，在这一点上，她父亲的诗表达得最为贴切。康拉德·艾肯的诗《当你不再惊奇》是以这样的建议结尾的：当世界不再给我们惊奇，“让我们用和蔼的态度去欢迎死亡 / 让我们重新走入不可知当中 / 在那里你会再次遇到惊奇”。如果一个人将死亡看成一种回归，那么死亡可能就是一个比较容易接受的最终选择了。

———

我们讲述与选择有关的故事有许多原因。我们希望可以相互学习，可以相互了解，可以理解我们如何从一个方面走向另一个方面。我们希望选择可以向星星一样划过记忆，我们可以循着选择的足迹回忆走过的路。这既是我赢得胜利的方式，又是我生存的方式。即使所有的事情都变了，我们循着这些故事，还可以坚持自己做事的方式。通过讨论选择，我们学会了如何在陌生的水域航行，也许我们还会感激航行中的不可预测。

想想加缪的《西西弗的神话》。西西弗被惩罚在地狱中不断地将石头推到山顶，然后看着石头滚下去，然后再将它推到山顶。西西弗是一个热爱生活的人。让他做无休无止的劳动似乎是对他的惩罚，但是当他从山顶走下来的时候，他有时间进行思考。他的处境是荒谬的，但是“那是他的命运。他的石头是他的工作……在那个微妙的时刻，他回望了自己的生活，他又回到了他的石头旁边，他思忖着自己命运中的一系列不相关的行为，他回忆着，然后永远地闭上了双眼”。在我们看来，我们可以通过或借助选择来移动石头。正如加缪所说，如果“有人想象西西弗是快乐的”，一定是因为“努力推动石头的过程足以填满人的内心”，那么我们同样可以选择在山脚下生气或选择到达山顶并收获快乐。

换句话说，选择能帮助我们创造我们的生活。我们不断地做出选择，反过来，选择也成就了我们的生活。科学可以帮助我们成为更熟练的选择者，但是，更重要的是，选择是一门艺术。要想从中得到更多，我们就必须拥抱其中的不确定性和矛盾性。一个选择对于不同的人来说是不同的，人们选择的选项也会存在差异。对于我们来说，选择是有利有弊的。我们可以利用它，但不要被它牵累。在深入了解的过程中，我们会逐渐发现自己了解得太少。我们不能对选择进行完全的评价，因为其中蕴涵着它的力量、它的神秘和它独有的魅力。

后 记

本书的精装版出版后，我便经常发表演讲、接受采访，收到很多读者和听众的反馈。其中一部分人表示，他们非常欣赏书中阐述的关于选择的方方面面，也认为很多研究非常有趣，并且很有启发性，但同时，选择的复杂性、海量的信息也让他们茫然不知所措。于是这些读者问我，是否可以简单地对本书的主要思想做一个指导性的概括总结？此外，我是否能举出一些更为有效的实例或是小贴士来帮助他们理解这些思想，从而提高他们自己的选择能力？这则后记便是我为满足那些关注本书、提出这些要求的人而写的。

一

我们的生活中充满形形色色可以预见和不可预见的事件。大学毕业后可以获得一份好工作；酒后驾车导致车祸；彩票中奖后一笔抹消你所有的债务；天气突变导致一场灾祸。

我们试图为自己和亲人的美好生活而努力，但“计划赶不上变化”。有时，我们认为生活的轨迹是命中注定或是随机遇而定的，而命运和机遇是我们个人的欲望、行为和动机无法左右的。有时，我们也认为生活是一系列选择的总和。或者这三者——命运、机遇和选择——才是决定我们人生方向的因素，但选择给予我们自主控制的权利，允许我们积极掌控自己的人生，为我们提供充分利用命运和机遇的机会。当现实与计划有所出入时，选择使我们得以恢复、生存，甚至繁荣发展。

在本书的前言中，我讲述了关于自己出生及孩童时期的三个故事，首先关注的是命运，而后是机遇，最后是选择。请试着回想你自己的故事，从三个不同的角度——命运、机遇和选择——讲述生活中不同版本的故事（或是特定时期生活的故事）。这些不同版本的故事对你是否有激励作用？哪一个版本的故事更能激励你向着更远、更高的目标做更大的努力？哪一个版本的故事给予你力量，激励你从目前的基点出发、朝着明天的梦想前进？

对于某些人来说，可能那种不需要对自己的生活负责且有更强大的外在力量决定他们未来的想法会让他们感觉更好。然而，我们周围的很多人发现，我们能够以自己的意愿设计我们的生活，从而感受到生活的强大力量。选择使我们成为自己未来的设计师。

二

我们生来便有控制的欲望，而选择是实施控制的一种有效手段。但这并不意味着每个人选择实施的境况或是实施选择的程度是一致的。不同的文化背景以及个人经历直接影响着每个人对于选择的不同理解。可能一个人认为某个选择很重要，具有重大意义，而另一个人则认为这个选择微不足道，甚至无比愚蠢。我们应该认识到，只有当选择能增强人们的控制感时，人们才会意识到选择及其带来的益处。

当我们无法理解他人对于选择的理解和期待时，我们便有可能将对方认为毫无意义的选择强加给他，或是剥夺他认为极其重要的那些选择。我们应当以开放的心态了解别人是如何“说出选择”以及如何将选择融入生活中的一部分的。

如果你会讲多种语言，想想用不同的语言表达“选择”一词会怎样。“选择”是一个常用的词汇吗？它是否有许多近义词？它是否有积极的或是消极的含义，或是二者皆有？主流语言并不能完全反映一种文化对于选择的理解，但较为含蓄的语言的选择与较为直白的语言的选择是相似的。由相同词源发展而来的不同语言，在发音、单词拼写及相关词汇方面可能会有极大的不同，因此，可以说人们是在用既相同又有所区别的方式讲述着选择的故事。

尝试和来自不同文化背景的人谈谈对于选择的理解。相互描述一下对对方文化背景的了解。你对异国文化存在着怎样的误解？这种误解如何影响你对选择在异国文化中所扮演的角色的理解？知晓我们在知识上的不足，我们就可以共同努力，增强我们对于选择在不同文化背景中的多面性及表达方式的理解。

三

现代人将选择权视为自由。我们认为选择是在实施自由，即实现自我、“做自己所想”的自由。我们的选择不仅仅关于我们的所想或者所需，还有我们是谁。因此在做选择时，我们常常会问自己非常困难的问题：“我是怎样的一个人？假如我是这样的一个人，我需要的是什么？如果这是我所需要的，我又该如何选择？”

通过选择实施自由似乎有些怪异，而且我们常常思考我们应该做些什么。选择究竟是不是逃离传统束缚及社会世俗的转折点呢？事实是，选择通常并不是我们所想的独立的个人行为。我们并不是独立做出选择的，因为选择是一种沟通的形式。如同肢体语言，选择有时是有意识的，而有时是无意识的，它们将我们的信息传递给他人。很多时候，我们希望传递的信息是:“我是独一无二的，但并不特立独行。我想展现真实的自我，但我也会考虑他人的感受和意见。”在传递这种信息时，我们的担心之一便是可能传递错误的信息。我们所期待通过选择传递的信息并不总是与人们的理解一致。我们怎样才能在拥有自由的同时，让周围的人们更正确地理解我们呢?

在第 3 章中，我提到很多公司将“360 度反馈”评估法用于员工的绩效考核。在生活中，“360 度反馈”评估可以适用于方方面面，你可以尝试用相同的方式，让你的朋友和家庭成员对你做一个全面评估。尝试写下一份清单，列出你认为重要的特点、技能，并对它们进行排序，同样，让周围的人也写下这样的清单。就你生命中所做的最重要的选择，问问周围人的看法:人们是如何理解你的动机的? 这些选择传递了怎样的信息? 人们认为这些选择会对你的生活及他们的生活产生怎样的影响?(如果被他人责怪时，你不能保持镇定、客观的态度，那么最好以匿名的方式进行。)调查的答案与你的意图和期待是相符，还是有很大出入? 如果存在出入，并且你对此很在意，那么想想为何会造成这种误解。你可以做出怎样的调整，以便正确地“表述”你的选择?

“360 度反馈”评估常令人感到惊奇和震撼。如果你与接受评估的人关系不好，那么“360 度反馈”评估便很可能成为“火药桶”。但必须承认，“360 度反馈”评估令人感到兴奋，给人带来启发，并且是不断提高自我、改善与他人关系的有效工具。

四

由于诱惑、错误的信息，以及意气用事，人总是会犯错误的。我们在生活中不可避免地会做出一些不好的选择，但我们可以减少做出不好选择的可能性。培养信息完善的直觉能力，充分利用自动系统和反应系统的优势，使得两个系统在面临选择时能做出一致的判断。每个人似乎都是《星际迷航》中柯克船长和斯波克的矛盾体，既冲动又高度理性。我们要做的就是使二者相互协调，才能让飞船平稳安全地航行，“勇敢地前往人类从未到达的地方”。

培养信息完善的直觉能力，要求人们不懈地坚持自我监督以及反馈。因此我建议，可以以记日记的形式记录选择。尽管你不可能记下自己做出的每一个选择，但可以记下最重要的选择（每隔一段时间就淘汰一些相对微不足道的选择）。记下你面临的主要选项、你最终的选择及其原因、你对未来的预期，比如，你会如何看待这一选项将带来的后果。

选择日记是关于你曾经做出的选择以及当时思想状态的记录。现在，你不用再依赖记忆，记忆常常更有选择性，并且易出错，而记录选择则能使你更清晰地看清过去。现在你可以准确地对自己曾经的选择做出评估：哪些选择是错的，又有哪些是对的，事情是否如你所预期的那样发展。很快，你便可以根据评估结果，对自己当前的选择重新做出调整了。你将更加了解自己的偏见及理性，通过这样的实践，你可以避免下一次犯同样的错误。

五

仅仅因为你有妄想症，并不能确定他们会跑来抓你。这是随处可见的阴谋理论家的口头禅，尽管他们看似疯狂，但并不意味着他们的话毫无道理。事实上，我们在选择特定的产品、服务或理念时，我们的选择的确总是会受制于某些人的利益。尽管我们可以为自己的选择找一些借口，但我们还是会受到我们可能并未意识到的其他一些因素的影响。我们可以试着警惕他人、媒体、广告等传递给我们的过多的垃圾信息，却无法完全删除这些信息带来的影响（除非我们决定在完全与世隔绝的环境中度过余生）。由此引发的问题是：我们期待花费多少精力，避免选择受到外界因素的影响？

不要试图避开那些潜在因素的影响（就像阴谋理论家试图避开黑色的服装），那样只会令人感到疯狂，相反，我们可以将焦点集中在如何更加清楚地认识自己潜意识里的偏见和喜好，以及令自己不知不觉做出理智状态下根本不可能做出的那些决定的影响因素。一种方法是可以做一下内隐联想测验（IAT）。哈佛大学开展的内隐认知项目认为，该测验能“检测人们未曾意识到或无法意识到的潜在的态度和观点”。你可以登录内隐认知项目网站（https://implicit.harvard.edu）进行内隐联想测验，通过各个不同的测验项目，检测潜意识里不同的态度或观点。通过这些测验了解自己潜在的偏见和喜好，有助于你在做选择时，理性地克制自己的偏见，使你做出的选择所表现的自己与你内心渴望成为的自己是一致的。

六

如果有人对你说：“我的选择太多了。”你可能会回答：“每个人都存在这种问题。”乍一看，太多选择似乎并不是一个问题，但选项太多也可能与选项太少一样令人沮丧、泄气。我们的精神、情感及体力限定了我们可以处理的选项的数量。一旦无法区分各种选项，选择便毫无意义。一旦遇到这种情况，我们往往会拖延做出决定，甚至是一些很重要的选择；我们也可能做出糟糕的、令自己都无法满意的选择。我们应当将精力着重于为自己培养更好的选择经历，而不是为做选择而做选择。只有这样，我们才能从选择中受益，避免选择的陷阱。在日常嘈杂的环境中，我们该如何做出选择呢？

在此与大家分享一些小贴士。

将选项的数量减少至自己可以掌控的范围。较好的情况是 7 个选项，选项数量可视情况增减两个，如果要考虑的因素较多，则可适当减少选项数量；相反，如果选择的情景是你已经非常熟悉的，则可适当增加选项的数量。切记，如果你无法区分不同选项的差别，那么这些选项对你而言就毫无意义：实际上，你只有一个选择。

培养自己做选择的自信，多听取专家的意见及个性化的建议。有时删减选项数量的做法并不可取，甚至不可能实现。在这种情况下，多听取那些更有经验的人的意见或依赖那些成熟的系统，以便更有效地处理信息。

区分所有可利用的选项或是让供应商来帮你区分选项。这可以使你成为模拟专家，更清晰地了解每个选项之间的差别以及每个选项的相关特性和组成部分。

使你面对的选项从少到多、由简单到复杂，这与不会游泳的人不可能一下子跳入深水中是同样的道理，不要将自己置身于失败已显而易见的情景下。在自己有把握的情况下，开始学着做出选择，并逐渐增加选择的挑战性。这样将不仅使你更有自信，从长远来看，你的选择能力也将大大提高。

七

选择允许我们想象更好的自己，通过自身的意志，我们也可以创造那个想象中更好的自己。很多时候，选择更是一种可能性。当我们面临限制时，选择是我们可以求助并且运用的有效工具。我们自以为打出了正确的牌便可以选择自己所期待的幸福，然而，尽管不可否认选择是一件非常精彩的事情，但选择并不能回答所有问题。我的亲身经历以及 15 年来对选择的研究使我明白，虽然人们想从选择中获取最大的利益，但我们必须承认我们对选择的理解并不透彻，而且选择本身有它自己的局限性。

我无法明确地告诉你该选择什么，又该如何选择，但我想鼓励你的是，对于选择要小心谨慎。“我希望选择少一些”或是“有一天我将拥有你现在的一切”，甚至是“我选择不做选择”，诸如此类说法并没有错。事实上，在某些特殊情况下，这些说法反而是最好的选择。我们必须重新思考这个假设，即每一次选择都是在增加我们自己与梦想更近一步的机会。我们应当了解选择并不是简单地选择一或是二的行为，它具有区分不同事物的意义的责任。选择是强有力的、激励人的想法，但选择并不能解决我们所有的问题或是满足我们所有的需求。有时，选择为我们带来的与我们预期的相差甚远，而有时，选择为我们带来的又太多。

我们倾向于相信每个选择都是重要的，或者我们应当由自己做出所有的选择，因为那样就给我们造成了对自由有百分之百控制权的假象。但我们在生活中必须面临各种各样的局限性，我们应时刻准备远离并不能为我们带来益处的那些选择。我并不会盲目做选择，因为我双目失明，我已经失去了很多选择的机会，比如儿时做飞行员的梦想。身体的先天条件是我无法选择的，却也因此使我学会尽可能充分利用自己的选择。它时刻提醒我，做那些真正有意义的选择。准确地评估各种局限性，平衡希望、欲望，珍惜每一次的可能性，这便是选择的艺术。

致 谢

在我进行聘任评审的令人不安的职业生涯阶段，我的朋友兼同事埃里克·亚伯拉罕森（Eric Abrahamson）用下面的寓言帮助我克服了对失败的恐惧。

“不管怎样，你希望从职业生涯中得到什么呢?”他问我，“作为一名学者，就像困在笼中、希望通过踩动固定踏板逃走的老鼠一样。你努力地踏着，踏得越来越快，但是笼子不会向前移动一步，直到最后你觉得你快要累死了。如果你够幸运的话，有人会注意到你的踏板和车轮在空转，他会在最紧要的关头、在你快要崩溃的时刻为你打开笼子。奇迹一个接一个地出现，现在你可以喘口气了。不仅如此，你还可以从自行车上下来，走到笼子外面，呼吸一下新鲜空气，看看外面的世界。你已经很多年没有这样做了。这就是工作。一段时间过后，你还会回去，回到笼子里，回到踏板上，唯一不同的是你踏的步调可以更自由、更小心了。”

当我从笼子里走出来，慌张地看着在我面前的许多条路时，我有幸遇到了马尔科姆·格拉德威尔。“下一步我该怎么做呢?”我问他。“写一本书。”他建议道。如此简单，又如此复杂。我希望在笼子外多逗留一段时间，因此我写了这本书，用在“笼中”学到的知识来阐明“笼外”的世界。感谢这期间哥伦比亚商学院的同事们给予我的无尽的支持、耐心和鼓励，感谢他们允许我在“笼外”专注于本书的写作。

在本书的写作过程中，我发现尽管我花费了十多年的时间来研究人们是如何选择的，但是，我知道的还是太少了。事实证明，完成本书比完成我的博士论文或之前的论文和政府资助项目都要难很多。在完成本书的过程中，我也学到了更多的东西。

我希望读者喜欢本书，也希望本书能让读者在生活中面临选择时获得一些帮助。这很重要，因为选择的故事不只属于研究它的人们，它属于我们大家。感谢我的同事们在选择方面提供的无尽的智慧、经验和意见。没有他们的帮助，就不可能有本书的问世。

首先，我要感谢在创作本书时我请教过的专家们，是他们帮我弥补了我在知识方面的欠缺。

感谢克里斯滕·朱尔（Kristen Jule）、莉萨·利弗（Lisa Leaver）、劳伦·莱奥蒂（Lauren Leotti）和马丁·塞利格曼让我对选择的本质有了更深的理解。

多年来，我只听说过关于我父母婚礼的只言片语，感谢我的姨妈拉尼·查达（Rani Chadha）为我详述了我父母婚礼的过程和印度锡克教的传统。

在自由与选择的历史方面，世界上的许多学者都提供了他们的卓见，他们包括：亚历克斯·卡明斯（Alex Cummings）、丹尼斯·多尔顿（Dennis Dalton）、埃里克·福纳（Eric Foner）、乔恩·汉森（Jon Hanson）、威廉·利奇（William Leach）、奥兰多·帕特森（Orlando Patterson）、彼得·斯特恩斯（Peter Stearns）和祖德·韦伯（Jude Webre）。

在东欧和中国，我有幸遇到了许多政治学家、社会学家和经济学家。他们帮助我了解了计划经济体制下人们的真实状况及其对公平选择的看法。很多人都给予了我大量帮助。在此特别感谢俄罗斯的奥尔佳·库日尼亚（Olga Kuznia)、卡斯滕·施普伦格（Carsten Sprenger）和谢尔盖·雅科夫列夫（Sergey Yakovlev），乌克兰的斯乌埃特兰娜·车尔尼索娃（Svitlana Chernyshova)、梅赫勒·科利斯尼科（Mykhajlo Kolisnyk)、德米特里·克拉克维奇（Dmitry Krakovich)、维克托·奥克森雅克（Victor Oksenyuk)、沃洛季梅尔·帕尼奥托（Volodimir Paniotto)、耶文·彭塔斯科（Yehven Pentsak)、帕夫洛·舍列梅塔（Pavlo Sheremeta)、因纳·沃洛塞维奇（Inna Volosevych）和德米特洛·亚布洛诺夫斯基（Dmytro Yablonovskyy），波兰的玛丽亚·东布罗夫斯卡（Maria Dabrowska)、埃娃·古茨瓦－列斯尼（Ewa Gucwa-Lesny)、多米妮卡·迈松（Dominika Maison）和乔安娜·索科特夫斯卡（Joanna Sokotowska），以及中国的唐宁玉。此外，埃琳娜·雷乌特斯卡克（Elena Reutskaja）也帮我做了大量研究，在此表示感谢。

时尚界的很多人让我提前目睹了他们在做什么，以及他们如何知道最终应该穿什么。感谢戴维·沃尔夫、安娜·露西娅·伯纳尔（Ana Lucia Bernal)、帕特·腾克西（Pat Tunksy)、阿比·多尼戈尔（Abby Doneger)，以及多尼戈尔集团的其他人员。感谢美国色彩协会的所有成员，尤其是莱斯利·哈林顿（Leslie Harrington）和玛格丽特·沃尔克；感谢蕾切尔·克伦布利（Rachel Crumbley)、谢里·唐伊、史蒂文·科尔布（Steven Kolb)、美国时尚设计师委员会、迈克尔·马科（Michael Macko）和杰里·斯库珀（Jerry Scupp)。感谢 Trybus Group（美国一家时装生产商）的人员，尤其是拉里·德鲁（Larry Drew）和沙尔·切萨拉尼（Sal Cesarani），以及菲斯博康（Faith Popcorn）的所有成员。同时还要感谢斯诺登·赖特（Snowden Wright）和阿伦·莱文（Aaron Levine），他们陪伴我参加了各种各样的活动和会议，提供了大量观测数据，并对消费零售业的背景进行了研究。此外，还要感谢亨利－李·斯托克（Henri-Lee Stalk）对各方面背景研究的贡献，他提出了问题，并引导我对时尚界进行研究。

不经意间，我通过研究爵士乐学到了许多选择的艺术。这应该归功于我的同事保罗·英格拉姆（Paul Ingram），是他鼓励我在哥伦比亚爵士乐研究中心做了一次关于爵士乐和多项选择问题的报告。为了这次报告，我与乔治·刘易斯（George Lewis）、温顿·马萨利斯等许多专家进行了交谈，我发现报告的准备过程使我改变了对生活中的选择如何起作用的看法。我非常感谢他们。同时我还要感谢卡罗琳·阿佩尔（Carolyn Appel）和祖德·韦伯提供的爵士乐课程。

我要感谢阿图尔·加文德（Atul Gawande）、克里斯蒂娜·乌尔法利和彼得·乌比尔，是他们扩展了我在医疗决策方面的知识。

我还要感谢让我开始选择研究旅程的人们。我要感谢中学时盲人委员会的顾问朱迪·库尔皮斯（Judy Kurpis），是她鼓励我读大学并选择沃顿商学院的。没有她就没有我现在的研究。

我在大学设想自己的未来时，是约翰·萨比尼（John Sabini）第一次告诉我盲人也可以做实验。我还记得自己当时紧张地问他，我能否加入他的心理实验室。我非常紧张，他一直保持沉默，直到他突然敲了一下桌子，说他明白了：他正在做一个实验——当一个人在盲人面前和正常人面前做了同一件蠢事时，他的尴尬程度是否相同。那便是一切的开始。

在我读大学的时候，马丁·塞利格曼给了我独立设计和进行研究的机会，这也为我以后的工作指明了方向。他还决定让我去斯坦福读研究生，与马克·莱珀和阿莫斯·特韦尔斯基一起进行研究。我确实这样做了。

马克·莱珀是我读博士时的导师，我非常感激他。在他的全力指导下，我正式开始了对选择的研究。他教给我如何思考，如何提出问题。我永远无法表达对他的感激之情。

我还要特别提到阿莫斯·特韦尔斯基。虽然他在我获得博士学位前就去世了，但是他的研究和思想多年来一直深深地影响着我的思考。此外，我还要特别感谢丹尼尔·卡尼曼，感谢他和特韦尔斯基在研究方面提供的观点，为我理解自己对选择的看法提供了帮助。

多年来，许多人通过他们的工作和交谈影响了我的看法。这一领域有许多伟大的学者。我需要向下列人员致以特殊的谢意：丹·艾瑞里、约翰·巴奇、乔恩·巴伦（Jon Baron）、马克斯·巴泽曼（Max Bazerman）、罗兰·伯拉布（Roland Benabou）、什洛莫·贝纳茨、乔纳·伯杰、科林·卡默勒（Colin Camerer）、安德鲁·卡普林（Andrew Caplin）、罗伯特·恰尔迪尼（Robert Cialdini）、约翰·戴顿（John Dayton）、马克·迪安（Mark Dean）、戴维·邓宁（David Dunning）、卡罗尔·德韦克（Carol Dweck）、克雷格·福克斯（Craig Fox）、丹尼尔·吉尔伯特、汤姆·格洛维奇（Tom Gilovich）、奇普·希思、罗宾·贺加斯（Robin Hogarth）、克里斯·赫斯（Chris Hsee）、北山忍、拉凯什·库拉纳（Rakesh Kurana）、戴维·莱布森（David Laibson）、詹妮弗·勒纳（Jennifer Lerner）、乔纳森·勒瓦夫、黑兹尔·马库斯、芭芭拉·米勒斯（Barbara Millers）、沃尔特·米歇尔、奥利维亚·米切尔（Olivia Mitchell）、里德·蒙塔古（Read Montague）、理查德·尼斯贝特、沃尔夫冈·佩森多费尔（Wolfgang Pessendorfer）、李·罗斯（Lee Ross）、安德鲁·肖特（Andrew Schotter）、巴里·施瓦茨、卡斯·桑斯坦（Cass Sunstein）、菲利普·泰洛克和理查德·塞勒。

多年来，和我一起进行研究的同事们也影响了我的许多看法。他们中的许多人都出现在了本书中。感谢他们对我的包容。

我还要感谢我的第一批读者，他们为本书无数次的草稿贡献了宝贵的时间，并提出了许多宝贵的建议，为我指明了正确的方向。他们是：乔恩·巴伦、西蒙娜·博蒂、达纳·卡尼（Dana Carney)、罗伊·蔡（Roy Chua)、桑福德·德沃（Sanford DeVoe)、苏密·哈尔德（Sumit Halder)、阿希拉·艾扬格（Akhila Iyengar)、拉迪卡·艾扬格（Radhika Iyengar)、乔纳·莱勒（Jonah Lehrer)、克里斯蒂娜·乌尔法利、约翰·佩恩（John Payne)、塔马·鲁德尼克、巴里·施瓦茨、比尔·达根（Bill Duggan)、比尔·斯科特（Bill Scott)、乔安娜·斯卡特斯（Joanna Scutts)、卡伦·西格尔（Karen Siegel）和彼得·乌比尔。

如果没有大家的通力合作，这本书对我来说就只是一个空想。我从我的助手们身上学到了许多宝贵的东西。每个天才加入我们的团队后，都成了我们团队中不可或缺的一员。卡尼卡·阿格拉沃（Kanika Agrawal）像一个睿智的顾问，她总能提出最难的问题，后来证明这些问题都是最有价值的问题。当她认为一件事很有趣时，我就知道我取得了一定的成绩。凯特·麦克皮克（Kate McPike）是一个非常了不起的调解人，她总能深入问题的核心，找到难题的最佳解决方案。很多次，在我们即将陷入泥泞的时候，她总是能让我们保持继续前行。文学天才拉尼·秋子·大岛（Lani Akiko Oshima）总能使材料变得灵动鲜活。在整个过程中，约翰·雷马雷克（John Remarek）不辞辛劳，为推理的逻辑性和研究的深度做出了巨大的贡献。

然而，我无法表达对下面两位的感激之情，是他们让那些原始材料变成了一本真正的书。我非常有幸和我的编辑乔恩·卡尔普（Jon Karp）一起工作。他在 Twelve 出版社工作，在业界有很高的名气，但是这些并不足以说明他的能力。和他的团队合作真的非常愉快。同时，我也无法表达对我的代理人蒂娜·贝内特（Tina Bennett）的感激之情，是她宝贵的指导、不断的鼓励和不知疲倦的工作使本书实现了它最大的潜能。蒂娜是那么出色、那么具有鼓舞力、那么友善，她简直是一个奇迹。

最重要的是，我要感谢在本书的创作过程中一直支持我的家人。我的公公N. G. R. 艾扬格像父亲一样检查我的工作进度，并不断地提醒我要保持优秀。我的婆婆里拉·艾扬格（Leela Iyengar）不断地鼓励我所有的事情都会像我希望的那样发生。我深深地感谢他们的支持。我还要感谢泽旺·乔东（Tsewang Chodon），感谢她帮我照顾我的儿子和我的家人，让我能专注于本书的创作。我的妹妹贾斯明·塞西（Jasmin Sethi）为我提供了大量想法和建议。在创作的过程中，我的母亲库尔迪普·塞西（Kuldeep Sethi）不断地鼓励我，尽她最大的努力为我铺平了前进道路。感谢母亲一直陪在我身边。

我要感激我的丈夫加卢德（Garud），感谢他一直以来的耐心和支持，感谢他为了我而以我的写作室为家，感谢他一直以来的陪伴。没有他，我不可能取得现在的成就。最后，我要感谢我和加卢德爱情的结晶——我们的儿子伊沙安（Ishaan）。他是我宝贵的“小顾问”，每天晚上他都会问我：“妈妈，你今天写了什么故事?”并会耐心地倾听我的故事。在尽量把故事讲得清晰、生动的过程中，我发现了把故事讲给别人听的许多更好的方法。更重要的是，他的一个拥抱就可以驱散我所有的沮丧。我对丈夫和儿子的爱无以言表。

资料来源

/

Adams, J. T. *The Epic of America*. Simon Publications (2001).

Ahlburg, D. A. "Predicting the job performance of managers: What do the experts know?" *International Journal of Forecasting* 7 (1992): 467–472.

Aiken, C. *Collected Poems*. Oxford University Press (1953).

Alesina, A., Glaeser, E., and Sacerdote, B. "Why doesn't the US have a European-type welfare state?" *Brookings Papers on Economic Activity* 2 (2001): 187–277.

Alicke, M. D., and Govorun, O. "The better-than-average effect," in Alicke, M. D., Dunning, D. A., and Krueger, J. I. *The Self in Social Judgment*. Psychology Press (2005).

Alwin, D. F., Cohen, R. L., and Newcomb, T. M. *Political Attitudes Over the Life Span: The Bennington Women after Fifty Years*. University of Wisconsin Press (1991).

Ames, S. C., Jones, G. N., Howe, J. T., and Brantley, P. J. "A prospective study of the impact of stress on quality of life: An investigation of low-income individuals with hypertension." *Annals of Behavioral Medicine* 23 (2) (2001): 112–119.

Amsterlaw, J., Zikmund-Fisher, B. J., Fagerlin, A., and Ubel, P. A. "Can avoidance of complications lead to biased healthcare decisions?" *Judgment and Decision Making* 1 (1) (2006): 64–75.

Anderson, C. *The Long Tail*. Hyperion (2006).

Anderson, C., Ames, D., and Gosling, S. "Punishing hubris: The perils of status self-enhancement in teams and organizations." *Personality and Social Psychology Bulletin* 34 (2008): 90–101.

Anderson, T. H. *The Movement and the Sixties.* Oxford University Press (1995).

Ariely, D. *Predictably Irrational.* Harper (2008).

Ariely, D., and Levav, J. "Sequential choice in group settings: Taking the road less traveled and less enjoyed." *Journal of Consumer Research* 27 (3) (2000): 279–290.

Bahn, K. D. "How and when do brand and preferences first form? A cognitive developmental investigation." *The Journal of Consumer Research* 13 (3) (1986): 382–393.

Ballew, C. C., and Todorov, A. "Predicting political elections from rapid and unreflective face judgments." *Proceedings of the National Academy of Sciences* 104 (46) (2008): 17948–17953.

Bargh, J. A. "The Automaticity of Everyday Life," in *The Automaticity of Everyday Life: Advances in Social Cognition,* Volume X. Wyer, R. S., Jr., ed. Lawrence Erlbaum (1997): 1–62.

Bargh, J. A., Chen, M., and Burrows, L. "Automaticity of social behavior: Direct effects of trait construct and stereotype activation on action." *Journal of Personality and Social Psychology* 71 (1996): 230–244.

Becker, G. S., Grossman, M., and Murphy, K. M. "An empirical analysis of cigarette addiction." *The American Economic Review* 84 (3) (1994): 396–418.

Begoun, P. "Best of Beauty 2006." Paula's Choice, Inc. (2006). http://www.cosmeticscop.com/bulletin/BestofBeauty2006.pdf.

Berger, J., and Heath, C. "Where consumers diverge from others: Identity signaling and product domains." *Journal of Consumer Research* 34 (2) (2007): 121–134.

Berger, J., and Heath, C. "Who drives divergence? Identity-signaling, outgroup dissimilarity, and the abandonment of cultural tastes." *Journal of Personality and Social Psychology* 95 (3) (2008): 593–607.

Berger, J., Wheeler, S. C., and Meredith, M. "Contextual priming: Where people vote affects how they vote." *Proceedings of the National Academy of Sciences* 105 (26) (2008): 8846–8849.

"Berlin bear's breakout bid fails." BBC News (August 31, 2004). http://

news.bbc.co.uk/2/hi/europe/3612706.stm.

Bernstein, R., and Edwards, T. "An Older and More Diverse Nation by Midcentury." U.S. Census Bureau press release, August 14, 2008.

Berridge, K. C., and Kringelbach, M. L. "Affective neuroscience of pleasure: Reward in humans and animals." *Psychopharmacology (Berl)* 199 (3) (2008): 457–480.

Bjork, J. M., and Hommer, D. W. "Anticipating instrumentally obtained and passively-received rewards: A factorial fMRI investigation." *Behavioral Brain Research* 177 (1) (2007): 165–170.

Björklund, A., and Jäntti, M. "Intergenerational income mobility in Sweden compared to the United States." *The American Economic Review* 87 (5) (1997): 1009–1018.

Blais, J., Memmott, C., and Minzesheimer, B. "Book Buzz: Dave Barry Really Rocks." *USA TODAY* (May 16, 2007). http://www.usatoday.com/life/books/news/2007–05–16-book-buzz_N.htm.

Blendon, R. J., and Benson, J. M. "Americans' views on health policy: A fifty-year historical perspective." *Health Affairs (Project Hope)* 20 (2) (2001): 33–46.

Bosman, J. "The Bright Side of Industry Upheaval." *New York Times* (March 3, 2006).

Botti, S., and Iyengar, S. S. "The psychological pain and pleasure of choosing: When people prefer choosing at the cost of subsequent outcome satisfaction." *Journal of Personality and Social Psychology* 87 (3) (2004): 312–326.

Botti, S., Orfali, K., and Iyengar, S. S. "Tragic choices: Autonomy and emotional response to medical decisions." *Journal of Consumer Research* 36 (2) (2009): 337–353.

"Bottled Water." Penn, Jillette, Teller. *Bullshit!*. Showtime. 2003–03–07. No. 7, season 1.

"Bottled Water: Pure Drink or Pure Hype?" Natural Resources Defense Council (1999). http://www.nrdc.org/water/drinking/bw/bwinx.asp.

Bown, N. J., Read, D., and Summers, B. "The lure of choice." *Journal of Behavioral Decision Making* 16 (4) (2003): 97–308.

Brehm, J. *A Theory of Psychological Reactance*. Academic Press (1966).

Brooks, A. "Poland Spring Settles Class-Action Lawsuit." NPR Morning Edition (September 4, 2003). http://www.npr.org/templates/story/story.php?storyId=1419713.

Brown, D. "Romantic Novelist Plotted Her Death in Secret, and in Fear." *The Times* (July 29, 2009). http://www.timesonline.co.uk/tol/life_and_style/health/article6731176.ece.

Bumiller, E. *May You Be the Mother of a Hundred Sons: A Journey Among the Women of India*. Random House (1990).

Byrne, D. "The effect of a subliminal food stimulus on verbal responses." *Journal of Applied Psychology* 43 (4) (1959): 249–251.

Callahan, S. *Adrift: Seventy-six Days Lost at Sea*. Houghton Mifflin (1986).

Camus, A. *The Myth of Sisyphus*. Justin O'Brien, trans. Vintage/Random House (1955).

Capellanus, A. *The Art of Courtly Love*, John Jay Parry, trans. Columbia University Press (1941). (Reprinted: Norton, 1969).

Catania, A. C. "Freedom and knowledge: An experimental analysis of preference in pigeons." *Journal of the Experimental Analysis of Behavior* 24 (1975): 89–106.

Chaloupka, F. J., Grossman, M., and Saffer, H. "The effects of price on alcohol consumption and alcohol-related problems." *Alcohol Research & Health* 26 (1) (2002): 22–34.

Chaplin, C., dir. *Modern Times*. Chaplin, C., and Goddard, P., perf. United Artists (1936).

Chase, W. G., and Simon, H. A. "Perception in chess." *Cognitive Psychology* 4 (1973): 55–61.

Chaucer, G. *The Canterbury Tales*, Daniel Cook, ed. Doubleday (1961).

Cheever, S. *American Bloomsbury: Louisa May Alcott, Ralph Waldo Emerson, Margaret Fuller, Nathaniel Hawthorne, and Henry David Thoreau; Their Lives, Their Loves, Their Work*. Large print edition. Thorndike Press (2006).

Chernev, A. "When more is less and less is more: The role of ideal point availability and assortment in consumer choice." *Journal of Consumer Research* 30 (2003): 170–183.

Choi, J., Laibson, D., Madrian, B., and Metrick, A. "Saving for Retirement on the Path of Least Resistance," in Ed McCaffrey and Joel Slemrod, eds., *Behavioral Public Finance: Toward a New Agenda*. Russell Sage Foundation (2006), pp. 304–351.

Church of England (1662). *The Book of Common Prayer*. Everyman's Library (1999).

Cialdini, R. B. *Influence: The Psychology of Persuasion*, rev. ed. Collins (1998).

Clubb, R., and Mason, G. "Captivity effects on wide-ranging carnivores." *Nature* 425 (2003): 473–474.

Clubb, R., Rowcliffe, M., Mar, K. J., Lee, P., Moss, C., and Mason, G. J. "Compromised survivorship in zoo elephants." *Science* 322 (2008): 1949.

Confucius. *The Analects.* Lau, D. C., trans. Chinese University Press (1983).

Connolly, K. "Germans Hanker after Barrier." *The Guardian*, November 8, 2007.

Coontz, S. *Marriage, a History: From Obedience to Intimacy, or How Love Conquered Marriage.* Viking Adult (2005).

Couch, K. A., and Dunn, T. A. "Intergenerational correlations in labor market status: A comparison of the United States and Germany." *The Journal of Human Resources* 32 (1) (1997): 210–232.

Cronqvist, H., and Thaler, R. "Design choices in privatized social-security systems: Learning from the Swedish experience." *American Economic Review* 94 (2004): 424–428.

Delgado, M. R. "Reward-related responses in the human striatum." *Annals of the New York Academy of Sciences* 1104 (2007): 70–88.

DeLillo, D. *White Noise.* Penguin Books (1986).

DeLongis, A., Folkman, S., and Lazarus, R. S. "The impact of daily stress on health and mood: Psychological and social resources as mediators." *Journal of Personality and Social Psychology* 54 (3) (1988): 486–495.

Dennett, D. C. *Kinds of Minds: Toward an Understanding of Consciousness.* Basic Books (1997).

De Tocqueville, A. *Democracy in America.* Harper & Row (1969).

DeVoe, S. E., and Iyengar, S. S. "Managers' theories of subordinates: A cross-cultural examination of manager perceptions of motivation and appraisal of performance." *Organizational Behavior and Human Decision Processing* 93 (2004): 47–61.

Didion, J. *The White Album.* Simon & Schuster (1979).

Donne, J. *Devotions Upon Emergent Occasions.* J. Sparrow, ed. Cambridge University Press (1923).

Dr. Seuss. *Oh, the Places You'll Go!* Random House Children's Books (1990).

Dutton, D. G., and Aron, A. P. "Some evidence for heightened sexual attraction under conditions of high anxiety." *Journal of Personality and Social Psychology* 30 (1974): 510–517.

Edwards, M. R., and Ewen, A. J. 360° *Feedback: The Powerful New Model for Employee Assessment and Performance Improvement.* AMACOM

American Management Association (1996).
Ekman, P. *Telling Lies: Clues to Deceit in the Marketplace, Politics, and Marriage, Third Edition*. W. W. Norton & Co. (2001).
Eliot, T. S. *Four Quartets*. Harcourt, Brace, and Company (1943).
Elliot, A. J., and Devine, P. G. "On the motivational nature of cognitive dissonance: Dissonance as psychological discomfort." *Journal of Personality and Social Psychology* 67 (1994): 382–394.
Emerson, R. W. "Self-Reliance," in *Essays: First Series*. (1847).
Ericsson, K. A., Krampe, R. T., and Tesch-Römer, C. "The role of deliberate practice in the acquisition of expert performance." *Psychological Review* 100 (3) (1993): 363–406.
Feinberg, R. A. "Credit Cards as Spending Facilitating Stimuli: A Conditioning Interpretation," *Journal of Consumer Research* 12 (1986): 384–356.
Festinger, L. *A Theory of Cognitive Dissonance*. Stanford University Press (1957).
Foulke, J. E. "Cosmetic Ingredients: Understanding the Puffery." *FDA Consumer*, Publication No. (FDA) 95–5013 (1995).
Frankel, D., dir. *The Devil Wears Prada*. 20th Century Fox Home Entertainment (2006).
Franklin, B. *Poor Richard's Almanack*. Paul Volcker, ed. Skyhorse Publishing (2007).
Franklin, B. *Private Correspondence of Benjamin Franklin*, Volume 1. Franklin, W. T., ed. R. Bentley (1833), pp. 16–17.
"Freedom!" *Time* (November 20, 1989).
Friedman, H. S., and Booth-Kewley, S. "The 'disease-prone personality': A meta-analytic view of the construct." *American Psychologist* 42 (6) (1987): 539–555.
Fromm, E. *Escape from Freedom*. Farrar & Rinehart (1941).
Frost, R. "The Road Not Taken," in *The Poetry of Robert Frost*. Edward Connery Lathem, ed. Holt, Rinehart and Winston (1969).
Gallagher, R. P., Borg, S., Golin, A., and Kelleher, K. "The personal, career, and learning needs of college students." *Journal of College Student Development* 33 (4) (1992): 301–310.
Garrison, F. H. *An Introduction to the History of Medicine*. W. B. Saunders Company (1966).
Gigerenzer, G. *Gut Feelings: The Intelligence of the Unconscious*. Viking Adult (2007).

Gilbert, D. *Stumbling on Happiness.* Vintage (2007).

Gladwell, M. *Blink: The Power of Thinking Without Thinking.* Little, Brown and Company (2005).

Grossman, L. "They Just Won't Grow Up." *Time* (January 6, 2005).

Gruber, J. H., and Mullainathan, S. "Do cigarette taxes make smokers happier?" *Advances in Economic Analysis and Policy* 5 (1) (2005), article 4.

Guerrero, L. K., Anderson, P. A., and Afifi, W. A. *Close Encounters: Communication in Relationships.* Sage Publications (2007).

Gunby, P. "Canada reduces cigarette tax to fight smuggling." *Journal of the American Medical Association* 271 (9) (1994): 647.

Gupta, U., and Singh, P. "Exploratory study of love and liking and types of marriage." *Indian Journal of Applied Psychology* 19 (1982): 92–97.

Harlow, J., and Montague, B. "Scientists Discover True Love." *The Sunday Times* (January 4, 2009) http://women.timesonline.co.uk/tol/life_and_style/women/relationships/article5439805.ece.

Heath, C., and Heath, D. *Made to Stick: Why Some Ideas Survive and Others Die.* Random House (2007).

Heiss, F., McFadden, D., and Winter, J. "Who Failed to Enroll in Medicare Part D, and Why? Early Results." Health Affairs Web Exclusive (August 1, 2006): W344-W354 http://content.healthaffairs.org/cgi/content/abstract/hlthaff.25.w344.

Hejinian, L. "The rejection of closure," *Poetics Journal 4: Women and Language Issue* (1984): 134–136.

Hofstede, G. *Culture's Consequences: International Differences in Work-Related Values.* Sage Publications (1980).

Homer. *The Odyssey.* Robert Fagles, trans. Penguin Classics (1999).

Hunter, J. E., and Hunter, R. F., "Validity and Utility of Alternative Predictors of Job Performance." *Psychological Bulletin* 96 (1) (1984): 72–98.

Huntington, S. P. *The Clash of Civilizations and the Remaking of World Order.* Simon & Schuster (1996).

Hyde, L. *The Gift: Imagination and the Erotic Life of Property.* Vintage Books (1983).

Iyengar, S. S., and Ames, D. R. "Appraising the unusual: Framing effects and moderators of uniqueness-seeking and social projection." *Journal of Experimental Social Psychology* 41 (3) (2005): 271–282.

Iyengar, S. S., Huberman, G., and Jiang, W. "How Much Choice Is Too Much? Contributions to 401(k) Retirement Plans," in Mitchell, O. S., and Utkus, S., eds. *Pension Design and Structure: New Lessons from Behavioral Finance*. Oxford University Press (2004): 83–95.

Iyengar, S. S., and Kamenica, E. "Choice Proliferation, Simplicity Seeking, and Asset Allocation." Working paper (2008) http://faculty.chicagobooth.edu/emir.kamenica/documents/simplicitySeeking.pdf.

Iyengar, S. S., and Lepper, M. R. "Rethinking the value of choice: A cultural perspective on intrinsic motivation." *Journal of Personality and Social Psychology* 76 (3) (1999): 349–366.

Iyengar, S. S., Wells, R. E., and Schwartz, B. "Doing better but feeling worse: Looking for the 'best' job undermines satisfaction." *Psychological Science* 17 (2) (2006): 143–150.

Jordan, L., dir. *Dress to Kill*. Izzard, E., perf. WEA Corp. (1999).

Judge, T. A., and Cable, D. M. "The Effect of Physical Height on Workplace Success and Income: Preliminary Test of a Theoretical Model." *Journal of Applied Psychology* 89 (2004): 428–441.

Kahneman, D., Kruger, A. B., Schkade, D., Schwartz, N., and Stone, A. A. "Would you be happier if you were richer? A focusing illusion." *Science* 312 (2006): 1908–1910.

Kalueff, A.V., Wheaton, M., and Murphy, D. L. "What's wrong with my mouse model? Advances and strategies in animal modeling of anxiety and depression." *Behavioral Brain Research* 179 (1) (2007): 1–18.

Katz, J. *The Silent World of Doctor and Patient*. Free Press, Collier Macmillan (1984).

Keillor, G. *A Prairie Home Companion*. Minnesota Public Radio (1974–present).

Kenny, D. A., and DePaulo, B. M. "Do people know how others view them?: An empirical and theoretical account." *Psychological Bulletin* 114 (1993): 145–161.

Kifner, J. "Stay-at-Home SWB, 8, Into Fitness, Seeks Thrills." *New York Times* (July 2, 1994). http://www.nytimes.com/1994/07/02/nyregion/about-new-york-stay-at-home-swb-8-into-fitness-seeks-thrills.html.

Kitayama, S., Markus, H. R., Matsumoto, H., and Norasakkunkit, V. "Individual and collective processes in the construction of the self: Self-enhancement in the United States and self-criticism in Japan." *Journal of Personality and Social Psychology* 72 (6) (1997): 1245–1267.

Koch, E. *The Complete Taj Mahal: And the Riverfront Gardens of Agra*. Thames & Hudson Ltd. (2006).

Kokis, J. V., Macpherson, R., Toplak, M. E., West, R. F., and Stanovich,

K. E. "Heuristic and analytic processing: Age trends and associations with cognitive ability and cognitive styles." *Journal of Experimental Child Psychology* 83 (2002): 26–52.

Kroll, L., Miller, M., and Serafin, T. "The World's Billionaires (2009)" *Forbes*. http://www.forbes.com/2009/03/11/worlds-richest-people-billionaires-2009-billionaires_land.html.

Krosnick, J. A., Miller, J. M., and Tichy, M. P. "An Unrecognized Need for Ballot Reform: The Effects of Candidate Name Order on Election Outcomes," in Crigler, A. N., Just, M. R., and McCaffery, E. J., eds. *Rethinking the Vote: The Politics and Prospects of American Election Reform*. Oxford University Press (2004).

Krueger, J. "Return of the Ego—Self-Referent Information as a Filter for Social Prediction: Comment on Karniol (2003)." *Psychological Review* 110 (3) (2003): 585–590.

Krum, F. "Quantum leap: Golden Cat Corp.'s success with category management." *Progressive Grocer*, Golden Cat Corp. (1994): 41–43.

Langer, E. J., and Rodin, J. "The effects of choice and enhanced personal responsibility for the aged: A field experiment in an institutional setting." *Journal of Personality and Social Psychology* 34 (2) (1976): 191–198.

Lehrer, J. *How We Decide*. Houghton Mifflin Co. (2009).

Leonardelli, G. J. "The Motivational Underpinnings of Social Discrimination: A Test of the Self-Esteem Hypothesis." Unpublished master's thesis (1998).

Leonardelli, G. J., and Brewer, M. B. "Minority and majority discrimination: When and why." *Journal of Experimental Social Psychology* 37 (2001): 468–485.

Lewis, M., Alessandri, S. M., and Sullivan, M. W. "Violation of expectancy, loss of control, and anger expressions in young infants." *Developmental Psychology* 26 (5) (1990): 745–751.

Lewis, S. *Main Street: The Story of Carol Kennicott*. Harcourt, Brace and Company (1921).

Lindblom, E. *Raising Cigarette Taxes Reduces Smoking, Especially Among Kids (and the Cigarette Companies Know It)*. Campaign for Tobacco Free Kids (2005).

Mahler, L, Greenberg, L., and Hayashi, H. "A comparative study of rules of justice: Japanese versus American." *Psychologia* 24 (1981): 1–8.

Marchand, R. *Advertising the American Dream: Making Way for Moder-*

nity, 1920–1940. University of California Press (1986).

Marshall, C. "Tiger Kills 1 After Escaping at San Francisco Zoo," *New York Times* (December 26, 2007). http://www.nytimes.com/2007/12/26/us/26tiger.html?_r=1&scp=5&sq=tatiana%20tiger&st=cse.

Marx, K., and Engels, F. *The Marx-Engels Reader*. Robert C. Tucker, ed. Norton (1972).

Masuda, T., and Nisbett, R. E. "Attending holistically versus analytically: Comparing the context sensitivity of Japanese and Americans." *Journal of Personality and Social Psychology* 81 (2001): 992–934 doi: 10.1037/0022–3514.81.5.922.

Mazis, M. B., Settle, R. B., and Leslie, D. C. "Elimination of phosphate detergents and psychological reactance." *Journal of Marketing Research* 10 (1973): 390–395.

McClure, S. M., Laibson, D. I., Lowenstein, G., and Cohen, J. D. "Separate neural systems value immediate and delayed monetary rewards." *Science* 306 (2004a): 503–507.

McClure, S. M., Li, J., Tomlin, D., Cypert, K. S., Montague, L. M., and Montague, P. R. "Neural correlates of behavioral preference for culturally familiar drinks." *Neuron* 44 (2) (2004b): 379–387.

McDaniel, M. A., Whetzel, D. L., Schmidt, F. L., and Maurer, S. D. "The Validity of Employment Interviews: A Comprehensive Review and Meta-Analysis." *Journal of Applied Psychology* 79 (4) (1994): 599–616.

McNeil, B. J., Pauker, S. G., and Tversky, A. "On the Framing of Medical Decisions," in Bell, D. E., Raiffa, H., and Tversky, A., eds. *Decision Making: Descriptive, Normative, and Prescriptive Interactions*. Cambridge University Press (1988), pp. 562–568.

Menon, T., Morris, M. W., Chiu, C., and Hong, Y. "Culture and the construal of agency: Attribution to individual versus group dispositions." *Journal of Personality and Social Psychology* 76 (1999): 701–717.

Mill, J. S. *On Liberty and Other Writings*. Stefan Collini, ed. Cambridge University Press (1989).

Miller, G. "The magical number seven, plus or minus two: Some limits on our capacity for processing information." *The Psychological Review* 63 (2) (1956): 81–97.

Mischel, W., Ebbesen, E. B., and Raskoff Zeiss, A. "Cognitive and attentional mechanisms in delay of gratification." *Journal of Personality and Social Psychology* 21 (2) (February 1972): 204–218.

Mogilner, C., Rudnick, T., and Iyengar, S. S. "The mere categorization effect: How the presence of categories increases choosers' perceptions of assortment variety and outcome satisfaction." *Journal of Consumer Research* 35 (2) (2008): 202–215.

Murphy, J., trans. Introduction to *Where Is Science Going?* by Max Planck. Allen & Unwin (1933): 7.

Newcomb, T. M. "Attitude Development as a Function of Reference Groups: The Bennington Study," in *Readings In Social Psychology*, 3d ed., Eleanor E. Maccoby, Theodore M. Newcomb, and Eugene L. Hartley, eds. Henry Holt and Co. (1958): 265–275.

Nie, N. H., and Hillygus, D. S. "Where does Internet time come from?: A reconnaissance." *IT & Society* 1 (2) (2002): 1–20.

Ochsner, K. N., and Gross, J. J. "The cognitive control of emotion." *Trends in Cognitive Science* 9 (5) (2005): 242–249.

"Orangutan Escapes Pen at US Zoo." BBC News (May 18, 2008). http://news.bbc.co.uk/2/hi/americas/7407050.stm.

Orwell, G. *1984*. Harcourt Brace Jovanovich (1977).

Osnos, E. "Too Many Choices? Firms Cut Back on New Products." *Philadelphia Inquirer* (September 27, 1997): DI, D7.

Ouroussoff, N. "Gehry's New York Debut: Subdued Tower of Light." *New York Times* (March 22, 2007).

Parsons, O. A., and Schneider, J. M. "Locus of control in university students from Eastern and Western societies." *Journal of Consulting and Clinical Psychology* 42 (1974): 456–461.

Pear, R. "Final Rush to Make Deadline for Drug Coverage." *New York Times* (May 16, 2006).

Persico, N., Postlewaite, A., and Silverman, D. "The Effect of Adolescent Experience on Labor Market Outcomes: The Case of Height." *Journal of Political Economy* 112 (5) (2004): 1019–1053.

Pendergrast, M. *For God, Country and Coca-Cola: The Unauthorized History of the Great American Soft Drink and the Company that Makes It*. Maxwell Macmillan (1993).

Peterson, J. S. *American Automobile Workers, 1900–1933*. State University of New York Press (1988).

Piper, W. *The Little Engine That Could*. Illustrated by George and Doris Hauman. Grosset & Dunlap (1978).

Plassmann, H., O'Doherty, J., Shiv, B., and Rangel, A. "Marketing actions can modulate neural representations of experienced pleasantness." *Proceedings of the National Academy of Sciences* 105 (3) (2008):

1050–1054.

Plous, S. *The Psychology of Judgment and Decision Making*. McGraw-Hill (1993).

Prelec, D., and Simester, D., "Always leave home without it: A further investigation of the credit-card effect on willingness to pay," *Marketing Letters* 12 (1) (2001): 5–12.

Pronin, E., Berger, J., and Moulouki, S. "Alone in a crowd of sheep: Asymmetric perceptions of conformity and their roots in an introspection Illusion." *Journal of Personality and Social Psychology* 92 (2007): 585–591.

Putnam, J., Allshouse, J., and Kantor, L. S. "U.S. per capita food supply trends: More calories, refined carbohydrates, and fats." *FoodReview* 25 (3) (2002). http://www.ers.usda.gov/publications/FoodReview/DEC2002/frvol25i3a.pdf.

Putnam, R. D. "Bowling alone: America's declining social capital." *Journal of Democracy* 6 (1) (1995): 65–78.

Putnam, R. D. *Bowling Alone: The Collapse and Revival of American Community*. Simon & Schuster (2000).

Raynor, H. A., and Epstein, L. H. "Dietary variety, energy regulation, and obesity." *Psychological Bulletin* 127 (3) (2001): 325–341.

"Report of the Day Trading Project Group." North American Securities Administrators' Association Inc. (1999). http://www.nasaa.org/content/Files/NASAA_Day_Trading_Report.pdf.

Reschovsky, J. D., Hargraves, J. L., and Smith, A. F. "Consumer beliefs and health plan performance: It's not whether you are in an HMO but whether you think you are." *Journal of Health Politics, Policy and Law* 27 (3) (2002): 353–377.

Reutskaja, E., and Hogarth, R. M. "Satisfaction in choice as a function of the number of alternatives: When goods satiate." *Psychology and Marketing* 26 (3) (2009): 197–203.

Richter, C. P. "On the phenomenon of sudden death in animals and man." *Psychosomatic Medicine* 19 (1957): 191–198.

Rilke, R. M. "The Panther," in *The Selected Poetry of Rainer Maria Rilke*, Mitchell, S., ed., trans. Vintage (1989).

Rose, N. *Powers of Freedom*. Cambridge University Press (1999).

Royte, E. *Bottlemania*. Bloomsbury USA (2008).

Schachter, S., and Singer, J. "Cognitive, social, and physiological determinants of emotional state." *Psychological Review* 69 (1962): 379–399.

Schneider, C. E. *The Practice of Autonomy: Patients, Doctors, and Medical Decisions.* Oxford University Press (1998).

Schiller, R. J. *The Subprime Solution: How Today's Global Financial Crisis Happened, and What to Do About It.* Princeton University Press (2008).

Seligman, M. E. P., and Maier, S. F. "Failure to escape traumatic shock." *Journal of Experimental Psychology* 74 (1967): 1–9.

Selye, H. "The general adaptation syndrome and the diseases of adaptation." *Journal of Clinical Endocrinology* 6 (1946): 117–230.

Sethi, S., and Seligman, M. E. P. "Optimism and fundamentalism." *Psychological Science* 4 (1993): 256–259.

Shah, A. M., and Wolford, G. "Buying behavior as a function of parametric variation of number of choices." *Psychological Science* 18 (2007): 369–370.

Shales, T. "The Day the Wall Cracked: Brokaw's Live Broadcast Tops Networks' Berlin Coverage." *Washington Post*, November 10, 1989.

Shaw, G. B. *The Doctor's Dilemma, Getting Married, and The Shewing-up of Blanco Posnet.* Brentano's (1911).

Shin, J., and Ariely, D. "Keeping doors open: The effect of unavailability on incentives to keep options viable." *Management Science* 50 (5) (2004): 575–586.

Shoda, Y., Mischel, W., and Peake, P. K. "Predicting adolescent cognitive and self-regulatory competencies from preschool delay of gratification: Identifying diagnostic conditions. *Developmental Psychology* 26 (6) (November 1990): 978–986.

Simon, H. A. "What is an explanation of behavior?" *Psychological Science* 3 (1992): 150–161.

Simpson, J. *Touching the Void.* Harper Collins (1988).

Slater, L. "True Love." *National Geographic* (February 2006).

Sloane, P. D., Zimmerman, S., Suchindran, C., Reed, P., Wang, L., Boustani, M., Sudha, S. "The public health impact of Alzheimer's disease, 2000–2050: Potential implication of treatment advances." *Annual Review of Public Health* 23 (2002): 213–231.

Smith, A. *The Wealth of Nations.* Modern Library (2000).

Smith, D. K. *Discipline of Teams: Sealed Air Corp.* Harvard Business Publishing (1994). Prod. #: 6778-VID-ENG.

Snyder, M., and Swann, W. B., Jr. "Hypothesis-testing processes in social interactions." *Journal of Personality and Social Psychology* 36 (11) (1978): 1202–1212.

Sowell, E. R., Thompson, P. M., Tessner, K. D., and Toga, A. W. "Mapping continued brain growth and gray matter density reduction in the dorsal frontal cortex: inverse relationships during postadolescent brain maturation." *The Journal of Neuroscience* 21 (22) (2001): 8819–8829.

Srull, T. K., and Gaelick, L. "General principles and individual differences in the self as a habitual reference point: An examination of self-other judgments of similarity." *Social Cognition* 2 (1983): 108–121.

Stanton, A., dir. *Wall-E.* Walt Disney Home Entertainment (2008).

Statistical Abstracts of the United States: 1997. U.S. Bureau of the Census. Washington, DC (1997).

Steigerwald, D. "Did the Protestant ethic disappear? The virtue of thrift on the cusp of postwar affluence." *Enterprise & Society* 9 (4) (2008): 788–815.

Sternbergh, A. "Stephen Colbert Has America by the Ballots." *New York* (October 16, 2006).

Styron, W. *Sophie's Choice.* Random House (1979).

Surowiecki, J. "Day Trading Is for Suckers." Slate.com (August 3, 1999). http://www.slate.com/id/1003329/.

Susman, W. *Culture as History: The Transformation of American Society in the Twentieth Century.* Pantheon Books (1984).

Suzuki, S. "Selection of forced- and free choice by monkeys (*Macaca fascicularis*)." *Perceptual and Motor Skills* 88 (1999): 242–250.

Swann, W. B., Jr., Rentfrow, P. J., and Guinn, J. S. "Self-Verification: The Search for Coherence," in *Handbook of Self and Identity*, Leary, M. R., and Tagney, J. P., eds. Guilford Press (2003): 367–383.

Tarver, J. D. "Lifetime migration to the major cities of the United States, Asia, and Africa." *Genus* 48 (3–4) (1992): 63–71.

Taylor, F. W. *The Principles of Scientific Management* (1911). Kessinger Publishing (2004).

Taylor, S. E., Kemeny, M. E., Reed, G. M., Bower, J. E., and Gruenewald, T. L. "Psychological resources, positive illusions, and health." *American Psychologist* 55 (1) (2000): 99–109.

Taylor, S. E., Lichtman, R. R., and Wood, J. V. "Attributions, beliefs about control, and adjustment to breast cancer." *Journal of Personality and Social Psychology* 46 (1984): 489–502.

Tetlock, P. E. "Correspondence and Coherence: Indicators of Good Judgment in World Politics," in Hardman, D., and Macchi, L., eds. *Think-*

ing: Psychological Perspectives on Reason, Judgment, and Decision Making. John Wiley & Sons Ltd. (2003).

Thaler, R., and Benartzi, S. "Save more tomorrow: Using behavioral economics to increase employee saving." *Journal of Political Economy* 112 (1) (2004): 164–187.

Thaler, R., and Sunstein, C. *Nudge: Improving Decisions About Health, Wealth, and Happiness.* Yale University Press (2008).

The Food Marketing Industry Speaks: 2005. The Food Marketing Institute, Inc. (2005).

The Supermarket Industry Speaks: 1965. The Super Market Institute, Inc. (1965).

Tichy, N. M., and Cohen, E. B. *The Leadership Engine: How Winning Companies Build Leaders at Every Level.* HarperCollins (1997).

Triandis, H. *Individualism and Collectivism.* Westview Press (1995).

Tricomi, E. M., Delgado, M. R., and Fiez, J. A. "Modulation of caudate activity by action contingency." *Neuron* 41 (2) (2004): 281–292.

Turner-Cobb, J. M. "Psychological and neuroendocrine correlates of disease progression." *International Review of Neurobiology* 52 (2002): 353–381.

Tversky, A., and Kahneman, D. "Judgments under uncertainty: Heuristics and biases." *Science* 185 (1974): 1124–1131.

Ubel, P. *Free Market Madness.* Harvard Press (2009).

Vienna Declaration and Programme of Action. World Conference on Human Rights, Vienna, June 14–25, 1993.

Voss, S. C., and Homzie, M. J. "Choice as a value." *Psychological Reports* 26 (1970): 912–914.

Wachowski, A., and Wachowski, L., dirs. *The Matrix.* Warner Home Video (1999).

Watson, M., Haviland, J. S., Greer, S., Davidson, J., and Bliss, J. M. "Influence of psychological response on survival in breast cancer: a population-based cohort study." *Lancet* 354 (9187) (1999): 1331–1336.

Weber, M. *The Protestant Ethic and the Spirit of Capitalism.* (1905).

Weinstein, D., and Broda, C. "Product Creation and Destruction: Evidence and Price Implications." *NBER Working Paper* #13041 (2007). http://papers.nber.org/papers/w13041.

Weisberger, L. *The Devil Wears Prada: A Novel.* Doubleday (2003).

Wells, R. E., and Iyengar, S.S. "Positive illusions of preference consistency: When remaining eluded by one's preferences yields greater subjective well-being and decision outcomes." *Organizational Behavior and Human Decision Processes* 98 (1) (2005): 66–87.

Whitman, W. *Leaves of Grass.* D. S. Reynolds, ed. Oxford University Press (2005).

Wilson, T. D., Dunn, D. S., Bybee, J. A., Hyman, D. B., and Rotondo, J. A. "Effects of analyzing reasons on attitude-behavior consistency." *Journal of Personality and Social Psychology* 47 (1) (1984): 5–16.

Wilson, T. D., Lisle, D. J., Schooler, J. W., Hodges, S. D., Klaaren, K. J., and LaFleur, S. J. "Introspecting about reasons can reduce post-choice satisfaction." *Personality and Social Psychology Bulletin* 19 (1993): 331–339.

Wilson, T. D., Meyers, J., and Gilbert, D. T. "'How happy was I, anyway?' A retrospective impact bias." *Social Cognition* 21 (2003): 407–432.

Wilson, T. V. "Why is the birth rate so low for giant pandas?" 08 September 2006. *HowStuffWorks.com.* http://animals.howstuffworks.com/mammals/panda-birth-rate.htm.

Yin, W., Basu, A., Zhang, J., Rabbani, A., Meltzer, D. O., and Alexander, G. C. "The effect of the Medicare Part D prescription benefit on drug utilization and expenditures." *Annals of Internal Medicine* 148 (3) (2008): 169–177.

Zajonc, R. "Attitudinal effects of mere exposure." *Journal of Personality and Social Psychology* 9 (1968): 1–27.

Zanna, M. P., Lepper, M. R., and Abelson, R. P. "Attentional mechanisms in children's devaluation of a forbidden activity in a forced-compliance situation." *Journal of Personality and Social Psychology* 28 (3) (1973): 355–359.

Zook, M., and Graham, M. "Wal-Mart Nation: Mapping the Reach of a Retail Colossus," in *Wal-Mart World: The World's Biggest Corporation in the Global Economy.* Brunn, S. D., ed. Routledge (2006), pp. 15–25.